民國歷史與文化研究

四 編

第5冊

國立勞動大學研究
（1927～1932）

蔡興彤 著

革命時代中的上海大學

王小莉 著

花木蘭文化出版社

國家圖書館出版品預行編目資料

國立勞動大學研究(1927～1932) 蔡興彤 著/革命時代中的上海大學 王小莉 著 — 初版 — 新北市:花木蘭文化出版社,2016〔民105〕
目 2+100 面/目 2+96 面;19×26 公分
(民國歷史與文化研究 四編;第5冊)
ISBN 978-986-404-673-7/978-986-404-674-4(精裝)
1. 國立勞動大學 2. 歷史/1. 上海大學
628.08 105012770/105012771

ISBN-978-986-404-673-7
ISBN-978-986-404-674-4

民國歷史與文化研究
四 編 第五冊 ISBN:978-986-404-673-7/978-986-404-674-4

國立勞動大學研究(1927～1932)
革命時代中的上海大學

作　　者 蔡興彤/王小莉
總 編 輯 杜潔祥
副總編輯 楊嘉樂
編　　輯 許郁翎、王筑　美術編輯 陳逸婷
出　　版 花木蘭文化出版社
社　　長 高小娟
聯絡地址 235 新北市中和區中安街七二號十三樓
電話:02-2923-1455/傳眞:02-2923-1452
網　　址 http://www.huamulan.tw 信箱 hml 810518@gmail.com
印　　刷 普羅文化出版廣告事業
初　　版 2016 年 9 月
全書字數 86588 字/73730 字
定　　價 四編 6 冊(精裝)台幣 10,000 元

國立勞動大學研究

（1927～1932）

蔡興彤　著

作者簡介

蔡興彤，1983年生，黑龍江省牡丹江市人。2008年畢業於黑龍江省哈爾濱市哈爾濱學院人文學院歷史系，獲歷史學學士學位。同年九月考入華中師範大學歷史文化學院中國近代史專業，2011年獲歷史學碩士學位。現爲南京大學歷史學系中國近現代史專業2011級博士研究生，師從申曉雲教授，主要研究方向爲中華民國史，曾發表兩篇論文於《圖書情報工作》。

提　要

國立勞動大學是南京國民政府成立後，創辦的第一所國立大學。它的興辦獲得了國民黨四元老蔡元培、吳稚暉、李石曾、張靜江的鼎力支持。該校以工讀主義爲思想理論基礎，倡導通過互助的方法，奉行逐步改良的措施從而實現共產主義爲己任。它的創辦與運作，集中體現了20世紀中國革命和中國國民黨中一部分人所具有的無政府主義的革命心態和革命思想。並且，又由於其創辦於四一二政變之後，深陷於國民黨高層及高級知識分子群體內部的派系鬥爭。因此，對該校的深入研究不僅有助於我們在一定程度上瞭解、認識20世紀的中國革命，而且可以通過個案研究的方式，以特定的角度深入觀察1927年至1932年之間，中國社會特定階層的狀況及所面對的問題，對現在中國大學發展中所面臨的各種問題之解決亦不無裨益。

總　序

申曉雲

臺灣花木蘭文化出版社首批有關民國歷史與文化研究的叢書即將付梓出版了，書稿作者中有不少爲我們南京大學中國近現代史研究方向的碩、博研究生，其中有十多位同學曾爲我門下學子。看到他們的用心之作被作爲近期民國史研究中年輕學者的新銳成果，出版繁體字版，用於兩岸學界交流，作爲他們曾經的導師，感到十分欣慰。年輕同人希望我能爲他們的新作寫個序，似責無旁貸。但我的學生中，被納入首批出版的新作還不少，要寫也只能是寫個「集體」的。正在考慮怎麼寫，接花木蘭文化出版社楊嘉樂女士來函，讓我也乾脆一併爲出版社首批民國歷史與文化研究叢書寫一「總序」，如此厚望，也無可推卻。不過，寫「總序」與爲單本書或單個作者寫序不同，由於其中一些書稿一時還無緣拜讀，冒然作序，難免言不盡意。不過，「序」畢竟不是「綜述」，重在推介，點到即可，各部新作的精彩之處，可留給讀者自己去品味。既與此批叢書中的不少作者有著師生之誼，作爲老師的我，畢竟陪伴他（她）們度過了讀研期間那段難忘的時光，其中有辛苦，也有甘甜，有耕耘，也有收穫。在他們新作即將面世之際，不妨就讓我和他（她）們一起來回顧那段爲教爲學、相得益彰的經歷，從中領略教學相長的樂趣，順便對這批以年輕學者爲主體的叢書新作略作推介，不亦樂乎。不過，既爲推介，面面俱到無必要，過於籠統也不合適，對新作中比較熟悉的作者和書稿內容，會稍加介紹，挂一漏萬之處，深望各位導師和年輕作者們海涵。

從哪兒談起呢？先讓我們看看此批叢書大概有些什麼內容吧。從首批叢書的出版書目看，新作 22 部（合計 32 冊）中，有關民國政治史方面的研究書稿 5 部，思想文化史方面的書稿 9 部，與抗日主題相關的書稿 4 部，另有 4

部是其它方面的，如體育、教育、人物研究等。僅從涉及方面來看，選題之廣泛，內容之豐富，足以令人耳目一新。由於這些新作基本都爲這些年輕作者的學位論文，這也不由得讓我想起了同學們在進入研究生階段學習時，面臨論文選題時的情景。許是因爲地近中國第二歷史檔案館的緣故，我所在的南京大學歷史系中近代史研究方向的碩、博研究生，在入學後選擇以民國歷史與文化研究爲主攻方向的同學甚多。當然，這也跟近些年中大陸民國研究的持續升溫有關。評價歷史需要有一定的時間沈澱和空間距離，在經過了一個多世紀天地翻覆的滄桑巨變後，現今大陸的不少人，包括年輕人在內，開始對那個距今並不遙遠，但卻並不瞭解，甚至很長時間內因受思想禁錮而對之懷有很深偏見的那個眞實的民國，產生了強烈的回望和探索的興趣。人們需要瞭解自己的歷史，尤其被當下很多問題所困擾的人們，他們想知道我們的上一輩人曾經經歷過怎樣的時代，有過怎樣的選擇，爲什麼沒有實現，我們又是如何一步步走到今天的，今後還會往何處去？……類似這樣的追索是大陸近些年來「民國熱」方興未艾的重要原因。當然，「熱」是一回事，眞要做研究卻是另一回事。民國歷史涉及方面很多，對進入專業領域的研究生同學來說，選擇怎樣的題目來做論文，是需要作全面考慮的。毋庸諱言，現在我們研究生中一個現象就是不會給自己找選題，每到需要確定論文題目了，就發愁，有的乾脆找導師，給指定一個算了。這怎麼行呢？老話說「興趣是成功的一半」，沒有興趣，就激發不起探索的欲望，勉強去寫，即便完成了，也不過是篇平庸之作，不會是一篇好文章。還有一種現象，一些研究生同學，在考入某一老師門下後，習慣以導師的學術專長作爲自己的選題方向，一頭扎進專門領域。但我還是認爲，學生在求學階段，最需要的是把做學問的基礎夯實，把學術視野打開。向導師學習，學有專攻都不錯，但對本專業內其他方向的研究動態也需要及時瞭解和掌握，甚至對專業以外的知識也應該予以一定關注。只有視野開闊了，思維才能活躍，這對以後學業的精進會大有助益。所以，我的學生在準備做論文時，我會鼓勵他們儘量按自己的研究興趣去選擇適合自己去做的課題，導師的研究專長只是參考，無需保持一致。當然，在確定論文選題時，光憑興趣也不行，還必須考慮到一些做研究的主、客觀條件，如個人的稟賦和才情，資料收集的難易程度等。特別是個人的稟賦和才情方面，如同研究興趣有不同一樣，我們的同學也都各有所長和所短，體現在做學問上，有人適合於搞精確考證，有人長於提出理論問題，有的長於分析，有的喜歡概括，有的擅長冷靜、客觀地描述，有的則擅長形象思維，這就有個「量體裁衣」的問題。只有揚長避短，才能最大程度地調動和發揮自己的潛能。我們的同學正是這樣去做的。不過，有研究興趣，也具備一定的研究基礎和條件，還只是給自己找到了一個適合去做的課題，接下來的就是如何去做才能有所創新的問題。什麼叫創新呢？創新首先是一種不固守陳規，不囿於偏見、不迷信權威的創造意識，是一種能夠發現、提出問題，並能解決問題，以爲人們認識世界提供新知識的能力。就學術論文而言，一篇有學術份量的好文章或好論著，是一定要有創見的，也即必須是新的、獨到的、具有某種原創性的，有重大發現價值的。爲做到這一點，我們研究生同學作出了不懈的努力，這在叢書每部新作中均有顯現，述其概要，以下幾點更爲突出：

一、重典型個案的考察，既有大歷史的關懷，又有獨到的考察視角。一般而言，學位論文都具有某種樣本性，一篇論文不可能面面俱到，這樣會分散你的論旨，所以通常都會選擇個案去進行。不過，並非什麼個案都是具有考察價值的，用作學位論文的個案，最好既具宏觀審視意義，又具微觀考察價值，這樣才能以小見大。因此，找到一個好的切入點，是論文撰寫能否眞正圍繞有價值問題展開的關鍵。以做政治史研究爲例：人們常用「歷史大變局」來形容中國近代以來的社會轉型和變遷，而民國時期實乃歷史變局中制度轉換最爲激烈的時期，僅就政體而言，但凡近代政制中有價值的政體選擇，民國時期幾乎都有試驗，然招牌換了又換，政體也是變了又變，但中國社會的政治轉型經百年輪迴，卻仍未走出專制集權的怪圈。社會發展也一樣，除舊布新的「革命」一場接一場，但帶給人們的卻不是社會的穩定和新價值的確立，反是長時期的動蕩、脫序和失範。面對這一轉型困頓，很多學者都作過研究，體現了大的歷史關懷。但從考察方面和研究成果來看，關注的方面較多偏重於上層的改制，對下層相應變革和社會層面推進考察卻相對薄弱。然而，明顯的是，上層的政治變革，若沒有觸動舊制的根基，任何建立新制的努力，終將歸於失敗。正因爲此，我們的年輕學者在對中國近代社會轉型困頓作出探究時，在選擇典型個案時，開始更多地將考察目光轉向社會層面，致力於歷史變遷現場的還原和實態的揭示，從社會秩序重構的角度，對中國近代社會轉型困頓的原因，作出了新的探討。如張文俊博士的新作《政制轉型與山西政治秩序重構研究（1911～1928）》，即以閻錫山這位在民國歷史上歷經北京政府和國民政府兩個時期，無論在中央還是地方，均具重要影響力的實力派代表之「治晉模式」爲考察個案，通過對「山西王」閻錫山「以不變應萬變」歷史線索的梳理，對舊秩序崩潰和新秩序構建中「山西模式」所代表的這一無序中有序的軍紳政權所具有的樣本意義作出了揭示，既深化了對民國政制變遷和社會轉型中所遭遇問題的認知，也爲下層變革的路徑提供了歷史的參考和借鑒。佟德元同學的博士論文《轉型、博弈與政治空間訴求：1928～1933 年奉系地方政權研究》，則將考察重點放在國民革命「統一告成」之際的東三省奉系政權的「換制」改革上，通過對東北政務委員會這一國民黨「以黨造國」時期具有標誌性意義的過渡機構之設置和運行的透視，較爲集中地對東北易幟後張學良地方政權與南京中央的眞實關係進行了視角獨到的透視和解讀。由於奉系團體曾爲民國北京政府時期全國舞臺上的權力握掌者，東北易幟也是國民黨最終完成「統一」的標誌，故對張學良東三省當局在與南京中央的互動和博弈中被逐步削弱、直至消亡的考察，是一個透視國民黨建立政權之際，如何確立「黨治」權威，完成中央和地方關係整合的極好視角。除張、佟二位外，將考察時段集中於國民革命和北伐時期，著重對國民黨政權確立過程中的統一方式和政治整合手段作出個案考察的，還有程玉祥、張甯、何志明等人的一些書稿。程、張分別以閩西海軍的倒戈和閻錫山的「易幟」爲例，通過對北伐南北易勢後的「換旗」現象，做出了透視和分析，在展現歷史複雜性的同時，對近代社會的政治轉型以「武力統一」方式達成的利弊得失，作出了審視和叩問，給人以重要的歷史啓迪。何志明同學的論著則以國民黨蔣系勢力比較雄厚的江浙地方黨部爲考察對象，對國民黨政權建立初期內部「黨力」渙散之實況、癥結所在，以及面臨的執政困境，作了頗有深度的揭示。而這一時期國民黨基層紛擾所暴露的問題，其實也是其後國民黨執政二十多年間深陷其中而無法解脫的夢魘。陳明勝博士的著述，關注的也是社會轉型問題，卻選取了 1905～1937 年間江蘇省地方自治流變爲考察重點，通過對清末新政時期、民國北京政府時期、以及南京國民政府三個不同歷史階段中江蘇地方自治的推進過程的實態呈現，不僅對民國時期的自治運動之演進脈絡作出了梳理，也對自治運動在近代中國社會轉型中所具的路徑探索意義作了富有說服力的揭示。關於地方自治，以往大陸的歷史書寫是存在不少片面性的，如將民國以來地方自治的訴求，視爲與中央政權的疏離，是一種對國家統一具有威脅的「分裂」行徑，這實際是對歷史的誤讀和偏見。陳明勝的研究表明，地方自治乃近代憲政運動的產物，無論是思潮的興起，還是其後不斷地被提倡和踐行，都始終包含了對歷史上國家統一靠武力和兼併達成加以摒棄的意圖和訴求，它不僅是對中國政治轉型另一整合路徑——「和平統一」的探索，也是一種用制憲來實行民主訓練和社會改造，自下而上推進民主建制的嘗試和實踐。儘管由於種種原因，地方自治的精神並沒有得到眞正貫徹，但所提出的問題，以及在推行過程中的經驗教訓，對當今國家民主化進程在基層的推進，無疑是一個重要的借鑒。

二、重思想文化層面的開展，既具歷史維度，也有理論高度。由於以往大陸思想禁錮較多的緣故，在民國歷史研究中，對思想文化史的研究，可說是較爲薄弱的一塊，不僅著述少，論文也不多。而正如人們所知道的，民國時期儘管政局動蕩多變，但卻有過思想文化的高峰鼎盛期，也湧現了一大批至今仍無人與之比肩的思想文化巨人和藝術大師。而我們所說的近代中國社會的政治變革和轉型，實際上也都是思想文化引領的結果。爲拯救陷於危亡中的國家，找到救治中國的藥方，並探明國家現代發展的路向，民國時期中國的很多知識精英曾苦苦地上下求索，並付諸於身體力行。然而，由於眾所周知的緣故，他們的思考和探索，不僅至今乏人研究，甚至仍繼續被屏蔽在當下很多歷史學者的視域之外，更別說爲廣大民眾所瞭解了，這是非常令人遺憾的事。我們說，歷史學基本功能有兩個：一是挖掘歷史眞相，重在回答歷史「是什麼」；二是提供歷史借鑒，重在回答歷史「爲什麼」，伏爾泰有言：「瞭解過去時代的是怎樣想的，要比瞭解他們是怎樣行動的更爲重要」，這是因爲，有選擇能力的人類，正是通過自己所認定並信奉的理念與思想原則來確定自己行動，並創造歷史的。而「瞭解過去時代的是怎樣想的」，正是思想史研究的主要任務。思想史研究既然如此重要，爲什麼研究者和成果都不盡如人意呢？以本人之見，除以上提到的政治因素外，治思想史對研究者有一定的學養要求，恐也是門檻因素之一。我們說，治思想史者，首先自己必須有思想。換言之，視野要開闊、思維要活躍，還要有鮮明的問題意識。此外，也還需有較好的文字功底，起碼能準確地表述自己的思想。這些對年輕學子而言，無疑都是挑戰。令人欣慰的是在這些挑戰面前，我們新一代的學人並不怯場。從首批叢書的 20 餘部書稿來看，選擇從思想家人物和思想文化層面切入的研究著述竟有近 9 部之多，就數量而言，將近一半。其中將研究旨趣放在近代中國自由主義知識分子的憲政訴求，以及政治民主化理念和進程考察上的，有葉興藝的《現代中國第三勢力憲政設計研究》、林建華《現代中國自由主義思潮的高漲和沈寂——〈觀察〉與中國現代自由主義思潮》；把考察重心放在尋求秩序和社會改造路徑探索上的，有王尤清的《轉型時代知識分子的立國訴求：張君勱社會主義思想研究》和周朗生的《尋求秩序：梁漱溟政治思想研究》兩部。重點對民國時期一些重要政治家、思想家人物之思想主張作出闡述和解讀的，則有潘惠祥《在政治與學術之間：錢端升思想研究（1900～1949）》、朱仁政《孫中山權力制約思想研究》兩部，還有一部書稿是以「現代中國語言批評」爲題的。另外還有兩部著述，是關於民粹主義和「安那其主義」（無政府主義）的研究：一部爲聶長久、張敏的《中國早期民粹主義政治思想研究（1907～1927）》，一部爲盧壽亨的《中韓「安那其主義」運動比較研究》。民粹主義和安那其主義是兩種破壞性極大，但在中國近代以「革命」標榜的運動中時有呈現，並具有持久性影響力的思潮，以此兩種極端思潮爲研究對象，說明我們年輕學者不僅具有敏銳的問題意識，也具有清醒的現實關懷。思想史新作中，還想略作推介的是王尤清博士對張君勱社會主義思想的研究。近些年來的思想史研究中，對近代中國自由主義思想家人物及其自由主義價值觀和啓蒙思想的闡述，一直是較受人們關注的方面，但對他們自由主義理念中的某些社會主義元素卻少有重視。而社會主義思潮，作爲對社會正義問題的響應，在中國的五四時期，也曾經是啓蒙思潮的一部分。當自由主義與馬克思主義尚未分化的時候，社會主義曾經是他們共同的理想。有研究表明，中國的新自由主義知識分子或多或少都具有某種社會主義的情懷。王尤清的博士論文的研究的對象張君勱，就是這樣的一位既對自由主義的理念有著執著堅守，又對社會主義的某些價值觀一往情深，在民國時期政、學兩界都具重大影響力的先驅人物。以往學界對張君勱的研究多集中在張作爲行動型自由主義「憲政運動」的領軍人，以及作爲在近代中國極具影響力的新儒學開啓者的建樹方面，很少注意到張君勱還是一位社會主義的鍾情者。那麼，爲張君勱所青睞的社會主義具有怎樣的特徵，張對之曾有過怎樣的闡述和踐行，何以能讓張君勱這樣的思想巨擘人物爲之付出矢志不渝的努力呢？王尤清博士用他的書稿對這些問題作了回答。王著特別指出：儘管就政治上而言，張君勱是個失敗者，他一生爲之奮鬥的事，無論是他政治上的憲政訴求，還是他文化上的儒學開新，都沒能看到成功，其所孜孜以求的「民主社會主義」立國方案更是一個畫餅。但正如作者所言，思想家的重要性取決於思想的內在力量，取決於他對社會問題認識和把握的洞察力，而並非簡單對一時社會實踐的支配作用。思想只有放在長時段的大歷史中才能呈現出其應有的魅力，從這一角度審視，輕言張君勱所作出的努力已經全然失敗，似乎爲時尚早。儘管從歷史發展的結果來看，張君勱等人主張緩進改良的社會改造方案，是一個被放棄了的選擇，但學術研究不以成敗論英雄。張君勱提出超越於俄化和西化之外的國家發展路徑，不僅將彌補中國自由主義研究的不足，還將極大地豐富對「社會主義」這一在近代中國發展中最具影響力思潮的研究。這樣的學術見解是頗具新銳之氣和理論膽識的。

三、重新史料的收集和利用，見解新穎，方法多元，這也是該批叢書新作的共同特色。從這批書稿新作中，我們可以看到各位作者在史料收集上均用力甚勤，書中所引資料，絕大多數出自第一手的原始檔案文獻，或時刊文章。做思想史研究的做到了對原典、原著的縝密閱讀，作政治史、社會史考察的重歷史現場的實態還原，在史料收集和利用上，也都具有詳實、周延、新穎的特點。無論是敘論還是立論，都能力求做到「有一分史料說一分話」。尤其在抗日作戰史的撰寫上，特別要提一提的是張在盧等人編著的《中國八年抗戰參戰各軍傳略》。張老是民國歷史的親歷者，今年已是八十五高齡，是這批叢書中唯一的一位長者。由於以往大陸在對抗戰史的敘事和書寫上都存有極大的片面性，國民黨軍爲抗戰勝利作出的犧牲和貢獻基本給抹殺了。而由張老領銜寫成的這部《中國八年抗戰參戰各軍傳略》，分上、下二冊，計 33.3731 萬字，詳述抗戰時期參戰各軍軍史，用詳實確鑿的史料將正面戰場抗敵英雄的浴血奮戰昭告後人，不僅讓歷史眞相得到了澄清，也起到了激勵民族正氣的極大作用。在這裏，我們要向張在盧老先生致以特別的敬意。與抵日、抗日有關的還有其他幾部書稿的撰寫，如周石峰的《抵制日貨運動的歷史困境（1908～1945）》、王東進《國民政府對日戰爭索賠研究》，以及陳國威的《抗戰期間國民政府僑務政策及其實施》等，也都史料詳實，論證嚴密，辨析到位，具有很強的說服力。更值得一說的是叢書新作作者在研究方法上的探索和求新。近些年中，海外學者在中國研究上學術取向，很爲年輕學人所推崇，對於同學中自覺運用國外一些新概念、新方法、新術語來解讀歷史，表述觀點，我常予以鼓勵，但相應產生的問題是年輕同學對西方學界一些概念、術語也有生搬硬套的現象。從這批叢書的書稿來看，我們年輕學人對國外學界前沿學者的學術取向與分析框架多有吸納，他們既能立足前沿，又不唯「前沿」是趨，並無一些年輕作者文中常見的食洋不化的通病，但論文的解釋力卻大大增強。如陳明勝的書稿，在解讀和分析江蘇地方自治運動的實際開展時，就採用了美國著名漢學研究學者黃宗智的「第三領域理論」，較好地揭示了地方秩序建構中地方精英人物——士紳階層的特殊角色和作用。張文俊博士的論著將對閻錫山「山西模式」的考察，也借用了國外學者常用的「國家與社會」分析框架，致力於國家權力、地方政治與個人行爲的互動透視，從而對新舊轉換時期上下互動的複雜政情，地方相應變革的實態，包括轉型困頓的原因，作了很好的揭示。潘英斌關於中國近代體育中身體政治的研究則是借鑒了西方人類學的一些考察視角和分析手法，不僅視角新、見解新，方法也新。其它作者，也都在各自的書稿中展其所長，他們的研究不僅保持了中國傳統歷史學重史料、重實證的風格，對政治學、社會學、法學、教育學等不同人文社會學科的研究理論和方法也多有借鑒，從而使研究成果更增加了學科交叉的特色。由於方法運用得當，論據充分，論著的學術價值也由此得到提升。

以上是我對此批叢書新作特色、旨趣和要義的簡評。無可諱言，由於論文寫作之時，這些新作作者還都在求學階段，對於初出茅廬的他們來說，目前呈現在讀者面前的這些新作，還不同程度地存有一些粗略的痕跡。他們所提出和探討的課題，也還留有不少可以去做進一步探究和深入考察的方面。爲此，他們正在繼續做著補正的工作，以期不久的將來會有更精湛的研究成果問世。而臺灣花木蘭文化出版社能推出這些書稿，對他們而言，無疑是一個大的激勵。在這裏，我想藉此「序」一席之地，特別感謝臺灣花木蘭文化出版社的社長高小娟女士、總編輯杜潔祥先生，以及與我們各位作者保持密切聯繫的楊嘉樂女士和該出版社的諸位同人們，是你們著眼於大陸學術新秀的挖掘，用資助出版的方式，使年輕作者的研究成果也有高質量出版的機會，這不僅體現了你們推進學術發展上的遠見卓識，也是你們具有高度人文情懷和文化使命感的表現，你們的努力，不僅將有力地推動民國歷史研究走向深入，還將爲兩岸的文化交流和學術繁榮作出獨特的貢獻。

最後，我似乎還應該提到一下，爲培養這些年輕學者而付出辛勞的各位博士生導師們。他們分佈國內各地的名校，也都是當下大陸史學界，尤其是中國近現代史研究領域的翹楚人物，如北京大學的歐陽哲生教授、王岳川教授，北京師範大學李帆教授，南京大學張海林教授、浙江大學金普森教授、華東師範大學姜進教授、吉林大學寶成關教授、蘇州大學周可眞教授，福建師範大學林國平教授、西北大學張豈之教授等。對這些學界前輩和先進們，我有的熟悉，有的還未及謀面，但一直心懷景仰，冒昧代勞作序，不勝惶恐。出版社特意囑我要在總序中一併致謝。其實，作爲研究生導師，能夠看到自己的學生在學業上有所創獲，並不斷有新作問世，各位一定和我一樣，予願足矣！南京大學前身原金陵大學教授王綬有言：「人生有三樂：得天下英才而教育之，其樂一也；著書立說，流芳百世，其樂二也；仰不愧於天，俯不怍於人，其樂三也。」我想，王綬教授的「三樂」，也說出了我們共同的心聲，不妨以此共勉。作爲以「傳道、授業、解惑」爲職志的老師，最感欣慰之事，就是看到一批又一批學界新秀的出現。「長江後浪推前浪，後生可畏，焉知來者之不如今也」，學術的希望永遠在年輕人。而對年輕學人來講，完成碩、博士論文的寫作僅是腳下走出的第一步，卓越超群，非篤學不爲功，希望我們的後來者能繼續不驕不躁，潛心向學！所以，也借這次爲叢書作序的機會，給同學們送上全體爲師由衷的祝願，希望你們能「百尺竿頭，更進一步」，今後更加發奮努力，爭取有更多、更新的研究成果問世！在學術舞臺上更好地展示你們年輕一代學人的風采和實力！是爲序。

南京大學歷史系、民國史研究中心　申曉雲

2014 年 12 月寫成於南京鼓樓南秀村宅邸

目次

表目錄

緒　論

（一）選題的緣起

歷史研究既不能完全受現實的影響，也不能局限於學術的象牙塔之中，孤芳自賞。因而很多歷史學家都提倡要做有時代感的研究。我國著名史學家陳寅恪先生雖然主攻隋唐史，表面看來似乎與其所處的民國時代無大的瓜葛。但陳先生指出，隋唐是我國深受外來文化影響的朝代，印度佛學、中亞胡人的文化傳入，中外交流之廣泛與民國時代有極大相似之處。所以，對隋唐的研究可爲當時也可爲現在提供借鑒。

我們近代史的研究，因時間相差不遠，所以研究的時代感比較強。此點毋庸置疑。我以爲研究的選題即需有時代感，又與研究者本身之主客觀因素密不可分。

從我個人而言，大學本科時就注意閱讀介紹近代中國大學的相關著作，特別是研究大學中學者大師們的著作。清華校長梅貽琦認爲「所謂大學者，非謂有大樓之謂也，有大師之謂也」。民國大學中的學者們的確以其言傳身教培養了很多優秀的學生，也以其自身不凡的風骨、個性的特色，影響了一代又一代的學人，構築了大學的學風與氣魄。特別是陳寅恪先生的名言「獨立之思想，自由之精神」更可以概括爲民國時期大學的眞精神。

而在另一方面，中國的大學生不逢時，時運不濟，堪稱是先天不足，後天失調，歷經坎坷，步履維艱。但是，它畢竟是富有生命力的新生事物，順乎潮流，適應社會發展與救亡圖強的需要，因而始終沒有停止前進的腳步，

也曾有過自己的興盛與輝煌，而且還滿懷著對於更爲美好明天的憧憬與期望。〔註 1〕

我們這一代大學生正處於中國高等教育高速發展的時期。一些媒體稱其爲「教育大躍進」〔註 2〕。從 1998 年到 2008 年，大學入學率平均每年增長 20％，是同期 GDP 增長率的兩倍。大學生數量變爲世界第一。但問題也隨之而來，學生數量出現「井噴」，教育腐敗和學術抄襲也是井噴。有論者認爲其對中國的禍害也是一種井噴。不知是幸運還是不幸運，拜大學擴招所賜，我們比前輩得到了更多的也更容易上大學的機會。但畢業後我們的就業機會卻像擴招前的大學名額一樣稀缺。大學生已從奇缺人才變成了普通貨物。

與此同時，我國大學的水平並未隨著大學規模的急劇擴大而上昇，反而出現下降的趨勢。論文抄襲、學術腐敗的現象層出不窮。在當代中國社會，爲國人所詬病的三大改革失敗：一爲醫改，二爲房改，三爲教改。「爲什麼我們的學校總是培養不出傑出人才」？這是著名科學家錢學森的世紀之問。中國的的教育究竟是怎麼了？中國的大學究竟是怎麼了？

英國大文豪狄更斯有名言曰：「這是最美好的時代，這是最糟糕的時代；這是智慧的年頭，這是愚昧的年頭；這是信仰的時期，這是懷疑的時期；這是光明的季節，這是黑暗的季節；這是希望之春，這是失望之冬。」中國的高等教育、中國的大學似乎也正處於這樣一個時代。面對這樣的狀況，我們的確有必要回到歷史中，尋覓那些我們曾經擁有卻早已失去的種種。

因此，個人的興趣愛好和中國高等教育所面臨的現實問題，讓我選擇了民國時期的大學作爲自己的研究範圍。而之所以選擇勞動大學作爲研究課題是因爲從個案研究的角度上看，「個案研究並不是重複研究大海中的每一滴水，而是要通過一滴水來反映整個大海的面貌，個案研究只有基於對整個時代變遷的關懷並展示這個個案本身所具有的特殊性，方具有其研究的合法性。」〔註 3〕勞動大學就具有這種反映各個層面問題的特殊性。

1、它是南京國民政府建立後不久所創辦的第一所國立大學。它不同於中央大學、清華大學、北京大學、武漢大學等國立大學是由幾個學校重組、接

〔註 1〕章開沅：《大學啊，大學！》，許小青：《政局與學府：從東南大學到中央大學（1919～1937）》，北京：中國社會科學出版社，2009 年，序言第 1 頁。

〔註 2〕《教育「大躍進」學術大滑坡》，《參考消息》2010 年 3 月 26 日，第八版。

〔註 3〕仇鹿鳴：《追尋個案研究的意義》，《中國社會科學報》2009 年 8 月 4 日，第 11 版。

收或利用原來已有基礎建立的。這所大學是眞正由中國國民黨所建立的統治全國的中央政府——南京國民政府創辦的，是在國民黨四元老吳稚暉、蔡元培、張靜江、李石曾積極支持下建立的。因勞大的問題引起了四元老之間的齟齬。勞大的最終停辦，使李石曾的中法系受到極大打擊。因此研究勞動大學可以反映當時國民政府上層教育方面各種勢力、派系、代際之間的衝突和紛爭，充分顯示出民國高等教育的複雜性和多面性。

2、研究 20 世紀的中國史，國共兩黨史是不可避免的。以往我們的研究總是強調兩者的差異性，其實兩黨也有很多的共性，「國民黨和共產黨是一個藤上結的兩個瓜」。〔註 4〕兩黨都是師法俄共的組織形態，都擁有「各自的統治區域和軍隊，從革命黨轉向執政黨」〔註 5〕。但在某種程度上，在掌握全國政權之後，兩黨都沒有放棄各自的革命心態。不瞭解這一點我們就無法理解在國立勞動大學停辦的 22 年後，汪東興在江西創辦了江西共產主義勞動大學並得到了毛澤東的強力支持這一行爲。因此，研究國立勞動大學可以爲我們提供另類的「革命史」角度去理解國共兩黨在共性方面的東西。

3、從教育制度上來說，勞大是當時國民政府所管理的國立大學中唯一一所以法國大學體制建立起來的學校。這又是它不同於其他國立大學的地方。可以結合南京國民政府建立初期所實行的大學區制，來尋找法國學制在中國實行失敗的其他原因。

4、勞大所經歷的五年也正是南京國民政府的統治由動蕩到逐漸穩固的過程。其間，四一二政變、中原大戰、九一八事變、一二八事變，內憂外患層出不窮。可以通過勞大這樣一個特殊的學府作爲視角來觀察當時的中國社會。

5、從教育思想和教育實驗方面來看，勞動大學是五四運動以來工讀思想的一次重大實踐。本來，知識分子與工人、農民，是隨著社會分工的細化而出現的。但也出現了這種分工的問題，四體不勤、五穀不分、不辨菽麥，成爲知識分子的寫照。頭腦簡單、四肢發達似乎又是勞動階層的大問題。針對這種問題，將勞動與知識結合成爲人們的一種設想。這種實踐本身也夾雜著無政府主義上的色彩。

〔註 4〕見章開沅爲王奇生著：《黨員、黨權與黨爭——1924～1949 中國國民黨的組織形態》，（上海：上海書店出版社，2009 年）所作的序，第 3 頁。

〔註 5〕〔日〕野村浩一主編：《現代中國的政治世界》，第 152 頁轉引自〔日〕家近亮子著、王士花譯：《蔣介石與南京國民政府》，北京：社會科學文獻出版社，2005 年，第 17 頁。

綜上所述，研究勞動大學不僅具有很強的學術意義，而且對於我們今天實現科教興國戰略、促進高等教育改革有著很強的現實意義。筆者也希望通過自己的努力，能爲現在中國高等教育所面對的問題和困境提供一些解決方案和建議。

（二）學術前史

1895 年天津海關道盛宣懷創辦北洋大學堂，這是中國第一所現代意義上的大學。從這時算起，中國大學還只有一百多年的歷史。但對其的研究早在民國時期就已開始。如郭秉文的《五十年來中國的高等教育》（載申報館編《最近五十年（下）》），黃建中的《十年來的中國高等教育》（中國文化建設協會編《抗戰十年之中國》），周予同的《中國現代教育史》（上海良友圖書印刷有限公司 1934 年版）等，均是按照不同類別對當時高校進行初步統計與歸類式的研究。

1949 年新中國成立後，大陸的學者在八十年代後開始研究近代中國的高等教育。一批教育專業人士從本學科專業習慣出發，開展了對近代中國高等教育的研究。這些著作主要是從近代中國高等教育宗旨、教育行政、教育方式的興革和課程設置的變動等方面進行論述。比較有代表性的著作有熊明安的《中國高等教育史》（重慶出版社 1983 年版）、《中華民國教育史》（重慶出版社 1990 年版）、毛禮銳、沈灌群的《中國教育通史》（山東教育出版社 1988 年版）。

上述研究是從整體上來研究中國近代的高等教育。從歷史學的角度來研究近代中國大學的著作大體可分爲兩類即：「內史和類史兩種，前者主要即校史，將大學的歷史基本限於一校的校園之內。其中，內外又有所分別，原來大陸學人所著的校史，著重於學生運動以及與此相關的黨派活動，尤其側重於中國共產黨方面」〔註 6〕。其中有代表性的是蕭超然等：《北京大學校史》（上海教育出版社 1981 年版）、蕭超然等：《北京大學校史（1898～1949）》（北京大學出版社 1988 年版）、清華大學校史編寫組：《清華大學校史稿》（中華書局 1981 年版）、南開大學校史編寫組：《南開大學校史》（南開大學出版社 1989 年版）、王德滋主編：《南京大學校史》（南京大學出版社 1992 年版）、王德滋

〔註 6〕桑兵：《大學與近代中國》，《中山大學學報（社會科學版）》，2010 年第 1 期。

主編:《南京大學史》(南京大學出版社 2002 年版)、洪永宏:《廈門大學史(1921～1949)》(廈門大學出版社 1990 年版)、梁山等:《中山大學校史(1927～1949)》(上海教育出版社 1983 年版)。另外上海交通大學、同濟大學、北京師範大學、天津大學、東北大學、四川大學、華中師範大學等學校均出版了各自的校史。「而包括臺灣學人在內的境外學者，則側重於學校的組織、機構、人事、師資、學術成就等方面」，代表性的著作有陶英惠:《蔡元培與北京大學(1917～1923)》(臺北中央研究院近代史研究所集刊第 5 期)、蘇雲峰:《從清華學堂到清華大學(1911～1929)》、《從清華學堂到清華大學(1928～1937):近代中國高等教育研究》(北京生活·讀書·新知三聯書店 2001 年版)、《三江師範學堂——南京大學的前身(1903～1911)》(臺北中央研究院近代史研究所專刊(82)1993 年版)、黃福慶:《近代中國高等教育研究——國立中山大學(1924～1937)》(臺北中央研究院近代史研究所專刊(56)1988 年版)、〔美〕魏定熙著，金安平等譯:《北京大學與中國政治文化(1898～1920)》(北京大學出版社 1998 年版)。不過近年來新編的校史已有趨同之勢。「後者的研究對象包括大學(全部或部分)、大學生、大學教授等等，以某一群體爲類象，具體還可在細分爲不同層面。而主導傾向仍在認識群體本身。」〔註 7〕謝泳的《西南聯大與中國現代知識分子》(福建教育出版社 2009 年版)就是這方面代表性的著作。

「但是近代中國的大學之於全社會，影響遠比世界其他國家顯得更爲重要。大學不僅緊扣時代脈搏，而且往往成爲先鋒前驅。以上的著作以分門別類的分科專門界域治學，限制了視野，忽略了史事的整體性在其他方面的體現及相互影響。」但已有學者注意到這一問題，力求打破局限，拓寬視野。呂芳上的《從學生運動到運動學生:民國八年至十八年》(臺北中央研究院近代史研究所集刊(71)1994 年版)將學生運動置於社會各方勢力的爭鬥之中進行考察。王東傑的《國家與學術的地方互動——四川大學的國立化進程(1925～1939)》,(北京生活·讀書·新知三聯書店 2005 年版)通過一所省管大學在進入國立系統中上下內外各方的角逐，凸現全社會不同意識與利益的錯綜複雜。許小青的《政局與學府:從東南大學到中央大學(1919～1937)》(中國社會科學出版社 2009 年版)，將大學視爲一個處於特定社會結構之中的組織而置於國家、政黨與社會之中，考察在政治變遷過程中，東南大學如

〔註 7〕桑兵:《大學與近代中國》,《中山大學學報(社會科學版)》,2010 年第 1 期。

何從一所地方性大學演變成首都最高學府，以此來揭示這所大學與國家、政黨、社會之間的關係。在上述著作當中大學成爲研究的視角和切入點，大學成爲社會的有機組成部分，其歷史作爲歷史整體的一部分而展開。

近年來關於近代中國大學的學位論文也有所突破和創新。例如楊禾豐的《聖約翰大學的校園生活及其變遷（1920～1937）》（復旦大學2008屆博士論文），此文將研究的視角關注於教會大學的學生生活，通過研究學生生活來對歷史上的重大事件做出新的解釋，頗有新意。曾海洋的《廈門大學與閩南區域社會文化變遷研究——以私立時期（1921～1937）爲中心》（廈門大學2007屆博士論文）注意到了大學文化與區域文化之間的互動關係，大學如何在文化方面調適並最終成爲當地文化中心的歷史過程。該文提供了一種從文化的角度解讀大學與區域社會文化關係的新研究方法。從教育學角度研究近代中國大學也開拓了一些新的視角。一些學位論文集中於研究大學教師，張正鐸研究了近代大學教授權力制度（《權力的表達：中國近代大學教授權力制度研究》南京師範大學 2006 屆博士論文）。鄧小林的《民國時期國立大學教師聘任之研究》（四川大學2005屆博士論文）則研究教師的聘任。

有關國立勞動大學的研究。

國立勞動大學是南京國民政府所創辦也是由它一手停辦的，爲時僅五年。雖然時間不長，但在建校初期勞動大學還是得到了南京國民政府的重視，在資金、人員、教學設施方面給予了極大的支持。可能是由於辦學時間過短加之勞動大學在一二八事變中受到戰火的摧殘，留下的史料不多。長期以來對國立勞動大學的研究還十分薄弱。在國內還未發現有研究國立勞動大學的論文或專著。僅見一些當年勞動大學畢業生的回憶，分散於他們所撰寫的個人回憶錄、文史資料和個人評傳〔註8〕當中。因此，以國立勞動大學爲研究對象，對其進行個案分析不僅具有現實意義而且還具有一定的學術價值。

（三）研究思路

通過以上學術史的梳理，可以發現大部分關於中國近代大學的研究一般

〔註8〕在這方面有許滌新：《風狂霜峭錄》，北京：生活·讀書·新知三聯書店，1989年。程仲文：《江灣勞動大學漫憶》，《上海文史資料彙編》第九冊。馮和法：《在國立勞動大學的歲月》，《出版史料》第二輯。胡光凡：《周立波評傳》，長沙：湖南文藝出版社，1986年。趙振鵬：《勞動大學的回憶》，《傳記文學》（臺北）第37卷第4期，1980年10月。

是通過文本的分析，繼而以教育史的研究路徑或是以大學爲視角觀察整個社會發展變遷爲方法來考察、研究近代中國大學。這給筆者以極大地啓示，在本文中基本上採取兩種研究方式相結合的方法來研究勞動大學。在文中，筆者也盡量採用王奇生先生提倡的社會文化的視角來考察在勞動大學中學習、工作的學生與教師以反映特定年代特定人群的生活境遇。

本文的第一部分主要介紹勞動大學建立的背景、其獨特的教學以及經費等方面的情況，從一般的教育史研究路徑入手，展示勞動大學不同於一般國立大學的特殊性，同時也會體現勞動大學與當時一些國立大學所共有的問題與弊病。

第二部分集中考察在勞動大學校園中學習、工作的學生與教師，作爲校園的主體、主人，他們的境遇、具體的生活既可以反映勞大又可以展現當時社會風氣、特定群體的狀況。

第三部分則是敘述與分析勞動大學的學潮和學生運動了。不同於常見的對學潮或是學運的研究方法。在這裡，筆者更想突出的是在勞動大學矛盾衝突糾紛的背後，南京國民政府上層各種勢力、派系對於教育大權、大學校長職位的爭奪，及這種爭鬥對民國教育不同派系、勢力的影響。

在本文中，爲方便計筆者常以「勞動大學」或是「勞大」來稱呼國立勞動大學。特此請讀者注意，無論是「勞大」還是「勞動大學」都是指 1927 年由南京國民政府建立的、校址位於上海江灣的國立勞動大學。

一、勞動大學的創立、教學與經費

（一）勞動大學的成立

1、建校的背景

晚清、民國以來，西方社會各種思想被引入中國。互助論是無政府主義思想家克魯泡特金所提出的重要理論，也被一些早期留學西洋的中國知識分子所接受。而這些早期接受無政府主義的中國知識分子尤以吳稚暉、李石曾、蔡元培、張靜江四人最受人矚目。四人不僅以其學貫中西的淵博知識、顯赫的家世、鉅額的財富爲人矚目，更重要的是四人是近代以來中國第一革命黨——中國國民黨的資深元老。四人具有知識分子和革命家的雙重身份，在國民黨內被尊稱爲黨國四元老。

1906 年，吳、李、張三人在法國巴黎籌設世界社。1907 年 5 月世界社又發行《新世紀》周刊，「他（李石曾——筆者注）同幾個朋友，在巴黎發行一種《新世紀》的革命報，不但提倡政治革命，也提倡社會革命，學理上是以互助論爲基礎的。李氏譯了拉馬爾克與克魯巴金的著作，在《新世紀》發表。雖然沒有譯完，但是影響很大。李氏的同志如吳敬恒、張繼、汪精衛等等，到處唱自由，唱互助，至今不息，都可用《新世紀》作爲起點」。〔註 1〕《新世紀》創刊時，蔡元培第一次踏上旅途赴歐留學。蔡元培到達歐洲後，即加入世界社爲社友。

〔註 1〕蔡元培：《五十年來中國之哲學》，中國蔡元培研究會編：《蔡元培全集》第五卷，杭州：浙江教育出版社，1998 年，第 104～105 頁。

吳、李等人在宣傳無政府主義、互助論的同時，也著手按照互助論的論述進行實踐。加之當時一戰後國內外的有利形勢，他們掀起了一場長達八年聲勢浩大對中國近代史產生極為深遠影響的赴法勤工儉學運動。

勤工儉學運動後因管理不善等問題停辦，李石曾、吳稚暉等人運用政府款項和法國的庚子退款創辦了私立中法大學，繼續從事教育工作。另一方面，1924 年國民黨一大召開，國民黨改組為列寧式政黨。國共合作，轟轟烈烈的國民革命開始。吳、張、蔡、李四人在不同的領域投身於國民革命。

1927 年初，北伐順利進行，國民革命軍佔領東南半壁江山。隨著國民革命的初步勝利，國共兩黨的衝突與糾紛日益劇烈，兩黨的決裂似已不可避免。1927 年 3 月末至 4 月初，吳、蔡與蔣介石密會於上海龍華，醞釀「清黨」。4 月 12 日，四一二政變發生，國共合作破裂。18 日，在四元老的鼎力支持下，南京國民政府成立，與武漢國民政府分庭抗禮。這一時期，四元老沒有積極從事宣傳無政府主義、實踐互助論的活動，但用互助論的方法改良中國社會，化解矛盾卻是矢志不渝的。在國共合作初始時，蔡元培對於中共所極力倡導的通過階級鬥爭的方式實現共產主義就極不贊同。他認為「共產主義，為余所服膺。蓋生活平等、教育平等，實為最愉快、最太平之世界。然於如何達到此目的之手段，殊有研究、討論之餘地。以余觀之，克魯泡特金所持之互助論：一方增進勞工之知識與地位，一方促進資本家之反省，雙方互助，逐漸疏濬，以使資本家漸有覺悟，以入做工之圖，則社會不至發生急劇之變化，受爆裂之損失，實為最好之方法」。〔註 2〕蔡元培這種用互助論的方式改造中國社會的堅定信仰也是他與吳稚暉參與密謀，策劃四一二政變的一大思想根源。

1924 年國民黨改組後，設立婦女、工人、農民等部加強對工人、農民的宣傳動員，策劃指導工農運動。但在北伐時期，工農組織、運動全被名為國民黨員實為共產黨員者所主導，國民黨喪失了對工農運動的主導權。這是北伐軍佔領上海後，對於中共所控制的上海工人運動極為恐懼，急於實施鎮壓，最終導致四一二政變發生的一個重要原因。四一二後，國民黨內即有人主張要奪回工農運動的主導權。5 月 16 日，遠在廣東中山大學的朱家驊、傅斯年致函李石曾、吳稚暉，指出「國民黨之成功與失敗，有一時與永久之別，此時之成功，僅是一時的。若農工問題不完滿解決，若民眾對之無興味，這成

〔註 2〕與《國聞周報》記者的談話，《蔡元培全集》第五卷，第 386 頁。

功不能爲永久的」。〔註 3〕對於解決農工問題的方法，有人提出「要使農工自己現有覺悟，當然只有積極的辦理農工教育」，而其具體措施先「開辦一個農民大學，先造就一班農民教育運動的專門人才，由此派出充當普通農民學校的教員或農村運動的指導員」，再接著「創辦一個勞動大學，訓練一班對於工人運動徹底有研究的人才出來辦理工人教育和指導工人運動」。兩所學校辦理有了成果後，「就要實施政府採取的農工政策，由中央設立機關統一負責」。〔註 4〕南京國民政府通過開辦學校培養自己的農工運動人才以重新奪回農工運動控制權已成必行之策。

另一方面，在教育界素來主張互助論的蔡元培，又一次被賦予重擔——管理中國教育事業。蔡元培一手主導建立的中華民國大學院三大任務之一爲養成勞動的習慣，具體措施爲「直接設立勞動大學，使平日偏重勞心之學者，兼爲勞力之工作，使平日偏重勞力之農工，亦有勞心之課程」，使「階級既泯，待遇自然平等，而仇視殘殺之禍消失」。〔註 5〕蔡元培試圖通過無政府主義方法改良中國社會、化解矛盾的意圖一覽無餘。而國民革命軍佔領上海後，江灣之模範、游民兩工廠同時倒閉。時任上海警察廳廳長的吳忠信「感於教育與革命關係之密切，乃與張人傑（張靜江又名人傑——筆者注）、李煜瀛（李石曾又名煜瀛——筆者注）等呈請中央，就廠設一大學取半工半讀方式，以挽救傳統上勞心勞力分立之弊，且爲國民黨培植工人運動人才」。〔註 6〕恰在此時，比利時政府按照中美庚款資助中國學生赴美留學的辦法，尋求中國政府將中比庚款也用來籌辦大學培養學生赴比利時留學。

現實政治的需要與管理者改良社會的理想，國內外有利的條件，種種因由綜合作用之下，國立勞動大學的成立遂成爲一種必然。

2、建校經過

1927 年 5 月 9 日，國民黨中央政治會議第九十次會議議決：以上海江灣

〔註 3〕李宗侗：《朱家驊傳斯年致李石曾吳稚暉書》，《傳記文學》（臺北）第 5 卷第 6 期，1964 年 12 月轉引自天一出版社編輯部編：《吳稚暉傳記資料》第二冊，臺北：天一出版社，1985 年，第 203 頁。

〔註 4〕邵覺：《怎樣實施農工教育》，上海《民國日報》1927 年 5 月 12 日，副刊《覺悟》（一）、（二）。

〔註 5〕蔡元培：《大學院公報發刊詞》，《大學院公報》，1928 年第一期，第 1 頁。

〔註 6〕吳相湘：《易培基與故宮盜寶案》，吳相湘：《民國百人傳》第三冊，臺北：傳記文學出版社，1982 年，第 220 頁。

之模範、游民兩工廠舊址，改設國立勞動大學，內分勞工學院及勞農學院，派蔡元培、張靜江、李石曾、褚民誼、金湘帆、許崇清、嚴愼予、匡互生等爲籌備員，委員會於 5 月 13 日成立。〔註 7〕在 1927 年 4 月 20 日時，國民黨中央政治會議第七十六次會議通過添派蔡元培、李石曾、汪精衛三人爲教育行政委員會委員，即以該會行使教育部職權。〔註 8〕這是蔡元培自民國初年擔任第一任教育總長後再度執掌全國教育行政大權。1927 年 6 月 7 日、13 日，蔡元培以教育行政委員會委員的身份在中央政治會議第一百零二及第一百零五次會議中，提出《變更教育制度案》、《設立中華民國大學院案》，以大學區爲教育行政之單元，組織中華民國大學院，爲全國最高學術教育行政機關。〔註 9〕至此，籌備中的國立勞動大學，遂成爲大學院附屬機關之一。1927 年 7 月 4 日國民政府公佈《中華民國大學院組織法》，其第八條爲：「本院得設勞動大學，圖書館、博物館、美術館、觀象臺等國立學術機關，其組織另定之」。〔註 10〕5 月 13 日，勞動大學籌備委員會開第一次會議，到會李石曾、褚民誼、嚴愼予、吳忠信、匡互生，李石曾爲主席。議決：1、勞動大學下分普通、勞農、勞工三大部分 2、勞工部分之江灣學院，儘先舉辦 3、推吳忠信、嚴愼予、張忤白等人爲實行接收模範工廠委員 4、游民模範工廠改名模範工廠。推張忤白（前游民廠廠長）爲廠務主任，關於教育部分由匡互生負責從速籌備。〔註 11〕勞動大學的籌備工作積極展開。

1927 年 6 月 10 日，勞工學院組織大綱通過，〔註 12〕勞工學院籌備暫告一段落。7 月 7 日，勞工學院在滬上登報招生，〔註 13〕27 日，勞農學院開始籌備。〔註 14〕9 月 7 日，籌備委員會推易培基爲校長。〔註 15〕19 日國立勞動大學正式開學，同時易培基就校長職。〔註 16〕國立勞動大學開始辦學。

〔註 7〕高平叔撰著：《蔡元培年譜長編》第三卷，北京：人民教育出版社，1998 年，第 48 頁。

〔註 8〕臺北中華民國史料研究中心編印：《中華民國史事紀要》（1927 年 1 至 6 月）1977 年，第 779 頁。

〔註 9〕高平叔撰著：《蔡元培年譜長編》第三卷，第 51 頁、第 54 頁。

〔註 10〕《中華民國大學院組織法》，《大學院公報》1928 年第一期。

〔註 11〕《勞動大學籌備委員會紀》，《申報》1927 年 5 月 14 日，第三張（九）。

〔註 12〕《勞工學院組織大綱昨已通過》，《申報》1927 年 6 月 11 日，第二張（五）。

〔註 13〕《國立勞動大學勞工學院招生廣告》，《申報》1927 年 7 月 7 日，第二張（六）。

〔註 14〕《勞動大學勞農學院之籌備》，《申報》1927 年 7 月 27 日，第二張（八）。

〔註 15〕《勞動大學校長推定易培基》，《申報》1927 年 9 月 7 日，第三張（十）。

〔註 16〕《勞動大學開學》，《申報》1927 年 9 月 20 日，第二張（六）。

3、勞大的組織機構

近代中國一些政治機構和教育機構的一大特點就是因人而設、因人而動。常常因創始人或掌握實權人物的離去或失勢，在組織上、機構上或者權力分配上發生變動。勞動大學也概莫能外。勞大前後 5 年，先後有兩任校長一爲易培基、一爲王景岐。兩任校長在任時期，學校組織機構皆有不同。易培基掌校時間最長，本部分即主要討論易培基時期勞大的組織機構。

要理解這一時期勞大組織機構的特點，首先需要瞭解在擔任勞動大學校長以前易培基的經歷。

易培基，字寅村，別號鹿山，湖南長沙人，1880 年生。易培基在 30 歲以前的生活也很平凡：武昌方言學堂畢業後遊歷日本，返回長沙擔任湖南高等師範學堂教員。他在文字學研究上接近章炳麟，在經學上贊成康有爲的理論，授課標新立異受一些青年學生的歡迎。眞正使易培基在政治舞臺上嶄露頭角的是 1919 年湖南的驅張運動。在這個運動中，易被推爲紳商界總代表，前往新任湖南督軍譚延闓處洽商事務，自此認識譚延闓，並深得譚延闓的賞識。1920 年 6 月，易被任命爲湖南省立第一師範學校校長，爲學生獲取新知識，易還敦請中外名人如杜威、羅素、章太炎、蔡元培等到校做學術演講。隨著譚延闓在湖南勢力的消失，易南下廣州，孫中山任命其爲大元帥府顧問。1923 年春，廣東大學校長鄒魯聘易爲教授，特派易長駐北京溝通文化消息，延攬北方學者南來，就近購買各種教材及書籍，並暗中主持國民黨在北京的學生運動。在北京，易培基結識國民黨要人李石曾，與李石曾結爲兒女親家（易的長女漱平嫁給了李的侄子李宗侗）。1924 年 11 月，黃郛組織攝政內閣，易在李石曾的推薦下，署理教育總長。易培基由一師範學校教員一躍成爲全國教育行政的最高主管。黃郛內閣辭職後，易培基也跟著辭職。1925 年 3 月，易培基與馮自由在北京組織「國民黨同志俱樂部」公開活動。同年八月，北京女子師範大學發生風潮，易培基與李石曾等國民黨北方黨務負責人集會支持學生。女師大學潮以教育總長章士釗的辭職而告結束。易培基則再次擔任教育總長，兼任女師大校長。1926 年 3 月 4 日，段祺瑞改組國務院任命馬君武爲教育總長，易培基再次下臺。18 日，易培基及徐謙等策動學生遊行示威，發生死傷 200 多人的大慘案，史稱「三一八慘案」。翌日，段以「假借共產學說，嘯聚群眾」，「闖襲國務院」的罪名，通緝易培基、李石曾、李大釗、顧孟餘五人。報人胡政之也指責，徐、易等「有熱心而無眞知識」的「社會之妄人」。易培基逃至東交民巷使館區藏匿，不久逃往長沙。1927 年，四一二政變後，易由長沙轉往上海。7 月 31 日，時任勞動大學籌備委員會主席的蔡元培在寓所與易培基、吳稚暉、王小徐會晤。9 月 7 日，被推爲勞大校長，19 日就職。〔註 17〕

通過以上易培基的個人經歷可以發現，易自 1922 年以後，就再也沒有擔任學校的行政工作，主要精力投注於政治舞臺，通過南下廣州加入國民革命，與國民黨四大元老之一的李石曾結爲姻親，引爲奧援。由一個在湖南一隅小有名氣的社會聞人，一躍而變爲李石曾爲首的中法系的幹將，國民黨在華北學生運動的主要負責人，參與策劃了「首都革命」，爲自己積累了政治資本。在兒女親家李石曾和吳稚暉的支持下擔任勞動大學校長，勞動大學也成爲中法系控制的學校。這一時期李石曾正在動用政治上的優勢資源，向蔡元培在教育界的優勢地位發起挑戰。作爲中法系幹將，李石曾的親家易培基自然全力投入到這種教育派系的鬥爭中，幫助李石曾爭奪教育地盤和政治地盤。在李石曾、吳稚暉二老的助力下，易培基在這一時期也的確官運亨通，一人兼任三職：國立勞動大學校長、故宮博物院院長、農礦部部長，可謂權傾一時。因此在易培基擔任勞大校長的三年時間裏他大多數時間都是住在南京——當時中國的政治中心，較少來勞大指導具體的學校工作。所以，爲了適應易校長的特殊需要，勞大形成了一種校長治校下的秘書長負責制。

南京國民政府成立後，明令各學校改爲校長制，由校長總攬全校事務，加強政府對學校行政事務管理和控制能力。〔註 18〕勞大在權利分配上忠實的執行了這一規定，校長總司全校事宜。勞大校長具有最終的人事決定權，各院院長中小學部主事或主任由校長聘任。各院負責教學的系主任和日常行政工作的各課主任由院長商情校長聘任。校長由上至下，控制了全校的人事任免權。但具有中樞作用負責校內外事務的卻是校長辦公處。眞正掌握勞大實際權利的也是校長辦公處的負責人秘書長。

校長辦公處於 1927 年 11 月成立。組成人員包括，秘書長一人、總務長

〔註 17〕嚴如平、宗治文主編：《民國人物傳》第九卷，北京：中華書局，1997 年，第 105～108 頁；吳相湘：《民國百人傳》第三冊，臺北：傳記文學出版社，1982 年，第 217～220 頁；劉紹唐主編：《民國人物小傳》第四冊，臺北：傳記文學出版社，1985 年，第 141～142 頁；中國蔡元培研究會編：《蔡元培全集》第十六卷，杭州：浙江教育出版社，1998 年，第 291 頁。

〔註 18〕《國府令各學校一律改爲校長制》，《申報》1927 年 8 月 18 日，第二張（七）。

一人、註冊主任、會計主任、事務主任各一人，秘書、事務員若干。作爲校長辦公處的最高負責人，秘書長輔助校長處理全校校務，並管理辦公處。總務長則掌理全校的事務工作。註冊主任掌握全校的學生工作，凡學生成績、學生證、畢業證等等統歸其管轄。會計主任則是學校的財政大臣，校款出納、賬目收發、預算歸其管理。事務主任就主要管理辦公處的一切事務。一校的財政、人事、學生工作、日常事務管理全部納入校長辦公處。

勞大校務的最高決策機構是校務會議，但非常設機關。平時代替校務會議行使職能的是行政會議而組織行政會議的第一人選也是秘書長。在行政會議下，勞大設事務會議、訓導會議、教務會議分管各種事務。同樣除事務會議外，其他兩個會議的第一組織者也是秘書長。而事務會議的第一組織者是總務長。因此，學校的各方行政工作全在校長辦公處和秘書長的掌控之中。如若把秘書長比喻爲法蘭西第五共和國的總理也不爲過，而校長辦公處即是以秘書長爲首組織的政府。易培基任職時的秘書長也全是易的心腹。

（二）勞動大學的教學

1、獨特的教育目標

1933年5月24日，時任南京國民政府教育部長的王世杰在日記中寫到「到部後調閱二十年度各大學統計，全國文科（文、法、商、教育等科）大學生數額占大學生總額的百分之七十，共約二萬三千人，實科（理、農、醫、工）僅占百分之三十，約九千餘人。因於五月二十日詳訂限制全國各大學（包括各獨立學院）招生辦法，務使各校自本年起招收文科新生嚴守一定之限制，其不遵守此項限制者，教部既不審定其新生之學籍」。〔註19〕南京國民政府建立6年之後，國家建設急需實科之人才，但大學教育還是「重文輕實」。雖然國民政府已意識到這一問題，但想解決還需要很長的時間。

「這裡就涉及到了一個近代以來中國大學的教育目標問題。而大學的教育又與社會有著千絲萬縷的聯繫。理想化的現代大學與社會的關係是雙向互動的：一方面它根據社會發展的需要，研究學術，累積、創新與提升知識技術水平。另一方面，它要培養社會所需之各項專門及領導人才，以促進社會

〔註19〕王世杰：《王世杰日記》第一冊，臺北：中央研究院近代史研究所印行，1990年，第1頁，1933年5月24日。

之創新與發展，而新的社會又對大學產生新的需求。這種互動關係使大學與社會同時向前推進。」〔註 20〕但實際上，近代中國大學教育與社會之所需屢屢有所脫節。國人對於中國大學的教育目標也有一個逐漸認識、廓清最終確立的過程。

所謂教育目標，又可稱爲教育宗旨或方針。「教育宗旨，係指國家之法定目標，爲概括的，統舉之敘述。」〔註 21〕清末張百熙擬學堂章程五種，即所謂欽定大學堂章程，關於大學教育宗旨爲「激發忠愛，開通智慧，振興實學」爲我國正式頒佈大學教育宗旨之開始。〔註 22〕此宗旨也非針對中國社會的實際需要。民國建立後，《大學令》所規定之大學宗旨爲「大學以教授高深學術，養成碩學閎才，應國家需要爲宗旨」〔註 23〕。但北洋軍閥政府，武夫當權，重武輕文，無意也無人去實行這樣的教育宗旨。在民間，1926 年中華教育改進社年會議決之教育宗旨爲「中國現時教育，以養成愛國國民爲宗旨」〔註 24〕但無論政府還是民間，議者自議，中國大學仍是自由發展，毫不顧忌社會發展現實之需要。直到南京國民政府建立之後，國人對大學教育目標做以重新的檢討。1929 年 4 月 26 日，南京國民政府規定高等教育實施方針爲「大學及專門教育，必須注重實用科學，充實內容，養成專門知識技能，並切實陶融爲國家社會服務之健全品格」。〔註 25〕至此，切實調整大學教育，平衡文實比例，重視實科教育才確定爲大學教育之目標，並影響至今。但是歷史總有其慣性，文實學生之比例也不是一時就可以調整過來的。

勞動大學是一所特殊的學校。它以 1902 年比利時創建的社會主義勞動大學爲模型。創辦勞大的思想和理論基礎來源於工讀主義，是更早一些時候的歐洲工讀計劃的產物。所謂工讀主義是以托爾斯泰的「泛勞動主義」和克魯泡特金的「互助論」爲理論基礎。泛勞動主義由俄國人托爾斯泰所首創，這種學說依據人類的自然屬性和人道主義原則，認爲「人人皆應勞動」，「人欲

〔註 20〕蘇雲峰：《從清華學堂到清華大學（1928～1937）：近代中國高等教育研究》，北京：生活・讀書・新知三聯書店，2001 年，第 56 頁。

〔註 21〕國民政府教育部編：《第一次中國教育年鑒》甲編，臺北：傳記文學出版社，1971 年影印版，第 1 頁。

〔註 22〕同上，丙編，第 10 頁。

〔註 23〕同上，丙編，第 11 頁。

〔註 24〕同上，甲編，第 9 頁。

〔註 25〕同上，丙編，第 11 頁。

得衣食，需要靠著自己勞動，人人自勞其食」。〔註26〕它把社會階級差別的根源歸結爲勞力與勞心之分，試圖通過使人人參加勞動的辦法消彌人世間的不平等。互助論由俄國無政府主義者克魯泡特金提出，這種學說用生物發展的自然規律解釋社會現象，以蜂蟻雖小卻因互助而生存爲證，認爲互助是人類進化的「要素」，人類通過互助即可進入「各盡所能，各取所需」的共產主義社會。作爲勞動大學的創辦者蔡元培就認爲「腦力與勞動同時並進的好處，非獨養成身體發達之平均，而最大關鍵，乃在打破勞動階級與智識階級之界限。現在上海辦一勞動大學，內分兩部：一部招收一般高級工業校畢業生入學，以工廠爲學業爲生活；另設勞動補習班，以灌輸相當知識給一般勞工」。〔註27〕勞動大學的最終目標就是調和階級矛盾，通過互助的方法實現共產主義。因此勞動大學的教育目標又有改造社會的遠大理想。

勞大校長易培基在上任之初，就強調勉勵「學生勞動化、革命化」。〔註28〕在勞動大學成立兩週年之際，易培基在《勞大概況》發刊詞中具體闡述了他的辦學方針及勞大與「國民革命」的關係：

> 國民經濟生活之建設，爲國民革命之主要目的。今民生凋敝，已臻極點，經濟建設，尤爲急務。以我國天賦之厚，施以人事之功，本不難使民生豐裕，國度興隆。徒以外受列強之侵略，內受軍閥之剝削，加以封建勢力遍佈鄉村，農民經濟既莫由改良，從而工業產品亦無法暢銷。故今日而言發展經濟，必振興實業，必先解放勞工，保護農工。此總理倡導革命，所以重視農工政策也。然農工運動，端在領導得人。良以我國農工群眾非墨守其放棄責任之故習，即被人利用，陷於反革命而不自知。前者使革命之破壞不能徹底，後者使革命之建設不能進行。故欲求國民革命成功，非使佔有國民百分之八十的農工，瞭解國民革命，信仰三民主義，在本黨旗幟之下，參加革命工作不可。
>
> 本校即本此旨，培養有主義，有學識，有技能，有革命精神之人才，以期將來爲本黨領導農工，實行革命工作，努力建設事業……

〔註26〕凌霜：《工讀主義進行之希望》，《勞動》第四號，1918年6月20日。

〔註27〕蔡元培：《在南京特別市教育局演說詞（1927年10月30日）》，《蔡元培全集》第六卷，第93～94頁。

〔註28〕《勞動大學開學》，《申報》1927年9月20日，第二張（五）。

學生在校，務使其半耕半讀，或半工半讀，以體驗總理「以行求知，因知進行」之遺訓……故一方面灌輸主義學識，以堅定其信仰而發展其腦力，一方面授以農工勞作，以養成其習慣，而磨練其體力；使健全之精神，屬於健全之身體。一言蔽之，即以全人教育，從事國民革命也。〔註29〕

易培基認爲勞大的建立是與國民革命密不可分的，它的建立就是爲國民革命服務的。當時南京國民政府已在形式上統一中國大部，經濟建設已成爲國家的重點。勞大所培養的學生，其使命「是要爲本黨領導農工，實行革命工作，努力建設事業」。因此很多有中共背景的學生回憶勞大的建立就是爲「蔣介石政府培養黃色工會幹部」。〔註30〕但這樣的教育目標的確符合了當時政府和社會之所需，也沒有影響勞大改造社會的遠大理想。特別是易培基在文中強調勞大培養農工運動領導人是執行孫中山重視農工的政策，學生在學校半工半讀也是體驗孫中山「以行求知，因知進行」的遺訓。在當時國民黨一黨專政已經確立，奉總理遺教爲圭臬，神聖不可侵犯之時。這種表述就爲勞大的教育目標披上了一層「總理遺訓」的神聖外衣，否定勞大的教育即是否定總理遺訓，罪莫大焉！

在具體院系的教學目標上，農學院、工學院以養成實業人才，利用新式技術，用以補救國民經濟；1929 年下半年才設立的社會科學院，是爲造就社會運動人才，運用科學知識，以建設生產秩序，改良生產關係。不管有意還是無意，勞大的教育目標一方面有其自己的特色，調和階級矛盾，改良社會。另一方面，勞大的具體院系設置即體現了勞大創建者們的設想，又了一定程度上落實了南京國民政府教育部重視實科的政策。

2、學制、課程與教學概況

（1）大學本科概況

勞大的建立者們認爲勞大爲「教育的勞動化之試驗機關，爲特殊性質的學校，與普通大學與農工業專門學校異」。〔註31〕因此，勞大的院系設置有一個逐步探索、調整、增設的過程。

〔註29〕易培基：《發刊詞》，國立勞動大學編譯館編輯：《勞大概況》，上海：國立勞動大學編譯館，1929 年，第 1～2 頁。

〔註30〕安葵：《張庚評傳》，北京：文化藝術出版社，1997 年，第 11 頁。

〔註31〕國立勞動大學編譯館編輯：《勞大概況（本校兩週年經過述略）》，第 9 頁。

勞大建立初期，勞工、勞農兩學院並未分系教學，課程也類似。在實踐過程中感到課程過於簡單，分系太晚也不利於學生深造。學校又組織課程委員會研究、討論。最後決定分系，將勞工學院分爲機械工程、勞工教育、工業社會三系，1928 年夏又增設土木工程系，至此勞工學院共設四系。勞農學院分爲農藝、園藝、農藝化學三系。〔註 32〕1929 年初又增設社會科學系，勞農學院也設四系。

在大學院時期由於實行法國學制，各國立大學可設立勞農學院與勞工學院。後由於多方面原因，大學區實驗失敗，大學院也進行改組。最終南京國民政府設立教育部管理全國教育。1929 年 7 月 26 日，國民政府又頒佈《大學組織法》。其第 4 條規定：「大學分文、理、法、農、工、商、醫各學院」。〔註 33〕依據此規定，勞大的勞工學院與勞農學院的稱謂必須改爲工學院和農學院。該法之第 5 條又規定：「凡具備三學院以上者，始得稱爲大學。」〔註 34〕因此，勞大需增設一個學院才可稱爲大學。故勞大在 1929 年夏，新設立社會科學院，將工、農兩院的社會科學、教育兩系編入該院，同年夏招收經濟系一班。工學院也於同期招收電機工程系一班。至此勞動大學的本科設工、農、社會科學 3 個學院 9 個學系，各方面的規章制度才妥爲完善、確立。但實際上依據《大學組織法》和《大學規程》，勞大所設立的社會科學院是不合法的。因爲根據兩法的規定，大學所設立的學院爲文、理、法、教育、農、工、商、醫各學院，沒有社會科學院這一稱謂。勞大社會科學院所開設的社會學、教育、經濟三系應分別納入文、教育、法三學院。因而，在一些當時的教育統計資料上，勞大社會科學院是屬於附設的。院系設置上與國家法律的衝突，爲教育部以後整理勞大提供了藉口。

茲按照其入學資格、修業年限、各院系課程及學分分配、畢業要求等陳述如下。

大學本科的入學資格爲勞大中學部畢業或高級中學或同等學校畢業者，年齡在 25 歲以下。報名時需提供履歷書、畢業證書、最近四寸半身相片兩張並繳納試驗費一元。入學考試分初試復試兩次，初試及格者方准復試。復試

〔註 32〕《國立勞大的組織》，《中央日報》1928 年 7 月 26 日，第二張第二面。

〔註 33〕《國民政府頒布大學組織法（1929 年 7 月 26 日）》，中國第二歷史檔案館編：《中華民國史檔案資料彙編》第五輯第一編教育（一），南京：江蘇古籍出版社，1994 年，第 171 頁。

〔註 34〕同上，第 172 頁。

除筆試外並舉行口試及體格檢查，始准入學。新生入學時需交志願書、保證書各一份。學生修業至少四年，1929 年規定必須修滿 168 學分，軍事訓練及體力工作均不給予學分，但不及格者不准畢業。〔註 35〕學年終了時，學生需通過畢業試驗，〔註 36〕然後由學校給憑。〔註 37〕

①實行學年學分制

大學課程分爲三種，一是全校共同必修課，二是各系規定之必修科，三是各系規定之選修課。勞大採用學分制，規定：每學期每周上課 1 小時或實習調查 2 小時爲 1 學分，各系學生每學期至少須修滿 21 學分至多不得修過 24 學分。成爲勞動大學學生需做體力工作，時間上由原來的四小時略微減少。在成績上實習分數，占到 40%的記錄，一個學生在工廠或農場的勤惰，可以決定他自己升留級的依據。〔註 38〕

②轉系與轉院的辦法

勞大學生在一年級時可以申請轉院或轉系。轉院者須在開學後兩周之內，請求相關兩院院長提出全校校務會議通過方准轉院。轉系者則需申請相關兩系系主任提交該院院務會議批准通過。

③課程概況

勞動大學各院系課程統計（1928～1930）

單位：門

院別	1928	1929	1930
工學院	24	35½	36
農學院	87	68½	58
社會科學院	28	73	67
合計	139	177	163

資料來源：《全國高等教育統計（十七年～二十年）》，第 42～44 頁。

注：爲方便統計，本表將勞大社會科學院未建立之前農工兩院所講授之文科課程都歸爲社會科學院所開設的課程。

〔註 35〕國立勞動大學編譯館編輯：《勞大概況（組織大綱）》，第 23～24 頁。

〔註 36〕《勞大校務會議之決議》，《申報》1931 年 5 月 9 日，第三張（十）。

〔註 37〕《各校畢業典禮——勞動大學》，《申報》1931 年 7 月 2 日，第三張（十二）。

〔註 38〕趙振鵬：《勞動大學的回憶》，《傳記文學》（臺北）第 37 卷第 4 期，1980 年 10 月，第 58 頁。

從上表可以看出，勞大各院所開設的課程增減各不相同。如上文所述，勞大的社會科學院在1929年夏天才設立。但在社會科學院建立之前，工農兩院在課程安排上也都開設了文科課程。勞大創立初期兩年，工農兩院以社會科學、外國語爲公共必修課。除此之外農院講授農業科學，工院講授自然科學。1929年夏，社會科學院建立後，其課程大增約占41%。工院的課程則只有小幅增長，1930年與1928年相比也只增加了12門課程。農院的課程與創辦初期相比則有大幅下降。這說明勞大在課程方面還處於一個調試階段。勞大作爲一個特殊的大學，除了半工半讀、半耕半讀爲其特色之外。其文實課程之比例還有調整的必要。這需要一個更長時段的觀察。但勞大在1930年下半年就處於動蕩之中，難以考察其課程的變化了。

勞大極爲重視外語教學。社會科學院即規定外國文爲本院必修，高達20學分分值最重，比當時南京國民政府所規定各大學必修之黨義課程還高出4學分。〔註39〕雖然學校規定學生可任選英語或法語。但由於勞大是以比利時社會主義勞動大學爲原型。勞大的教師也多有留法的背景。所以在外語教學方面極爲重視法語課，法語實爲勞大的第一外語。大學部的法語教師有趙少侯、李丹、方于。學校還從法國請到了一位法國教師邵可侶。勞大的法語教師這樣鼓勵學生：「法文是世界上語法結構最嚴密的文字，不容易產生歧義，它與中國的墨並稱爲國際重要文件必需的工具，中國墨是不變色的，法文是語義精確的」。〔註40〕邵可侶的授課也極受學生歡迎，每天清晨，校內是一片法語的早安聲。〔註41〕

④教材與教法

關於教材與教科書，勞大規定：「書籍文具由學生自備」。〔註42〕在教學時，教授指定某書或某一章節作爲教材或自己編訂講義。社會科學院的孫寒冰教授在講授價值論時，把李嘉圖、馬克思和奧國學派的理論（用英文打字的書面形式）介紹給學生。〔註43〕學生們則在學校自己的印刷廠將講義排印，

〔註39〕國立勞動大學編譯館編輯：《勞大概況（分校紀念）》，第32頁。

〔註40〕程仲文：《江灣勞動大學漫憶》，上海市政協文史資料委員會編：《上海文史資料存稿彙編》第九冊，上海：上海古籍出版社，2000年，第150頁。

〔註41〕趙振鵬：《勞動大學的回憶》，《傳記文學》（臺北）第37卷第4期，1980年10月，第58頁。

〔註42〕國立勞動大學編譯館編輯：《勞大概況（組織大綱）》，第25頁。

〔註43〕許滌新：《風狂霜峭路》，北京：生活·讀書·新知三聯書店，1989年，第48頁。

一方面滿足自己學習所需，另一方面也可以作爲自己工作的報酬。講義印刷精美，還得到了其他大學學生的稱讚。教材也難易適當與上海當時一般大學的教材相似。〔註 44〕

關於教法，一般採用課堂講授與實地操作相結合的方法。勞大是半工半讀的大學，有自己的實習工廠，也有自己的實習農場。各學院結合各自的教學實習情況，安排實踐。而且勞大規定對於學生膳宿制服各項概不收費，但學生需從事學校規定的生產工作作爲補償。〔註 45〕因此學生的實習不僅是理論與實踐相結合，其成績也影響自己在學校的基本生活。一位 1927 年入學的勞大學生回憶：

> 學生上午都在學校上課，下午由各科實習主任帶到工廠或農場實習，工學院學生的機械操作，印刷工廠的檢字排版，農院學生的農場掘地與排水種植，社院學生在附近農村的社會調查，眞能使學生手腦並用，課本與實習表裏合一。〔註 46〕

（2）訓育與體育

勞大訓育方面的工作由三級組織負責。在學校一級設立訓導委員會，負責審閱批准關於訓導方面的事宜。人員以學校秘書長、總務長、各院院長、指導主任、及全體指導委員會、中小學部的訓育負責人組成。

在各院則由指導委員會負責。在具體事務上，指導學生生活，改善學生品性。指導方針則以勞大的學校宗旨，各院組織大綱爲準繩。指導方法注重感化，教師以身作則，對於學生的不良品行，以勸導的方法，使學生逐漸改正和遵守。

一些日常的事務工作由各院指導科負責具體執行。主要是擬定學生大綱，參加學生團體集會，促成學生團體組織，敦請名人演講，領導學生做社會運動，編印各種刊物，提倡演講比賽，發起參加旅行，舉行個別談話等。〔註 47〕

勞大的學生多是貧寒子弟，十分珍惜學習的機會。學生學習自覺，積極

〔註 44〕吳之藩：《暑假開始的一頁日記》，《中央日報》1930 年 7 月 24 日，第三張第一版。

〔註 45〕國立勞動大學編譯館編輯：《勞大概況（組織大綱）》，第 25 頁。

〔註 46〕趙振鵬：《勞動大學的回憶》，《傳記文學》（臺北）第 37 卷第 4 期，1980 年 10 月，第 57 頁。

〔註 47〕國立勞動大學編譯館編輯：《勞大概況（分校紀念）》，第 15 頁。

性比較高，學習空氣濃厚，生活儉樸有特色。勞大在訓育方面最突出的成績就是軍事訓練。

南京國民政府成立後，十分重視學生的軍事訓練。大學院在 1928 年 5 月 22 日即發出訓令要求各級教育行政長官、大中小學校長，加強軍事訓練。各級專門以上學校，每星期至少三次，以兩年爲限。〔註 48〕1928 年 7 月 28 日，國民政府公佈《高級中學以上學校軍事教育方案》，將學校的軍事訓練具體化，規定：「修學期間專門及大學兩年，每年度每星期實施 3 小時，每年暑假期間，連續實施三星期極嚴格之軍事訓練，以鍛鍊學生身心，涵養紀律服從負責耐勞諸觀念，提高國民獻身將身殉國之精神，進而增進國防之能力」。〔註 49〕可能由於勞大校長易培基是大學院大學委員會委員，消息比較靈通。勞大早在大學院發出訓令之前就著手開展軍事訓練。學生們組織軍事訓練委員會，在 5 月 11 日開會提出四項措施：「一、請求學校每人做黃色軍衣一身。二、操練時間每日自上午六時至七時一小時。三、由各班軍事訓練委員將本班同學照章分成三隊。四、教官暫由同學中曾受軍事訓練者擔任之。」〔註 50〕6 月 12 日，勞大的學生軍即舉行檢閱禮，總指揮由黃埔軍校第一期畢業生李良雲擔任。〔註 51〕

勞大的軍事訓練開展的早，基礎訓練紮實刻苦。1930 年 6 月，上海各大學查閱軍事教育成績，勞大農院「按班排爲三排班長，排長悉由學生擔任，閱操時成連教練。學生對於教官及班排長口令均能確實服從，動作迅速、秩序井然，一種豪邁之氣，充滿對敵精神。最可嘉者，操畢集合講評時，各生靜聽一點多鐘無一咳喘者，不見一點倦色，此種服從精神，實爲學校中所不易得者。洵可謂大有軍隊精神，實爲學校中所不易得者」。〔註 52〕而其他各大學「或有步伐整齊，而動作欠其靈活，或有紀律嚴明，而精神不甚興奮者」。因此勞動大學農學院無可爭議的獲得最佳。

〔註 48〕《大學院：令各省市教育行政長官暨各大學區及各國立大學校長（爲專門以上學校一律加課軍事教育中等以下學校一律注重體育）》，大學院公報編輯處編輯：《大學院公報》，1928 年第 7 期，第 7 頁。

〔註 49〕《高級中學以上學校軍事教育方案》，《大學院公報》，1928 年第 9 期，第 11～12 頁。

〔註 50〕《勞大學生軍成立》，《中央日報》1928 年 5 月 13 日，第二張第三面。

〔註 51〕《勞大學生軍行檢閱禮》，《中央日報》1928 年 6 月 12 日，第二張第二面。

〔註 52〕《上海各大學軍事教育查閱成績》，《申報》1930 年 6 月 17 日，第三張（十）。

體育方面，雖有體育委員會的設置，但在辦學初期勞大卻並不重視體育。學生們抱怨「學校對於體育不大注意，前一年還有體育主任，過去的一學期簡直是說不上了。學校裏暮氣沉沉，一點活潑的氣象也沒有」。〔註 53〕1929 年上半年，勞大一連死掉了 4 個學生，學生們議論紛紛。校方認爲與缺乏體育運動有一定關係，決定積極提倡體育運動。學校行政會議議決，爲學校每位學生提供體育經常費和增加體育預算，另外聘請著名運動家王健吾擔任體育指導。

一校體育風氣之盛衰，與該校體育教師有密切的關係。王健吾對勞大體育風氣的培養，做出了巨大貢獻。他是勞大體育發展的大功臣。〔註 54〕王健吾老師相貌魁梧，而性情和藹，授課深受學生們的歡迎。在他的督導下，勞大操場也變的熱鬧起來，各院都組織籃球隊，有的院系組了 ABCDEF 六個球隊。體育設施也逐漸完備，新增網球場、籃球場各一個。足球場也修理完畢。〔註 55〕勞大的學生一改以往坐板凳的老習氣，積極投身於體育運動。勞大的校籃球隊，作爲當時上海大學籃壇中的新秀，也取得了不錯的成績。勞大籃球隊 1931 年 5 月西征南京，挑戰京光、中央軍事學校、中央政治學校南京三大強隊，結果取得了三戰全勝的優異戰績。

（3）勞大中學部概況

如前文所述，勞動大學是以法國大學爲藍本建立的大學。法國大學的特殊之處即在於將全國分爲若干大學區，每區設立大學，每個大學下設大學部、中學部、小學部三級。因此勞大設立中學部也是順理成章的。但在勞大開創初期，中學部並未單獨設立，而是在勞工、勞農學院附設中等科。後由於在教學和管理殊爲不便，1928 年 8 月遂將兩院中等科合併爲中學部，稱爲勞動大學中學部。

最初，中學部的教學目標爲「以養成智慧較高的勞工爲主」〔註 56〕，類似當時的職業學校。隨著南京國民政府在教育方面具體政策的出臺、規範。

〔註 53〕伯汝：《勞大新聘體育指導》，《申報》1929 年 9 月 18 日，本埠增刊（三）。

〔註 54〕T.S：《勞大之體育與王健吾》，《申報》1929 年 11 月 4 日，本埠增刊（六）。王健吾，河北大名人，北師大畢業。劍舞其名，健吾則其字以行名也，曾出席三四五次遠東大會，精跨欄，尤擅籃球，在第五次遠東運動會奪得第一，乃華北籃球五大王之一。

〔註 55〕伯汝：《勞大的籃球熱》，《申報》1929 年 11 月 14 日，本埠增刊（六）。

〔註 56〕《國立勞動大學招收男女生》，《申報》1927 年 7 月 7 日，第二張（三）。

勞中的教學目標也發生變化，改爲「使學生具備研究專門學問基本知識，及農工業技術，農工運動理論」。使學生在掌握謀生技術的基礎上，具備成爲基層農運工運人才的素質。1929 年上半年因爲大學部課程變化，中學部又一次改訂教學目標，這一次增加了升學的任務。新制訂的中學部的教育宗旨第一條即爲「本部實施勞動教育並得試驗升入本校大學部」。〔註 57〕通過教學目標的一系列變化，可以看出勞大的中學部由最初的職業培養目標，越來越轉向一般中學的教學目標。這一方面是由於受國民政府教育法規的限制，另一方面，可能也有勞中學生因希望升學而向校方施加的壓力而造成的。

學制方面，勞中也幾經變化，其目的也是爲了符合大學部的招生標準，方便學生升學。最初工院中等科學制兩班爲三年，農院中等科兩班爲四年。1928 年秋季招收的一班又改爲四年。1929 年秋招收的兩班學生又改爲五年。這樣改來改去就出現了一所國立大學的中學部，共計八個班卻有三種學制的怪現象。雖然，中學部的學制實因大學部的改變而改變。但這樣混亂的學制也的確容易給仇視勞大的人留下攻擊的口實。

課程上，三年制的第一二年爲普通科，第三年文理分科。五年制和四年制的，都在第四年分科。勞大原來設想每天學生工作四個小時，中學部因爲學業繁重，改爲每周八小時。從事的工作「按規定，每人要從木工開始，把鑄工、鍛工、鉗工、車工都學一通，但我做了一段木工以後，就不幹其他只搞鍛工，做鍛工也只是幫一個老師傅掄大錘，結果什麼也沒有學會」。〔註 58〕

（三）勞動大學的經費

一般說來經費與人才是事業成功與否的兩大重要因素。而對於學校來說，經費、建築與教學設備則是必不可少的硬件設施。它的完備與否，時刻影響著教學與研究的成果。勞大創設初期，經費上備受創始人蔡元培的關照。但在 1930 年後由於受停招、校長易主等事之影響，經費支絀。勞大的教學設施，也與其它大學相異，奉行半工半讀的勞大有自己設施完備的工廠，田畝廣大的農場。本部分即探討經費的來源、使用，介紹勞大的建築與教學設施。

〔註 57〕國立勞動大學編譯館編輯：《勞大概況（組織大綱）》，第 27 頁。
〔註 58〕王韋編：《徐懋庸研究資料》，南昌：江西人民出版社，1985 年，第 55 頁。

1、經費

按照勞大最初的設計，勞大的經費應來自中比庚款。但是中比庚款能自由支配的僅爲 125 萬美元，其中用於中比教育事業的占 60%，能享受資助的僅有北平中國大學、北平大學第二工學院等學校，不見勞動大學的蹤影〔註59〕。因此，勞大在建校之處，經費即由南京國民政府撥給。

中央研究院籌備委員會及勞動大學籌備委員會代表蔡元培、張靜江、李石曾、褚民誼等，於 1927 年 6 月 6 日中央政治會議第一百零二次會議中提案，擬定中央研究院每月經費 10 萬元，勞動大學每月經費爲 2.1 萬元，均請自 1927 年 6 月起算，以最初三個月經費爲開辦費。經議決交國民政府並由政府交財政部。同時，請任命譚兆鼇爲江浙漁業事務局局長，任命吳忠信爲太湖濬墾局籌備主任。責成該兩局除於向解國庫、省庫之數照解之外，其餘所收之款，悉數撥爲中央研究院及勞動大學的經費。〔註60〕

在當時教育經費經常拖欠的情況下，勞動大學一經建立就確定爲國民政府直接撥給經費，這是勞大創建者們良苦用心的顯現。1927 年大學院撥給勞動大學的經費：中央教育基金 225,000 元，直轄機關經常費 192,200 元，直轄機關臨時費 65,000 元，合計 482,200 元。〔註61〕1928 年至 1930 年經費逐年增加，如表所示：

1928 年至 1930 年勞動大學歲入經費表　單位：元

年份	款項	國庫省款	財產收入	雜項收入
1928	304,796	285,000	19,796	
1929	685,813	642,930	40,850	2,003
1930	771,555			

資料來源：《全國高等教育統計（十七年～二十年）》，第 81 頁、第 84 頁；《中華教育界》1930 年第十八卷第六期，第 30 頁。

統計數字中的經費雖是增加，但這只是賬面的數字。由於戰亂、災害頻仍，實際撥款很難達到以上數額。勞大校方即抱怨道：「惟原定二十萬元臨時

〔註59〕黃延復：《庚子賠款的「退還」和使用》，莊建平主編：《近代史資料文庫》第八卷，上海：上海書店出版社，2009 年，第 737 頁。

〔註60〕高平叔撰著：《蔡元培年譜長編》第三卷，第 62～63 頁。

〔註61〕《大學院十六年度決算報告書》，黃季陸主編：《革命文獻》第五十三輯（抗戰前教育與學術），臺北：中國國民黨中央委員會黨史史料編纂委員會，1971 年，第 43～44 頁。

費，全年度所得不過數萬，財政部每月兩萬經常費又按七折發給」。〔註62〕經費不足的問題始終困擾著勞動大學。

1928 年至 1929 年勞動大學歲出各款項百分比

年份	%	俸給費	辦公費	設備費	特別費	附設機關
1928	100	48.16	9.27	7.11	35.46	
1929	100	37.65	12.19	32.4	16.62	1.05

資料來源：《全國高等教育統計（十七年～二十年）》，第 83 頁、第 86 頁。

在支出方面，隨著學校的發展，費用的使用也有所不同。1928 年支出的重點還是俸給費。1929 年，學校大興土木，增設院系，設備費的支出上昇至 32.4%與支出大項俸給費相差不多。

勞大的經費全部依靠政府撥給，南京國民政府財政的支絀自然影響到勞大的正常運轉。而勞大又是一所特殊的學校，不向學生收取學雜費。在當時的上海，不論是公立的還是私立的大學，爲維持學校運轉都向學生收取一筆數目不小的學費。與勞大爲鄰的復旦大學，學費高昂。復旦校方將經費主要用於擴充校園、增添設備。在其他方面節衣縮食，時人評論道：「復旦辦學的成績了不得，經濟情況不得了」。〔註63〕教會所設的聖約翰大學，「學校收費貴，開銷省，所以才能有積餘，用以添建房屋和擴大校園」。〔註64〕勞大既不能向學生收費，本身模範工廠又不能創收。易培基就通過其在政商兩界的關係，籌集資金。他也經常將一些農礦部的稅款不經財政部直接撥發勞大。這自然引起了財政部和一些人士的不滿。勞大也經常因爲經費問題與上級管理部門大學院及其後的教育部產生不快。這就爲以後教育部整頓勞大，審計糾察勞大賬目埋下了導火線。

2、教學設施

勞大校園，1927 年 9 月創校時，局促於模範工廠一隅，後力圖擴充。至 1929 年夏擴展成爲擁有三處校址，佔地 700 多畝，縱跨淞滬兩地的半工半讀的學府。

〔註62〕國立勞動大學編譯館編輯：《勞大概況（本校兩週年經過述略）》，第 8 頁。

〔註63〕復旦大學校史編寫組編：《復旦大學志》第一卷（1905～1949），上海：復旦大學出版社，1985 年，第 109 頁。

〔註64〕鄭朝強：《我所知道的上海聖約翰大學》，中國人民政治協商會議全國委員會文史資料研究委員會《文史資料選輯》編輯部編：《文史資料選輯》第 91 輯，北京：中國文史出版社，第 84 頁。

（1）勞大各院的設備

原模範游民兩工廠的舊址位於淞滬鐵路江灣火車站對面，是一個十分壯觀的建築群。三面洋樓，正中一座鐘樓。前庭兩側是辦公樓和圖書館，從鐘樓下甬道入內是學生學習、勞動、生活之處。〔註 65〕勞大的工學院、社會科學院共同使用這個三面洋樓的建築。

實驗室方面，工學院有化學、物理、機工、汽車實驗室各一。由於經費短缺，工學院的儀器設備極爲短缺。所幸，勞大還有一個國立大學中不多見的設備精良的工廠，可爲工學院學生提供實習和實驗之地，彌補設備缺失之憾。

勞大的工廠原爲游民、模範兩工廠。游民工廠原爲 1919 年中國婦孺救濟會爲接收教養游蕩少年而建。1920 年徐幹麟用慈善債劵獎餘利，在江灣鎮南購民田數十畝，建築廠屋數十。〔註 66〕游民工廠遂擴建爲模範工廠。模範工廠下設鐵工、印刷、橡皮、罐盒、桅燈與玻璃等六廠，可以生產人力車胎、橡皮鞋底、桅燈、西洋各色花紙等產品。因經費不足，勞大只能開辦鐵工、印刷兩廠。鐵工廠機械設備最爲精良，設備總值在十萬以上，爲勞大工廠之首。其擁有的龍門刨車在上海各工廠中也不多見。翻砂車間有大小化鐵爐各一具，大小沙箱數百，可以生產大尺寸的機械。經營方面，鐵工廠 1928 年代金陵兵工廠製造子彈機 46 部，價廉物美。1928 年開始試造農具。〔註 67〕印刷廠的設備總計約五萬元，其中有橡皮車一部，價值約 2 萬元，能印彩色洋紙，是當時上海印刷界中屈指可數的高級機械，憑藉此機器，勞大生產的「勞大」花紙，暢銷滬上。

農學院則以原上海大學舊址爲教學大樓。上大位於江灣的後側與模範工廠毗鄰。這個校舍 1927 年 4 月 1 日剛剛建成。「四一二」之後，上大被解散。校址被勞大申請教育行政委員會撥給農院使用。這個新校舍即大且寬〔註 68〕，完全滿足了農院教學的要求。但農院急需的農場卻不易得到解決。最初

〔註 65〕程仲文：《江灣勞動大學漫憶》，上海市政協文史資料委員會編：《上海文史資料存稿彙編》第九冊，第 145～146 頁。

〔註 66〕錢淦總撰；嚴小鍾標點：《江灣里志》，上海：上海社會科學出版社，2006 年，第 153 頁。

〔註 67〕國立勞動大學編譯館編輯：《勞大概況（工廠概況）》，第 16 頁。

〔註 68〕黃美眞、石源華、張雲主編：《上海大學史料》，上海：復旦大學出版社，1984 年，第 169 頁。

在江灣嶺南路買進 24 畝土地，在學校附近租了 10 餘畝，但還不夠使用。1928 年夏，校長易培基發公文給上海市政府，要求圈用寶山泗塘橋鄉土地三百多畝為農場。手續前後辦理了半年，1929 年秋才確定給勞大農院使用。該地距勞大中學部近，距農院遠，中學部與農院又互換了校址。至此總計中學部所開闢的農場及新圈用的土地，農院農場計有 356 畝土地〔註 69〕。農場分為 10 區一所，主要栽種、培植糧食作物和經濟作物以及畜產品，還兼造農具。在經營上，農院種植的法國品種的番茄和花椰菜，果實大，色香味好，當時上海的西餐廳都來訂購，供不應求。〔註 70〕

設備上，農院有化學實驗室 1 間、顯微鏡 5 架、標本兩套、解剖器解剖皿各 15 副。在農場有溫室六間，意大利蜂種 10 箱。

中學部原與工學院同用教學樓，後勞大在吳淞泗塘橋西北購土地 20 多畝〔註 71〕，作為中學部的新校址。1929 年 2 月 26 日新校舍建成，勞中即遷往吳淞，在新校區舉行開學式。〔註 72〕後勞中又與農院互換了校址。

（2）圖書館的擴建與充實

勞大的圖書館初設於校長辦公處鐘樓南端，房間狹小，不敷使用。後把模範工廠倉庫改造為藏書室與閱覽室。閱覽室共兩間，一間為報紙閱覽室，一間為雜誌工具書閱覽室，可容納學生 100 名。書庫一間可藏書五萬冊。裝訂、編目辦公室各一間。另設分館於農學院、中學部，每館設閱覽室藏書室各一，可容納學生 60 人。

在圖書館管理方面，勞大設圖書委員會掌理圖書館的建築計劃，選擇圖書，編輯書評等事，以圖書館主任、校長選聘的本校教職員及校外有經驗學識者為委員，人數 3 至 7 人，一年為任期。圖書館日常的事務則由圖書館主任執行，其下設佐理一人協助館長處理館務。館員 6 人，擔任編目、閱覽、出納等事務，管理農學院中學部分館。〔註 73〕擔任圖書館主任的廖崑山是國立東南大學教育系畢業，曾擔任湖南省立高級中學教務長，有豐富的管理經

〔註 69〕國立勞動大學編譯館編輯：《勞大概況（分校紀念）》，第 21 頁。

〔註 70〕趙振鵬：《勞動大學的回憶》，《傳記文學》（臺北）第 37 卷第 4 期，1980 年 10 月，第 58 頁。

〔註 71〕《上海特別市土地局年刊》1928 年第 1 冊，第 278～279 頁。

〔註 72〕《國立勞動大學周刊》第二卷第一期，第 20 頁。

〔註 73〕國立勞動大學編譯館編輯：《勞大概況（分校紀念）》，第 47 頁；《勞大概況（組織大綱）》，第 17 頁。

驗。佐理蔡毓聰同時是復旦大學圖書館主任。圖書館的管理者可謂選配得人。

圖書館的經費在建校之初並不充裕。1928 年 7 月起校長易培基每月捐助 500 元，同時學校行政委員會確定購置圖書經常費 1,000 元，後確定中學部、工院、農院各占 20%，社會科學院占 40%。易培基校長又通過個人關係募得江西某實業家捐款 20,000 元，經費大增。遂對圖書館大舉改造，目標是與上海最大之圖書館相頡頏。〔註 74〕最終確定的圖書購置費爲 12,000 元，報紙雜誌占 20%，圖書占 80%。經費即得以保障，圖書亦迅速增加。1927 年時，中文圖書僅 2,798 冊，外文圖書僅 516 冊；1928 年劇增爲中文書 15,071 冊，外文 1,624 冊。1929～1930 年間在圖書購置費穩定和有大幅提高后，增加了 20,597 冊圖書。圖書館還採取了其他方式增加藏書量，圖書館規定，可以接受捐助或寄存圖書。捐助分爲直接捐助或捐助資金由圖書館自行購買，捐助者的姓名可寫於書內、或刻於專藏架上，或以捐助者姓名，名一專藏室。寄存的圖書必須在 10 種以上，存期爲一年以上，由圖書館負責保存。歷年圖書增長趨勢如下表所示：

勞動大學圖書館歷年中西文圖書統計（1927～1930）

年　度	中文書冊數	外文書冊數	總　計
1927	2,798	516	3,314
1928	15,071	1,624	16,695
1929	18,222	2,708	20,930
1930	33,453	3,838	37,292

資料來源：《勞大概況（分校紀念）》，第 48 頁；《全國高等教育統計（十七年～二十年）》，第 27 頁。

圖書館藏書豐富，但若管理不善，也難以發揮輔助師生教學與研究的功能。書籍採用杜定友氏圖書分類法，根據圖書館的具體情況又有所變化。圖書館根據勞大的特點計劃自行編訂農業圖書分類法，運用此法將農院圖書館建成爲專業的農業圖書館。

圖書的增加與設備的改善，爲學生提供了良好的學習環境。有一些學生，不去上課而到圖書館看書。〔註 75〕

〔註 74〕《勞大建築圖書館》，《申報》1929 年 9 月 13 日，本埠增刊（七）。

〔註 75〕許滌新：《風狂霜峭錄》，第 47 頁。

二、勞動大學的師生群體

教師與學生是校園的主人。清華大學校長梅貽琦認爲「大學者，非有大樓之謂也，蓋有大師之謂也」。可以說，學者大師是一所學校的學術精神與學術水平的代表，維繫著學校的學風和影響著學生的品質，是一所大學優良與否的軟性條件甚至是決定性的條件。學生則爲美麗的校園注入了鮮活、靈動的氣質。師生是校園的兩大支柱，本部分即主要介紹勞大的教師與學生兩個群體。

（一）教師素質的逐步提高

1、教師群體的分析

前面提到，勞大在 1929 年夏院系設置和課程才最終確定。前兩年始終處在一種探索階段，受此影響，勞大的教師人數也處於變動之中。1929 年下半年至 1930 年上半年，這段時間勞大的教師無論從數量上還是從質量上都可以說是最高點。此後由於停招和校長易主，勞大的教學受到極大影響，學生數量減少，教師數也隨之減少。本部分即重點分析 1930 年以前勞大的教師群體。

（1）教師人數與職級分佈

勞大的教師最初人數不多，僅爲 50 人。在職級分佈上呈倒金字塔結構，助教少而教授與副教授多。1929 年，各院開始增聘教授，工院社會科學系在三月新聘吳頌皐、朱通九。〔註 1〕同年，增設社會科學院，教師數量隨之大增

〔註 1〕《工院社會科學系消息》，《國立勞動大學周刊》1929 年第二卷第一期，第 43 頁。

爲 117 人。1930 年維持了這種增長趨勢，人數爲 130 人。其職級結構變遷的趨勢，以講師人數最多，而以教授、副教授和助教人數較少，呈橄欖狀，如下表所示：

勞大各級教師統計表（1928～1930）

年　度	教授及副教授	講　師	助　教	合　計
1928	22	19	9	50
1929	29	62	26	117
1930	30	74	26	130

資料來源：《全國高等教育統計（十七年～二十年）》，第 31 頁。

（2）各學院教師的人數分佈

在這裡我們要觀察各學院師資人數分佈，比較各學院之師資陣容。將 1928 年至 1930 年曾在勞大任教的 297 人，做院別統計，發現農學院 39 人爲最多，依次爲社會科學院爲 31 人，工學院最少爲 26 人。這個師資人力配置，表示勞大雖然重視工、農兩學院，但後建立的社會科學院有後來居上之勢，工學院反而呈弱勢的狀態。另外，勞大的預科實際上就是勞大的中學部，其人數的增加表明勞大對於中學部的重視。

勞大各學院教師人數統計（1928～1930）

年度／院別	工	農	社會科學	預　科	合　計
1928	10	10	10	20	50
1929	25	35	23	34	117
1930	26	39	31	34	130

資料來源：《全國高等教育統計（十七年～二十年）》，第 49～50 頁。

注：1928 年社會科學院還未成立，爲便於統計本表將講授文科課程的教師歸入社會科學院。

（3）1929 年的個案分析

雖然運用可收集到的數據，我們通過上述兩表，對勞大的教師群體在總體上做了一定的分析。但有一些細微、深層次之處，還需要更爲詳細的資料做以分析和整理，以見其不爲人知之處。在這裡，筆者使用 1929 年出版的《勞大概況》的資料對這一年的教師做一分析。

前面的總體統計可以看出勞大的講師最多，1929 年爲 62 人。做學歷統計時，除 9 人（17.6%）的資料未詳以外，具有博士學位者 6 人（9.8%），碩士 15 人（24.6%），而以學士 26 人（42.6%）爲最多。碩士與學士兩者合計爲 41 人（67.2%）占絕對多數，此外，有 1 人僅爲國內中學畢業，2 人無學歷僅在國外做過研究，如表所示：

勞大大學部任課教師最高學歷統計表（1929～1930）

	國內	國外	合計	百分比
中學	1	1	2	3.2
學士	8	18	26	42.6
碩士	1	14	15	24.6
博士		6	6	9.8
研究		2	2	3.2
未詳			10	16.3
合計	10	51	61	100

資料來源：《勞大概況（職教員一覽）》，第 6～14 頁。

這一時期，由於人才缺乏，一般大學對教授資格的要求，並不十分嚴格。許多人只要大學畢業，出國遊學，取得碩士或博士學位，或者是訪問研究一段時間，回國後，就可以出任大學教授。所以《中央日報》說，教授雖多，而「其中能夠眞正被稱作教授的卻不多」。〔註 2〕但通過此表可以發現，勞大教師中有外國學歷或在國外研究者爲 51 人（83.6%），大大高於國內學歷者。由此從數據上看，勞大教師的品質還是不錯的。

當時的大學中還有一普遍問題即大學教師兼職過多，如北大在 1933 年時，教師中專任教師 128 人，兼任教師 89 人。〔註 3〕此問題在勞大教師中也存在，只是在各院系分佈狀況不同而已。1929～1930 年的勞大大學部教師，農院最爲純粹 23 名教師無一人是兼職教師，工院次之 13 名教師中 5

〔註 2〕《中央日報》1931 年 4 月 10 日，轉引自蘇雲峰：《從清華學堂到清華大學（1928～1937）：近代中國高等教育研究》，北京：生活·讀書·新知三聯書店，2001 年，第 117 頁。

〔註 3〕《北大二十二年度教員統計》，王學珍、郭建榮主編：《北京大學史料》（第二卷）（一），第 35 頁，轉引自田正平、商麗浩主編：《中國高等教育百年史論——制度變遷、財政運作與教師流動》，北京：人民教育出版社，2006 年，第 291 頁。

人爲兼職，社會科學院最多 25 人中 16 人爲兼職，占 64%。如表所示：

勞大大學部各院教師專兼職表（1929～1930）

	工	農	社會科學
專　職	8	23	9
兼　職	5	0	16
百分比	38.4%	100%	64%

資料來源：《勞大概況（職教員一覽）》，第 6～14 頁。

社會科學院的兼職教師多，也符合當時大學一般情況。民國時期大學的科系設置一大問題就是學科設置極不平衡，文科法科多於實科。其原因即是開設此類科目無需完備的教學設施和統一的標準。〔註 4〕不可否認，勞大設立社會科學院有這方面的考慮，也有應付《大學組織法》的原因。但社會科學院延聘的教師也的確在一段時間內提升了勞大的教學水平。根據 1929 年出版的《勞大概況（職教員一覽）》〔註 5〕，社院的兼職教師多爲復旦大學的教授，名單如下：

周孝庵，上海法政大學學士，復旦大學教授

黃梁就明，美國密西根大學教育學碩士，復旦大學教育學教授〔註 6〕

孫寒冰，美國華盛頓大學經濟學碩士哈佛大學研究院兩年，復旦大學預科主任〔註 7〕

章友三，華盛頓大學教育學碩士榮譽研究員，復旦大學教育系主任

朱通九，美國華盛頓大學工商管理學碩士，復旦大學教授

鄭若谷，美國華盛頓大學教育學院，復旦大學教授

陶希聖，北京大學法理學系卒業，復旦大學教授

李權時，美國哥倫比亞大學哲學博士，復旦大學商學院長

〔註 4〕金以林：《近代中國大學研究：1895～1949》，北京：中央文獻出版社，2000 年，第 208 頁。

〔註 5〕國立勞動大學編譯館編輯：《勞大概況》，1929 年。

〔註 6〕黃梁就明是勞大唯一的女教授，勞大學生認爲她「對於教授頗有經驗，尤其對於教育她更有研究」，對她期望值頗高。伯汝：《勞大新聘的女教授》，《申報》1929 年 9 月 18 日，本埠增刊（三）。

〔註 7〕孫寒冰教授在 1929 任職於勞大直至勞大 1932 年停辦，他授課認眞，提攜、幫助勞大的貧苦學生，受到學生的愛戴。馮和法：《回憶孫寒冰教授》，《文史資料選輯》87 輯，第 191～195 頁；許滌新：《風狂霜峭錄》，第 47～48 頁。

李劍華，日本帝國大學學生，復旦教授

李炳煥，美國伊利諾大學經濟學碩士，復旦大學教授

吳頌皐，法國巴黎大學研究員，復旦大學法學院長

熊子容，美國華盛頓大學教育系畢業，復旦大學教授

通過這個名單可以發現，勞大所聘請的復旦教授除了周孝庵和陶希聖爲國內大學學歷外，其他人皆爲美國、法國名牌大學畢業或曾訪問研究過。這12 人中有兩個院長、兩個主任，勞大把復旦的商法兩院、教育一系的主幹盡聘入麾下了，說社會科學院是復旦的附設學院也不算過分。

復旦教授來勞大兼職既有地理上的因素又有經濟上的因素，而經濟上的因素更爲重要。在地理上，勞大和復旦都位於當時上海的市郊——江灣。勞大與復旦又是近鄰，兩所學校只隔開一個江灣跑馬廳。復旦的教師來勞大兼職也就極爲方便了。

有學者將近代大學教師兼職的原因歸結爲三點，「其一，人才缺乏。其二，經濟的制約。其三，高等學校教師的經濟壓力大。」〔註 8〕復旦教師來勞大兼職即主要因爲第三點原因。復旦大學當時爲私立大學，在財務管理上竭力貫徹節約和效率的原則。在教師工資上，國民政府規定教授最高月俸爲 500 元，副教授最低爲 300 元，講師最低爲 220 元。〔註 9〕但復旦校長李登輝的月俸才爲200 元，專任教授亦爲 200 元，但一年只支 11 個月的薪水，另外一個月的薪水，以開辦暑期學校的收入補足，此外無任何津貼。〔註 10〕所以爲了維持生活，復旦的教師來勞大兼職也就可以理解了。但是，兼職教師來校任課的主要原因是爲了增加收入。因此，學校經濟上一旦有風吹草動，最先受影響的就是兼職教師所講授的課程。1931 年上半年，勞大的經費短缺，一些兼職教師就不正常上課了。還有一些教師兼課多，經常在布告牌上掛出「某某教授今日因事請假」，有些教授只是開學時來一、二次，學期末來一、二次。〔註 11〕

當時熟知教育內情的人士，皆稱勞動大學爲中法系所辦的學校。通過統計可以發現在勞大 61 名教師中，有留法背景的爲 20 人，農學院最多 13 人，

〔註 8〕田正平、商麗浩主編：《中國高等教育百年史論——制度變遷、財政運作與教師流動》，第 523 頁。

〔註 9〕《大學教員薪俸表（月俸）》，《申報》1927 年 6 月 21 日，第二張（四）。

〔註 10〕復旦大學校史編寫組編：《復旦大學志》第一卷（1905～1949），第 108 頁。

〔註 11〕馮和法：《在國立勞動大學的歲月》，上海市出版工作者協會《出版史料》編輯組編輯：《出版史料》（第二輯），上海：學林出版社，1983 年，第 118 頁。

社會科學院 6 人，工學院有 1 個，其次最多的是留美者爲 18 人，多數集中於社會科學院。考慮到社會科學院院是 1929 年才開辦，而且大部分具有美國學歷者多爲復旦在勞大的兼職教師。勞大教師還是體現了勞動大學的法國背景，如表所示：

勞大大學部教師留學背景表（1929～1930）

院別／國家	法	美	英	不詳	日	國內	合計
工	1	5	1	4		2	13
農	13	2		1		4	22
社科	6	11	1	2	2	3	25

資料來源：《勞大概況（職教員一覽）》，第 6～14 頁。

總之，從以上統計分析中可以發現，這一時期勞大的教師隊伍有了極大的發展。教師的最高學歷，以學士爲最多，其次爲碩士；在職級上講師以上占絕對多數。教師多爲外國學歷，而且亦不拘泥於一國。不足之處是有些高級學歷的教師爲外校兼職者。但勞大三年來教師品質有如此之大的提高，與國內其他大學相比不相上下甚至略高，可說是相當不易。但一校教師的優劣除了考察具體教學、學歷水平之外，還應看看他們的研究情況。

2、教師的研究

有學者指出，這一時期（南京國民政府初建十年）大專教師的研究風氣並不旺盛，研究成績甚不顯著；實科較文科爲好；私立學校比公立學校爲佳。〔註 12〕勞大的情況有不同之處，文科相對好於實科。

勞大教師的學術研究是隨著勞大教學各方面的穩定而逐漸開始的。建校之初，教室、課桌等教學設備還未周全，農學院忙著修葺校舍，其設備盡可比擬於初創時之中等學校。〔註 13〕這時的教師有心也無力、無設備去做研究。學校的周刊前 50 期也只是登登名人演講，報導一些學校的事務。1929 年初，勞大各方面設施逐漸整齊。學校亦開始重視、提倡學術研究。勞大周刊的編者發出三點希望「一、希望本刊爲學術化，二、希望各教授投稿，三、希望學生合作，特開闢學聲專欄，爲學生發表文章之處」，宣佈學術論著的研究範圍爲「關於農工生活之如何改良，勞資雙方之衝突如何避免，勞動教育之如

〔註 12〕蘇雲峰：《從清華學堂到清華大學（1928～1937）：近代中國高等教育研究》，第 121 頁。

〔註 13〕國立勞動大學編譯館編輯：《勞大概況（分校紀念）》，第 18 頁。

何設施，國家資本之如何積聚」。〔註 14〕很明顯，編者們希望勞大的學術研究應具有現實意義，可以解決當時社會中的矛盾，爲國家經濟發展提供參考和借鑒，同時爲推廣勞大的勞動教育理念服務。教師和學生投稿，可以得到稿費，一經刊出，不論文章質量，凡教職員寫的文章每千字三元，學生的文章每千字一元。〔註 15〕如果說《勞大周刊》是爲學校的學生和老師所服務，那麼 1929 年 11 月創辦的《國立勞動大學月刊》投稿者則更爲廣泛，是勞大的學報。《勞大月刊》登載文章的範圍包括「（一）研究總理遺教，（二）提倡勞動教育，（三）介紹專門學問，（四）調查勞動狀況」〔註 16〕。當時正值蔣胡合作，南京國民政府逐步穩定統治時期，主管黨政的胡漢民力主以總理遺教爲政治經濟建設方針。月刊編者提出研究總理遺教也是符合當時的政治潮流的，介紹專門學問則將研究的範圍無限制的擴大了，任何關於社會科學或自然科學的論文都可以登載。提倡勞動教育與調查勞動狀況兩條也兼顧了勞動大學的特色。筆者對於勞大教師研究狀況的分析即主要依據《國立勞動大學周刊》和《國立勞動大學月刊》，這兩份頗有勞大特色的刊物。

根據統計，約知在這兩年當中，勞大 61 位教師從事研究，發表論文 47 篇，編譯 1 篇，書評 1 篇。若以學院爲單位，則最晚建立的社會科學院的研究發表率爲 40%，發表論文 30 篇，書評 1 篇，居各院之首。其次爲農學院，發表率爲 34.7%，論文 15 篇，編譯 1 篇。最後爲工學院爲 15.3%，僅爲論文 2 篇。如下表所示：

勞大教師發表率統計表（1929～1930 年）

院　別	教師數	發表人數	論　文	編　譯	書　評
工	13	2（15.3%）	2		
農	23	8（34.7%）	15	1	
社會科學	25	10（40%）	30		1
合　計	61	20	47	1	1

資料來源：《國立勞動大學月刊》、《國立勞動大學周刊》、《勞大論叢》。

注：1930 年下半年勞動大學因停招和校長易主，發生動蕩。《國立勞動大學月刊》只發行至 1930 年 12 月。

〔註 14〕《編者的希望》，《國立勞動大學周刊》1929 年 3 月 2 日第二卷第一期，第 1～2 頁。

〔註 15〕馮和法：《在國立勞動大學的歲月》，《出版史料》第二輯，第 118 頁。

〔註 16〕編者：《發刊詞》，《國立勞動大學月刊》創刊號 1929 年 11 月，第 1 頁。

若以各院教師個人而言，社會科學院以朱通九爲最好，其次爲鄭若谷，發表 5 篇論文的孫寒冰居第三。發表論文的 10 人全部爲復旦大學在勞大的兼職教師。這也說明這些教師的確提升了勞大教師的學術水平。排第二的農學院中，馮煥文居首，包容緊隨其後，發表 1 篇的則有 6 人之多。最早成立的工學院成績最差。如下兩表所示。

社會科學院教師發表統計表

姓　名	論　文	書　評
朱通九	6	1
鄭若谷	6	
孫寒冰	5	
李權時	3	
章友三	3	
熊子容	3	
溫崇信	1	
葉法無	1	
吳頌皐	1	

資料來源：《國立勞動大學月刊》、《國立勞動大學周刊》、《勞大論叢》。

農學院教師發表統計表

姓　名	論　文	編　譯
馮煥文	6	
包百度	4	
夏康農		1
李亮恭	1	
陳國容	1	
方乘	1	
韓雁門	1	
汪呈因	1	

資料來源：《國立勞動大學月刊》、《國立勞動大學周刊》、《勞大論叢》

爲何最晚成立的社會科學院在研究方面後來居上，暫居鼇頭。而最早成立的工學院反而成績最差呢？這是個值得探討的問題。可能的原因是人才和設備的影響。文科投入資金較少，更多是需要教師自身的素質和學術研究習慣的養成。復旦來勞大兼職的教師多數具有美國名牌大學的學歷，還有一些已在美國大學或研究院進行過研究。加之當時上海是中國經濟最爲發達之地，亦是國內科學文化與國外交流最方便快捷之地。西方先進社會科學理論、著作的傳入方便了文科教師的研究。實科的研究一般需要大筆資金的投入，有完善的設備和實驗場所。工學院雖成立最早，有模範工廠的機器。但生產設備與大學教學研究的試驗設備還是有很大差距的。眞正教師所需的試驗設備至 1929 年還未齊備。教師的科學研究自然無從談起。農院因有農場，農業試驗設備還算整齊，因此就有了一定的研究成果。

總體上看這一時期勞動大學的教師無論從數量上還是質量上都有了很大的提高。教師隊伍逐漸穩定，形成了以副教授、講師等中層教師爲主體的橄欖形的教師職級機構。絕大多數的教師有國外大學的學歷或者曾在國外研究或求學過。學校的學術研究氛圍也在逐漸形成，若假以時日勞大會取得一定的成績的。但停招和校長的更換，打亂了這種良好的發展趨勢，勞大最終走上了停辦的不歸路。

（二）學生群體的分析

1、勞大的招生情況、錄取率及在校生分析

在介紹勞大的學生之前，有必要瞭解一下 20 世紀 20 年代至 30 年代初中國知識分子群體的概況。

自近代以來，中國的教育體制逐漸由傳統的私塾、書院轉變成近代西方的學校制度。科舉制度廢除，傳統士人參與政治的道路隨之改變。有學者指出，「在科舉廢除以後，新的教育體制既喪失了科舉體制的儒學內涵所具有的社會凝聚和整合機制，也不具備科舉體制所特有的那種消解政治參與壓力的功能；而另一方面，新學堂對讀書人的批量生產，遠大於私塾時代的師徒傳授的產出。新的教育體制本與近代工業化和市場經濟對各類人才的大量需求相適應，當新學堂取代舊科舉後，中國知識分子的數量大大膨脹，而近代化進程的遲緩導致社會對各類人才的需求並沒有得到相應擴充。加之「學而優則仕」的傳統慣性，政界仍是多數知識分子的首選目標，從而形成了比帝政時代遠爲巨大的政治參與壓力」。〔註 17〕

〔註 17〕王奇生：《黨員黨權與黨爭——1924～1949 年中國國民黨的組織形態》，上海：上海書店出版社，2009 年，第 34 頁。

而在這大量知識分子中，「中小知識分子人數最多而境遇最差。據 1923～1924 年前後的統計顯示，中學畢業生能繼續升學的只占 19%～20%。也就是說，80%以上的中學畢業生或由於家庭經濟條件或因自身學力等因素而不能升入大學或出國留學，自然也就失去了躋身上層知識精英行列機會。但他們對社會承認的期待和往上爬升的願望非常強烈；他們因已受過初等或中等教育而不願認同與普通民眾和甘居社會下流，但他們的知識、學力和能力又無法在競爭激烈的城市中謀得一個相當的職位。他們一方面因自身前途渺茫和社會地位的不穩定而產生莫大的心裏失落，同時又因目睹整個國家與社會的敗落與衰頹而心懷不滿。這雙重的失意、焦慮乃至絕望，使他們很容易被某種意向高遠甚至帶有烏托邦色彩的社會政治理想所吸引；革命乃至反叛的意識，自然也最易在這一處於游離狀態的知識青年群體中孕育而生。正因如此，這個時期、學運學潮的主力軍是他們，國共兩黨的有生力量也是他們。如在黃埔軍校前三期通過考試選拔入學的兩千多名學生當中，其學力大多是高小和中學文化程度。另據統計，1919～1927 年間，全國學運、學潮有 57%發生在中學（含師範學校）」。〔註 18〕

這一學潮學運的主力軍，國共兩黨的有生力量。同時也是勞大學生的主要來源。我們知道，勞大是在四一二政變發生後建立的。當時有很多跟隨國共兩黨參與國民革命的知識青年，因爲四一二的腥風血雨而感到迷茫。有些青年因爲國民黨的清黨反共，同中共的組織失去了聯絡。還有一些不參與政治走中間路線的青年，則是因爲中共當時奉行的左傾激進路線，因恐懼離開了家鄉來到城市。〔註 19〕傳統的中國讀書人，如果科場得意就可以入世爲官，若科場失意可以退回鄉里，爲一方之士紳。而當時這些因國民革命失敗而對自己前途感覺迷茫的青年，已不可能向傳統士紳那樣退回鄉間了。近代西方教育制度所大批量培養出來的知識分子一大特點即是集中於城市。鄉村生活對他們已沒有任何吸引力。這樣一批青年，來到了當時中國最大最發達的工商業城市——上海。此時的他們一般有兩條出路，就業或是讀書。當然還有一些人會找到政治組織，繼續參加國內的政治鬥爭。

〔註 18〕王奇生：《黨員黨權與黨爭——1924～1949 年中國國民黨的組織形態》，第 35 頁。

〔註 19〕1927 年入勞大農院的趙振鵬回憶「當時共產黨在湖南對青年的口號是『不赤化，便火化』。這種極爲恐怖而苦悶的暑假，著實令人爲自己的前途焦念不已」。趙振鵬：《勞動大學的回憶》，《傳記文學》第 37 卷第 4 期（臺北），1980 年 10 月，第 58 頁。

當時的上海雖是中國資本主義經濟最發達的城市。但青年的就業形勢還是極爲嚴峻的。1922 年，上海商務印書館招收校對員，名額只有十名，報酬每月二十元，還須自備膳宿，程度要中等學校畢業；不料登報後，報名與考者百餘人，竟有許多專門學校和大學畢業生也來考考；還說留學生閒居無事的也正不少。〔註 20〕1927 年時，一般的中學生具有一定的英語水平才可以找到商店小職員的工作。就業的困難使很多人選擇了考大學繼續深造。而對這些人來說，私立大學因爲高昂的學費他們是不敢問津的。一般的國立大學，即使收費低廉也是不予考慮的。這些青年或是與家鄉親人失去聯繫，或是家庭困難，在上海維持一日三餐都很困難，更沒有餘錢來支付學費了。「學校重地，窮人莫入，那巍巍學府的大門上，無形中都似乎釘著這兩塊森嚴可怕的虎頭牌，叫我們窮小子見之，不得不徒喚奈何，掉頭而返」。〔註 21〕這是他們心情的眞實寫照。而半工半讀，不收學費，提供食宿，還免費發放制服的勞大就成爲了他們的首選。

勞大很早就開始了招生工作。其招生方法與當時其它大學類似，都是在滬上的各大報紙登載招生廣告。第一次招生，招收本科 100 名，中等科 100，臨時師範班和臨時訓練班各 100 名，全部入工學院。〔註 22〕由於報名人數多及交通原因有 280 人未參加 8 月 26 日舉行的初試，勞大校方在 30 日安排了一次補考。初試算是順利結束。9 月 5 日，舉行了復試。9 月 8 日，宣佈成績。至此，勞大的第一次招生完全結束。此次招生，工學院本科加中等科和臨時班，總計招收 400 人。報名參加初試的人數竟有 2000 人之多，〔註 23〕錄取率爲 20%，競爭十分激烈。1928 年和 1929 年的兩次招生，都保持了 20%左右的錄取率。

學生經過激烈競爭被錄取入學。但考取不等於畢業。進入勞大學習的學生有不少因爲種種的原因退學、休學甚至被開除。開除的學生多爲國共兩黨鬥爭的原因，如 1927 年 11 月，有 7 名學生因共產黨嫌疑被勞大校方開除。〔註 24〕退學、休學者多爲家庭或本人原因不能繼續學業，也有不少因曠課被休學。

〔註 20〕黃美眞、石源華、張雲編：《上海大學史料》，第 511 頁。

〔註 21〕志靜:《有心無力的青年求學問題》,《申報》1930 年 2 月 10 日，本埠增刊（七）。

〔註 22〕《國立勞動大學勞工學院招男女生》,《申報》1927 年 7 月 7 日，第二張（一）。

〔註 23〕《國立勞動大學周刊》，1927 年 11 月 13 日第五期，第 78 頁。

〔註 24〕國立勞動大學編譯館編輯：《勞大概況（分校紀念）》，第 3 頁。

1929～1930 年第一學期就有大學部 10 人因家庭或個人身體原因休學，7 人因曠課被勒令休學。〔註 25〕

由於退學和休學人數較多，每年都招收數額不定的插班生，補充名額。所以勞大大學部的學生在停招之前的三年有了較大的增長，從 1928 年的 287 人發展至 1930 年的 387 人，增長了 1.3 倍。教師和學生的比率逐漸降低，每位教師由平均教 10 個學生變爲 4 個，在一定程度上是教師資源的浪費。但考慮到勞大是半工半讀的學校，有很多非任課教師擔任著輔導實習的工作。這種師生比也就具有了一定合理性。

勞大大學部在校學生和教師總人數（1928～1930）

年　度	1928	1929	1930
學生數	287	407	387
教師數	30	83	96
師生比	9.5	4.9	4.0

資料來源：《全國高等教育統計（十七年～二十年）》，第 31 頁、第 34 頁。

各學院在校學生的分佈，1928 年以後，各學院均有增長。社會科學院成立最晚，但人數最多，依次爲農學院和工學院。社會科學院人數較多是因爲早期工農兩學院建立時，就有不少學生偏愛學習社會科學，兩院分系教學後，就專門學習勞工教育、工業社會、社會科學這三個專業。1929 年社會科學院成立後，開始招生，學生人數迅速增加。

勞大大學部各院在校生統計（1928～1930）

院別\年度	1928	1929	1930
工學院	81	118	113
農學院	102	136	118
社會科學院	104	153	146

資料來源：《全國高等教育統計（十七年～二十年）》，第 51～53 頁。

〔註 25〕《本校休學生一覽》，《國立勞動大學周刊》1929 年 4 月 6 日第二卷第六期，第 57～59 頁。

這些學生多數來自江蘇，其次爲湖南、浙江、江西、安徽等南方沿海沿江省份。少數來自東北及華北的內陸省份，甚至還有歸國同胞，有弱小民族人民。〔註 26〕不管因何原因他們進入勞大學習，就開始了校園生活。具有時代特色的學生和勞大在教學、生活等各方面的特殊體制自然就孕育培養了勞大不同與一般學校的學習風氣與校園生活，這即是下面所要談的問題。

2、學習風氣與校內外的生活

勞大的所在地江灣。當時是上海到吳淞之間的小市鎮。居民淳樸，以種植蔬菜爲生，間種花卉，至滬銷售，獲利頗不薄。〔註 27〕此地類似今日中國大城市的城鄉結合部，交通方便，文化也發達。鐵路有淞滬鐵路、滬寧鐵路相交匯，公路交通有若干與上海市相連的煤渣或石片鋪成的馬路。商務印書館的東方圖書館也位於小鎮境內。1922 年私立復旦大學遷至江灣新校舍，江灣有了第一所大學。復旦江灣新校舍建成之際，學校四周還盡是田野。〔註 28〕隨著上海大學及其後勞動大學的相繼建立，江灣逐步的變爲了上海市郊的一個大學聚居區。在江灣附近的吳淞有中央大學醫學院和同濟大學，在眞如有暨南大學，形成了一個良好的文化氛圍。雖然以工廠爲主的勞大，煙囪經常冒出黑煙，與同在江灣相隔不遠，房屋宏偉綠草如蔭的復旦大學相比的確是少了些讀書的氣氛。但勞大周圍如此多的大學以及東方圖書館多少彌補了這些缺憾。勞大也不失爲一個讀書學習的好地方。

（1）迥異的學習風氣

在這一時期，上海的大學生一般能專心讀書，勤於上課的較少。大學生吃要吃好的，穿要穿好的，進出又自由，因此跳舞場、影劇院、咖啡廳，時見他們的蹤迹。〔註 29〕「人生本來是 party，日夜何必 study。只要分數能 pass，文憑到手就 happy」。〔註 30〕則是他們時常哼唱的畢業歌。

勞大的學生富裕家庭出身的人很少，絕大部分是城市貧民或農村小農家庭出身。在進入勞大學習以前，多受過完全或不完全的初中或高中教育，屬

〔註 26〕曼英：《勞大學生「性」和「姓」的統計》，《申報》1929 年 7 月 11 日，本埠增刊（三）。

〔註 27〕錢淦總撰；嚴小鍾標點：《江灣里志》，第 42 頁。

〔註 28〕復旦大學校史編寫組編：《復旦大學志》第 1 卷（1905～1949），第 107 頁。

〔註 29〕澤人：《大學生的難關》，《申報》1929 年 8 月 26 日，本埠增刊（三）。

〔註 30〕光美：《學校生活》，《申報》1930 年 8 月 3 日，本埠增刊（七）。

於中小知識分子。他們對於知識本能的具有一種渴求。他們自認爲是「知識界之飢餓者」，是「知識界的乞丐，是一無所有，種種都要向人們去討，是進不起學校的人，本來是不應該有知識的，即使有一點，也不過是苦苦討得來的殘羹冷飯罷了」。〔註31〕對於知識的渴求和因知識匱乏而產生的自卑感，使他們的求知欲更爲強烈。

有強烈的求知欲但並不意味著就願意學習所有的課程。勞大的很多學生在入學之前曾經從事過不同的工作，他們這些人對於學習更有主見。專業與自己興趣相符的學生在校內除了上課之外，就到圖書館看書。興趣不符的不上課，只去圖書館看書，而且只看與愛好相符的書。他們的求學有很強的目的性。

半工半讀的勞大學生在課堂學習之餘，還要參加工作。工院的學生在工廠實習，農院的學生在農場實習。農場實習，女同學也有興趣，執鞭驅牛犁田，成績也不差。〔註32〕1930 年夏，學生利用學校旁邊無大用處的荷花池，自己動手設計施工，每人還捐助 4 毛小洋，建成了一個游泳池，免費對外定期開放。〔註 33〕社會科學院的學生就需要深入社會生活，做各方面的調查學以致用。1930 年夏，社院學生利用暑假實習，對杭州市的社會事業做了專題調查，並將調查報告發表在勞大月刊上。

總之，「不尚空談，不務皮相，專於實事求是而已」〔註34〕應該是這一時期勞大學風的最好概括了。

（2）生活水準及生活狀況

當時上海的大學約分爲三種：國立大學、私立大學和教會大學。三類大學的費用相差很大，國立大學由國家專款支撐。私立和教會大學則主要靠向學生收費支持運營，因此學費高昂。但學校類型不同，所需的費用也不一樣。1930 年上海國立幾所大學，學費最貴的是國立中央大學醫學院每學期學膳宿約 130 元，其次爲同濟大學 129 元，暨南大學和交通大學都爲 80 元。〔註35〕私立大學中復旦大學在 1920 年學費就已達到 80 元，每年所有費用合計共需

〔註31〕王韋編：《徐懋庸研究資料》，第 193 頁。
〔註32〕氣軍：《女同學犁田》，《申報》1929 年 4 月 19 日，本埠增刊（七）。
〔註33〕河漢：《勞大游泳池定期開放》，《申報》1931 年 5 月 28 日，本埠增刊（五）。
〔註34〕龔賢明：《弁言》，《國立勞動大學月刊》1930 年第一卷第七號，第 1 頁。
〔註35〕《上海各大學概況》，《中華教育界》第 17 卷第 7 期，1930 年，第 114 頁。

繳洋 166 元。〔註 36〕1930 年，學費已漲到 100 元，其他費用也應有大幅度上漲。教會大學每年的費用也需 160 元左右。〔註 37〕

與這些學校相比，勞動大學卻一分錢也不收，因此吸引了大批的貧寒子弟。勞大也被認爲是窮人的學校。但當時上海是全國生活水平最高，估計也是物價水平最高的城市。上海的大學生有非 600 元一年不敷用的。勞大的學生雖然獲得了學膳宿費用全免的待遇，但維持一般一年的日常支出也需 50 元。但估計，一年有 50 元可供開支的學生也是少數。大多數的勞大學生經常身邊莫名一文。有客人來，兩毛錢的飯卷也拿不出，只好顧不得面子老實的對客說「我拿不出錢來，還是你自己掏腰包吧」。〔註 38〕可謂窘迫之極！因此有很多勞大的學生賣文爲生，在《申報》、《新聞報》的邊角里發表些小文章，弄些零錢花。勞大的窮學生因爲囊中羞澀，對外是沒什麼面子的。但校內的生活還是比較舒適的。

（3）勞大學生的衣食住

勞大免費給學生提供兩套制服，由服裝廠的老師傅量體裁衣。夏天是藍色制服，冬天是黑色尼制服。夏天自製一雙木屐板，冬天只花幾角錢置一雙蘆花鞋就可以舒適地保暖防凍了。有些學生除了學校提供的這身行頭以外，也就沒什麼衣物了。同當時上海其他大學西裝筆挺、衣著入時的學生少爺相比，勞大的學生的確像「叫花子」。〔註 39〕

相比於服裝的寒酸，學生的飲食還是很好的。勞大規定每名學生每月的伙食費爲 9 元。具體事務由每學期學生普選出來的食事委員會負責。每天早上由學生輪值買菜。一般是食堂大司務和兩名學生一大早四五點鐘到江灣市集購買，學生負責監督記賬。輪値的學生當天早上會得到補償，一個人享受四個同學才有的一份早餐。〔註 40〕負責買菜的同學每天要公佈賬單，食事委員會每月公佈一次賬目接受大家監督。如果當天的飲食不好，當日負責的同學就會被同學指責。有膽敢貪污者則會被學校開除學籍。這樣嚴厲的監督之下，保證了學生的飲食。具體到飯桌上，可謂種類繁多，主食有白米飯、糙

〔註 36〕復旦大學校史編寫組編：《復旦大學志》第一卷（1905～1949），第 123 頁。
〔註 37〕陳明遠：《大學學費：相隔六十年》，陳遠編：《逝去的大學》，北京：同心出版社，2005 年，第 252 頁。
〔註 38〕凌棟：《學校生活的片段》，《中央日報》1930 年 7 月 12 日，第三張第三版。
〔註 39〕許滌新：《風狂霜峭錄》，第 52 頁。
〔註 40〕胡光凡：《周立波評傳》，長沙：湖南文藝出版社，1986 年，第 27 頁。

米飯、麵條、饅頭，早餐有赤豆粥、綠豆粥、豆漿、油條。中晚餐的副食各有 3 葷 2 素 1 湯。〔註 41〕菜譜由學生自行調配，江浙人在勞大佔據多數，也有不少湖南人。嗜食辣椒的湖南同學自然強烈要求多買多做辣椒。因爲吃辣椒的問題，湖南同學和其他省份的同學還發生了一場不小的糾紛。〔註 42〕

勞大本部的學生宿舍是由工學院和社會科學院共同使用的。工學院原有第一第二兩所及女生宿舍一所。社會科學院成立後，學生人數增加，就將舊的毛毯廠改爲學生宿舍，同時建造新式盥洗室兩間，裝置電燈。農學院的宿舍位於吳淞。

女生的宿舍房間大的可容納 8、9 個人，小的也可以住 3、4 人。男生宿舍與此類似。學生宿舍的設備也很齊全，除了盥洗室廁所和浴室外，學校爲防止學生信件丟失給每個人配了一個郵箱。郵箱仿照郵政總局的郵箱，姓名秩序可依筆畫或四角號碼查詢，極爲方便。〔註 43〕這與同一時期聖約翰大學學生宿舍除了木板床以外幾乎空無一物的情況相比還是很好了。〔註 44〕

勞大的女生人數很少，1929 年時僅有 47 位。但勞大對於女生宿舍的管理頗有美式大學的開放性，女生宿舍可以自由進出。學校原設想在女生宿舍開闢一個會客室因爲房屋不夠用，只得作罷。

（4）特殊的生活風氣

當時上海的大學生，有一大部分似乎還未擺脫舊時讀書人書童相伴的習慣，或是本身就出自富裕家庭養成了使用傭人的積習。在大學，他們吆五喝六，對校役如用家奴。出外買東西要叫校役，打熱水叫校役，估計除了吃飯和穿衣外，餘下的所有事情都由校役來做。勞大的學生就沒有這種嬌慣之氣，所有生活方面的事情都親力親爲。學校設有洗衣場和曬衣場，洗衣、洗被、縫被都是自理；吃飯時碗筷湯匙自備，用餐完畢後也要自己清洗；掃地打水的雜務也是自理。勞大的學生凡是能自己動手解決的生活問題都靠自己。

另外，在春假、寒暑假，勞大的學生很多都不離開學校。他們或是家鄉已沒有親人或是家鄉的生活條件還不如校園。校方爲了照顧這些學生，每年假期都安排一些工作作爲免費提供食宿的補償。工學院的學生在工廠工作，製造鐵床和農具。農學院的學生在農場種植蔬菜、瓜果、稻麥。社院的學生

〔註 41〕程仲文：《江灣勞動大學漫憶》，《上海文史資料存稿滙編》第九冊，第 152 頁。
〔註 42〕飛魂：《嗚呼辣椒》，《申報》1929 年 8 月 9 日，本埠增刊（二）。
〔註 43〕伯元：《信箱》，《申報》1929 年 9 月 25 日，本埠增刊（五）。
〔註 44〕鄭朝強：《我所知道的上海聖約翰大學》，《文史資料選輯》第 91 輯，第 84 頁。

舉辦民眾學校。勞中的學生利用這段時間，爲學校搬場，除了大機器由少數工友搬移外，一切的行李桌椅板凳都由學生擔任。〔註 45〕校園的建設方面有一些工作也是由學生完成，大學部的學生整理運動場，中學部的學生在吳淞築路、種樹等等。

親力親爲的日常生活和平時的勞作，使勞大形成了一種不同於其他大學的生活風氣。在他們的勞動之下，學校各方面的設施也在不斷地發展和改善。因此，在勞大學生眼裏，這個不算漂亮，無論歷史還是名氣都不大的國立勞動大學就是他們在上海的家。

3、多姿多彩的課外活動

勞大學生的課外活動，蓬勃發展，社團眾多。這與首任校長易培基的大力提倡是分不開的，易校長在長沙任第一師範校長時，「就在那軍閥專橫下，在學校組織男女話劇隊，開國內話劇的先聲」。〔註 46〕勞大的學生社團分屬智育與德育兩方面性質。

智育方面有學術性與技術性的社團及出版物，如農學院農學研究會、農藝化學研究會、園藝研究會、社會科學院的勞動教育研究會、社會科學研究社等等。文學、戲劇和音樂方面的社團也不少，各有特色。文學方面最有名的是海漪社，該社以研究文藝及社會科學以認識生活創造生活爲宗旨。戲劇的社團由於易培基校長的提倡，辦的有聲有色。美蒂劇社是其中的佼佼者，他們演出了田漢改編的《卡門》等作品，還演出了一些外國作家的作品，如日本作家的《嬰兒殺害》，愛爾蘭作家的《月亮上昇》，易卜生的《娜拉》等等。演技較好的社員如許粵華、張素華和程昌鎬等很受觀眾歡迎。該社還安排了一次公演，票價兩角，看的人擁擠的不得了。〔註 47〕西樂研究會和勞動唱歌隊則是音樂社團的代表。勞大的學生動手能力強、有擔當，校方也把一些刊物交給學生們負責，如《國立勞動大學周刊》、《國立勞動大學月刊》、《勞動季刊》。一些社團出版的刊物做的也很好，海漪社的《海漪月刊》，內容豐富、印刷精美。另外中學部亦有數理化研究社、亞波羅繪畫研究社、勞中唱歌隊三個學生組織，成績也很可觀。

〔註 45〕《勞大學生暑期工作》，《中央日報》1930 年 8 月 20 日，第三張第四版；完：《勞中的搬場》，《申報》1929 年 7 月 22 日，本埠增刊（三）。

〔註 46〕趙振鵬：《勞動大學的回憶》，《傳記文學》（臺北）第 37 卷第 4 期，1980 年 10 月，第 58 頁。

〔註 47〕要：《美蒂劇社第一次公演》，《申報》1929 年 4 月 13 日，本埠增刊（五）。

德育方面有學生自治、思想研究等社團。各院設有學生會、三民主義研究會也在 1928 年 9 月成立。易培基校長爲了提倡學術思想起見，鼓勵學生研究現實問題，利用他在大學院和國民政府中的地位（大學委員會委員、農礦部部長），邀請眾多黨國要人和專家學者到校演講，根據筆者的不完全統計 1927 至 1928 學年到勞大演講的有：

1、1927 年 10 月 25 日，魯迅：關於智識階層
2、1927 年 10 月 27 日，戴季陶：革命的回顧及今後的方針
3、1927 年 11 月 15 日，邵元沖：三民主義下之農工問題
4、1927 年 11 月 17 日，孫幾伊：勞動問題
5、1927 年 11 月 30 日，周佛海：三民主義基本概念
6、1928 年 4 月 28 日，關抱一：比國勞動大學情形
7、1928 年 5 月 12 日，彭學沛：世界的前途
8、1928 年 5 月 15 日，張海珊：中國蟲害問題
9、1928 年 6 月 2 日，莫定森：小麥病害問題
10、1928 年 6 月 6 日，張範村：西北墾牧爲題
11、1928 年 6 月 11 日，潘公展：勞動問題

資料來源：《勞大概況》（分校紀念）第 1～7 頁，《勞大論叢》。

4、勞動教育推廣委員會

勞大的學生團體眾多，也各有特色。但在當時上海的各大學中都能看到類似的學生組織，因此算不上勞大的特點。最能代表勞大開創者的目標和勞大勞動教育精神的還是勞動教育推廣委員會。

（1）宗旨與組織

勞動推廣委員會以實行農工補習教育、宣傳及推廣勞動教育、養成學生對社會之同情及服務能力、喚起民眾參加革命爲宗旨。簡而言之，就是要通過爲勞大附近的江灣民眾提供免費的補習教育，提高文化程度，使學生深入社會生活，使普通大眾理解支持南京國民政府的領導。

推廣委員會是由勞大負責學校事務的秘書長和各院管理日常行政事務的主任組成，人數眾多。但負責具體事務的常務委員是由校長聘任的，一切推廣計劃需要由校長核准，推廣委員會只是一個建議機關。

1929 年 2 月勞動教育推廣委員會成立之時，原計劃設 6 組作爲具體執行

機關分別爲：「一、農工補習學校 二、民眾茶園及民眾圖書館 三、勞動小報 四、勞動演講團 五、新劇團 六、工廠調查團 七、農村調查」。〔註 48〕但在當年暑假僅有民眾電影院、圖書館、民眾學校開展了活動。

秋季開學後，常務委員和辦事聘定，才開始大規模在勞大各院學生中徵求服務人員。從宗旨上看，推廣委員會的很多工作就是爲了新設置的社會科學院學生的實習而設置的。學生服務規程也規定：「社會科學系學生每學期需擔任一項工作」。但社會科學院其他系的同學也踴躍報名。工院和農院的學生相比就很少。委員會對學生的工作也做了嚴格的規定凡參加服務的學生，每完成一項工作，就需上交報告兩份。工作時間每周以 5 小時爲最多。認眞負責的學生給予獎勵，不負責遲到就由指導科懲處。委員會各項細則制定的很嚴密，但由於缺少經費，有些項目還是無法進行。茲將委員會推行的各種事業加以介紹。

（2）各項事業的進行概況

眾多事業中，比較有成績的還是暑期時開辦的民眾電影院和民眾學校。民眾電影院就在江灣。當時在江灣的大學生和普通民眾都很多，也的確需要一個娛樂的地點。電影院所需的資金由推廣委員會負擔，票價低廉。影片是從明星電影公司租的。每放映完一次，收支相抵都要虧去 10 多塊錢。這種低票價的電影很受江灣民眾歡迎。〔註 49〕

暑期開辦的民眾學校，學期爲一個月。學員定爲 60 人，分初、高兩級班，兩班每周 24 學時。每日下午 7 點至 9 點爲上課時間。教材及相關費用由勞大免費提供。開學之初，未報名而來學習的甚眾。後來由於場地狹小、課程安排簡單又加之教員中外省人居多，語言難通。聽課者也由初期的滿座而日漸減少，31 日學期結束時只剩下 10 多人了。〔註 50〕

至於其他的事業因爲經費短缺，大多是計劃性的多留在紙面上了，並未眞正實行。

〔註 48〕《勞動教育推廣委員會各組計劃》，《國立勞動大學周刊》第二卷第四期，第 47 頁。

〔註 49〕伯元：《勞大電影場復活》，《申報》1929 年 10 月 21 日，本埠增刊（三）。

〔註 50〕丁學來：《暑期民眾學校報告》，《國立勞動大學周刊》1929 年 10 月 21 日第三卷五期，第 13～15 頁。

三、勞動大學的學潮和學生運動

近代以來，西方的學校體制被借鑒引入中國。在這樣的體制之下培養了一批不同於傳統士大夫的學習西方社會科學技術的學生，他們成爲由傳統向現代轉型的中國社會中的一個重要組成部分。自五四運動後，學生通過參加運動，從校園走向社會，影響著中國政治、經濟和社會生活的各個方面。在近代的中國學校無論大小、好壞與否，都發生過這樣或那樣的學潮或學生運動。其原因千奇百怪、各有不同，「以愛國主義反對列強的占 6.85%，反對新舊校長占 39.91%，學生不滿學校教育設施的占 14.9%；至於反對政府及教育當局數量最多，除了愛國運動之外，即國內政局及教育問題的改革不能滿足學生的需要，這是政府指『學風囂張』，視學生如蛇蠍的原因」。〔註 1〕

學潮和學生運動在某種程度上不易區分，學潮會引發學生運動，但學生運動又不完全是因學潮而發。「嚴格的說，學運和學潮是有分別的，『學運』反應時代政治，動機不限於學生本身的利益，活動範圍不只在學校內部，勢力可以深入民間，影響及於國家社會；『學潮』反映的是教育問題，多起於學生切身關係的事項，範圍多半局限於校園，雖也波及於校外，但勢力和影響大大不如學運」。〔註 2〕依此種定義劃分，在國立勞動大學最後的三年中，大時代背景下的學生運動對學校傷害不大，卻是反映教育問題的學潮最終決定了勞動大學的命運。本部分即以勞動大學爲中心，探明 20 世紀 20 年代末至 30 年代初勞大所發生的學潮和學生運動的性質，及其對教育內部派系鬥爭，「九一八」事變和「一二八」事變對上海學生運動和高等教育的影響。

〔註 1〕呂芳上：《從學生運動到運動學生（民國八年至十八年）》，臺北：中央研究院近代史研究所集刊（71），1994 年，第 22 頁。

〔註 2〕同上，第 420～421 頁。

（一）第一次停招與校長易主

1、勞動大學學生的思想狀況

如前文所述，勞動大學建立之初深受無政府主義思想的影響。勞大的創辦者蔡元培、吳稚暉、李石曾都是中國較早接受並宣揚無政府主義的知識分子。在勞大建立過程中，立下汗馬功勞的匡互生，是五四運動中火燒趙家樓的肇事者，同時也是位無政府主義者。在勞大建立之前，匡互生已在江灣建立了奉行工讀主義的立達學園。但立達學園只有小學部和初中部，匡互生一直打算「給窮人辦所半工半讀的大學，不收學費，自食其力，以培養學生的優良品德，去爲人類留點正氣，給社會開條生路」。〔註 3〕勞動大學的建立正好實現了以匡互生爲代表的當時中國無政府主義知識分子的理想，一大批無政府主義者也聚集在勞動大學。因此，在 1927 年 9 月至 1928 年 9 月間，在勞大最爲校方所推崇和宣揚的是無政府主義，反而不是南京國民政府極力神化宣傳的三民主義。

在這一時期勞大的校園中，蒲魯東、巴庫寧、克魯泡特金的名字不脛而走，十分熟悉，《告少年》、《麵包略取》等克魯泡特金和巴庫寧的著作成爲熱門書籍。在勞大的教師中也集聚了一些無政府主義者，有沈仲九、黃淩霜、吳克剛、畢修勺。無政府主義者在江灣創辦了革命書店，出版《革命周刊》，大力宣傳無政府主義。勞大校方也聘請一些國外的無政府主義者來校演講，有日本人石川三四郎、山鹿泰治，〔註 4〕法國人邵可侶、比利時社會黨領導人樊迪文。

因此，在勞大創立初期對勞大的非議主要集中於指責勞大是無政府主義的中心。1927 年 10 月 24 日，胡適致函蔡元培：

> 例如勞動大學是大學院的第一件設施，我便不能贊同。稚暉先生明對我說這個勞動大學的宗旨在於「無政府化」中國的勞工。這是一種主張，其是非自有討論的餘地。然今日勞動大學果成爲無政府黨的中心，以政府而提倡無政府，用政府的經費來造無政府黨，天下事的矛盾與滑稽，還有更甚於此的嗎？何況以「黨內無派黨外

〔註 3〕北京師範大學校史資料室編：《匡互生與立達學園》，北京：北京師範大學出版社，1985 年，第 241 頁。

〔註 4〕張景：《安那其主義在中國活動的片段》，《文史資料選輯》第 90 輯，第 122 頁。

無黨」的黨政府的名義來辦此事呢？一面提倡清黨，一面卻造黨外之黨，豈非爲將來造第二次清黨的禍端嗎？無政府黨提倡的也是共產主義，也是用蒲魯東的共產主義來解釋孫中山的民生主義，將來豈不貽人口實，説公等身在魏闕而心存江湖，假借黨國的政權爲無政府黨造勢力嗎？〔註5〕

10月27日，蔡元培覆函胡適爲勞大辯解：

大學委員會所討論之事，未必涉及有政府與無政府問題；勞動大學與無政府主義尤無關係；現在校長爲易寅村（培基），乃是章太炎之弟子，向來喜搜羅舊書，亦頗以目錄學自負，今年始參加政治運動。彼不解西文，更不知無政府主義爲何物也。勞動大學，實即陶行知所提倡之「教學做合一」主義。弟甚贊成陶君之主義，想先生對彼所辦之農村學校，必亦極端贊成也。〔註6〕

胡適致函蔡元培本爲推辭大學委員會任命之事，在信中指出勞大的無政府主義的問題實爲推辭不就的藉口，但也反映了胡適對於以蔡元培爲首的國民黨元老在南京國民政府建立初期所奉行的教育方針的不同看法。胡適的信也的確指出了勞動大學的無政府主義問題。蔡元培的回信對勞大則頗多維護，認爲勞大與無政府主義沒有關係，校長易培基不懂洋文更不知無政府主義。胡適贊同陶行知的曉莊師範的辦學模式，自然也不應反對同奉此模式的勞動大學。但很顯然，蔡元培對他所極力推崇、創辦的勞大和勞大的校長還眞不是很瞭解。易培基不懂西文，但此君遊學日本卻懂日文，中國早期的無政府主義的書籍很多也是自日文譯來的。況且校長不是無政府主義者，不代表教員不是無政府主義者，匡互生、沈仲九等人皆爲無政府主義者。胡適對勞大的看法還是很準確的。

至1928年下半年勞動大學就變的不那麼無政府主義了。主要原因是日益穩定統治的南京國民政府從政治和思想上加強了對教育的控制。集聚在勞動大學的無政府主義分子自身也出現了分裂。而且，無政府主義者治理勞大的這段時間勞大的確在教學上面無所長進。所以，大批的無政府主義者離開了勞動大學。

〔註 5〕《胡適來往書信選》上冊，第447～448頁，轉引自高平叔撰著：《蔡元培年譜長編》第三卷，第95～96頁。

〔註 6〕高平叔撰著：《蔡元培年譜長編》第三卷，第94～95頁。

可外界對於勞動大學無政府主義的指責卻並沒有結束。1929 年 4 月，國民黨黨員李壽雍所著的《在江蘇辦黨》一書以國民黨江蘇省黨部的名義出版。在其書的第 21 頁，指責勞大是無政府主義者活動的機關。其理由有三：1、《革命周報》是勞動大學內銷行最廣的一種周報；2、許多朋友證明勞動大學內布滿反國民黨的空氣；3、檢查出來的共產黨分子主張寬大感化。這自然引起了勞大校方的憤慨。勞大學生孫兆乾和勞大校方相繼發文或發函，駁斥李壽雍的言論，要求李登報致歉，以正視聽。〔註 7〕至 1932 年 7 月，勞動大學停辦，對於勞大無政府主義的指責和議論也沒有停止。

勞大的學生雖然受無政府主義的影響，但校內信仰無政府主義的學生卻並不多。「從事無政府信仰的學生，他們言行規矩，態度和藹」，〔註 8〕同學之間的關係也很融洽。勞大也沒因爲學生信仰無政府主義而發生學潮或是學運。

與無政府主義相對的就是中共對勞大學生的影響了。國共合作因「四一二」政變而破裂，國民黨力行清黨，一般學校唯恐招入有中共背景的學生。勞動大學作爲南京國民政府創辦的第一所國立大學，自然更是遵命奉行，嚴格檢查學生的入學資格，防止有左傾色彩的學生進入勞大。但正所謂上有政策下有對策，嚴密的入學規定也有疏漏之處。如要求學生報名時需提供履曆書、畢業證書，1929 年考入勞大的周立波就造了一張舊制中學的畢業文憑去報考〔註 9〕，他的履歷表則可能更有問題。所以，即使有嚴格的入學規定還是有一些中共背景的學生考入了勞大。

雖然有學生進入勞大學習，但中共的組織似乎並沒有進入勞大。左傾色彩的學生也是通過校外的中共組織與中共取得聯繫，周立波入勞大不久，就認識了中共地下黨員任浩章，在其介紹之下加入了中共領導的群眾組織——革命互濟會。〔註 10〕同周立波同年進入勞大學習的許滌新，「對於同學一個也不認識，不知對方『是人還是鬼』，不敢隨便說話」。1930 年 5 月，許加入中共領導的中國社會科學家聯盟，並在勞大校內創辦《海燈》牆報，介紹工農

〔註 7〕孫兆乾：《勞動大學眞是無政府主義者活動的機關嗎？》，《國立勞動大學周刊》1929 年 4 月 20 日第二卷第八期；《駁李壽雍詆毀本大學函》，《國立勞動大學周刊》1929 年 4 月 27 日第二卷第九期。

〔註 8〕趙振鵬：《勞動大學的回憶》，《傳記文學》（臺北）第 37 卷第 4 期，1980 年 10 月，第 60 頁。

〔註 9〕胡光凡：《周立波評傳》，第 26 頁。

〔註 10〕胡光凡：《周立波評傳》，第 29～30 頁。

紅軍在各地的發展。〔註 11〕左傾學生也是在校外參加中共當時組織的飛行集會之類的運動，並沒有在勞大校內發起中共的組織或是組織反對校方的學潮。

勞大校方在建校之初對於學生的思想狀態並不重視。無政府主義分子離開勞大之後，校方才加強了對左傾色彩學生的打擊。任浩章、周立波等積極參加中共活動的學生被校方相繼開除學籍。

究其始終，勞大所發生的學潮或是學運並沒有無政府主義或是中共組織的背景，不存在意識形態或是國共兩黨鬥爭的色彩。勞大的學潮和學運更多的是大時代背景下敵國外患所刺激的愛國主義以及南京國民政府內部教育派系、高層權利鬥爭所引發的。

2、勞動大學建立前後教育系統內部的派系之爭

中國文人似乎自古就有因地緣或同門的原因結成團體、組織或派系的傳統。近代以來，西學東漸大批學生留學東洋、西洋。國內也建立了一些以西方大學爲藍本的高等學堂。但中國文人拉幫結派的傳統習慣卻沒有因教學內容、學制的改變而改變。留洋的學生要拉幫派，國內大學畢業的大學生也明裏暗裏的成團體。

在這眾多或明或暗的教育派系中，對中國近代影響最大的就是以蔡元培爲首的英美派和以李石曾爲首的法日派。在 20 世紀初期，中國留學生多留學日本，後大批學生又留學英美、也有一批留學法國。留學日本者，歸國最早，他們很早就進入北大等國立大學，掌握教學和教育行政大權。留日者又多受教於章太炎，此時的國立大學之首——北京大學是太炎弟子的天下。後期留學英美者歸國。中國人也日漸認識到留學日本所學也是日版的西方科學，要學習眞正的西方學問還得需要到英美等西學的發源地學習。因此，民眾逐漸形成了重英美而輕日本的社會意識。留英美者身價自然水漲船高，教育權力也日漸被英美留學者所獲得。被排擠的留日派學者，就與人數同樣不多的留法派結成同盟與英美派互爭短長。而這種衝突矛盾表現的最爲明顯的就是在人文薈萃、精英雲集的北京大學。

在當時的北大，「留學歐美的胡適、石瑛、周覽、李四光、陳源、王世杰等，合力佐蔡元培革新校政，頗爲守舊及左傾分子側目」〔註 12〕。法日派的後臺李石曾，「他當時辦有中法大學，又辦有孔德學校，適值北京政府積欠學

〔註 11〕許滌新：《風狂霜峭錄》，第 47 頁、第 52 頁。

〔註 12〕陶英惠：《中研院六院長》，上海：文匯出版社，2009 年，第 204 頁。

校薪水，北大同人無法存活的時候，凡是接近他的人都要插在他的學校裏，所以他的勢力就逐漸大了起來。他不搶北大，因爲知道英美派人多，他搶到手也是麻煩；他轉搶北京的各專科學校，搶的辦法就是把原來的校長罵倒，或利用學生要求『改大』，而後介紹新校長給政府，這個學校就成他的了。最明顯的一例，就是他利用魯迅、周作人在報上攻擊女師大校長楊蔭榆，而後他介紹易培基爲該校校長」。〔註 13〕正如前文所述，易培基正是在這個時候與李石曾結成兒女親家，建立緊密關係的。易也在李的幫助之下，在政壇獲得了一席之地。

正如一些學者所指出的，在英美派和法日派的衝突之下更有盤根錯節的黨爭色彩。在女師大風潮之前，1925 年 1 月，北京教育部代理部務的教育部次長馬敘倫，就在汪精衛、李石曾、吳稚暉、楊杏佛的慫恿下，擅自免除了郭秉文的東南大學校長的職務。從而開啓了國民黨借著第一大黨的地位在廣東以外的地區推行「黨化」教育的惡例。〔註 14〕以胡適、蔣夢麟、王世杰、陳源等爲代表的英美派與李石曾、吳稚暉、易培基、馬敘倫、沈尹默爲代表的法日派爭鬥日趨激烈。李石曾、顧孟餘、易培基等還是國民黨在北方的黨務負責人。

李石曾驅逐楊蔭榆就是要使國民黨籍的易培基取而代之，然後藉此次風潮將教育總長章士釗驅逐。乘風潮之便將北大也拖進來，使其脫離北京政府教育部，更進一步拖垮北洋政府。教育內部的派系之爭就演變爲黨爭乃至具有全局意義的政爭了。

所以在女師大風潮中，北大也被拖下水，北大的英美派與法日派的矛盾、衝突，日益明顯化、尖銳化。1926 年 3 月 18 日，在易培基和徐謙的策劃之下，北京學生遊行示威引發慘案史稱「三一八」慘案，又稱首都革命。慘案發生後，段祺瑞執政府通緝易培基、徐謙、顧孟餘、李石曾、李大釗等五人。原來就極力反對利用學生達到政變目的的北大英美派國民黨籍教授也受牽連，紛紛避居東郊民巷。法日派則認爲段政府之所以能迅速通緝易培基、徐謙等五人與英美派不無關係，兩排之矛盾更加激化。

〔註 13〕《顧頡剛自傳之三——我怎樣厭倦了教育界》，《東方文化》1994 年五月總第三期轉引自張耀傑：《文人的派系之爭——遭受「包圍的蔡元培」》，《傳記文學》（臺北）第 89 卷第 5 期，2006 年 11 月，第 84～85 頁。

〔註 14〕同上，第 90 頁。

1927 年 4 月，北伐軍順利進軍東南，上海、江浙等東南財富之區爲國民黨所有。18 日，南京國民政府成立。再一次掌握中國教育大權的蔡元培不避派系，繼續延攬、使用英美派和法日派的學者。易培基也在吳稚暉舉薦之下當上了國立勞動大學的校長。勞大也成爲法日派或者說中法系控制之下的學校，被綁上了法日派的戰車。

兩派人物聚首新國都南京，爭鬥自然就從北京的教育部轉到南京的中華民國大學院。1928 年 5 月，南京國民政府組織的二期北伐順利進行，北京指日可下。兩派對於北京教育地盤的鬥爭又開始了。〔註 15〕最終北京的教育大權爲法日派的首領李石曾所獲得。在這次爭鬥中，作爲法日派幹將的易培基忙前忙後，立下大功。但法日派的手段也過於低劣，在會前就串通一氣，在會上逼迫蔡元培。蔡元培自己也說：「那天我就沒有想到石曾先生要做校長，後來才知道你們幾位先有了一次會議，已決定了。但那天匆匆地我一時沒有餘暇回轉過來。現在都明白了，所以請石曾爲中華大學的校長」。〔註 16〕這種行爲當然也爲與會支持蔡元培的胡適所不齒。在會上商量大學院的繼任者，蔡元培曾提議「繼任院長最好是易寅村先生」，結果大家都不討論。〔註 17〕法日派奪了北京的教育地盤，又想奪管理教育的最高大權，英美派自然不會同意。最終，接替蔡元培職掌教育部大權的還是英美派的蔣夢麟。

兩派的鬥爭卻並未停止，因爲「三一八」慘案造成的矛盾還在不斷的持續發酵。胡適記云：

> 孟和曾聽竺可楨談《南京民生報》記的通緝我的事。今晚見到李仲揆，始知其原文大意爲：北京市民大會電告政府，其銜名次序爲譚、蔡、張、李、易，其本書說「三一八」慘案禍首爲段祺瑞、熊希齡、梁啓超、章士釗，助逆者爲胡適，劉伯昭，王世杰，周覽等，皆應通緝。
>
> 此電是成舍我捏造的，國府秘書處，及譚、蔡諸人處皆未得此電。依其銜名次序，可知爲易培基的走狗造出來的。〔註 18〕

〔註 15〕關於對北方教育地盤的爭奪戰陶英惠先生有詳細論述詳見陶英惠：《中研院六院長》，第 144～149 頁。

〔註 16〕曹伯言整理：《胡適日記全編（五）》1928 年 6 月 15 日，合肥：安徽教育出版社，2001 年，第 156 頁。

〔註 17〕同上，第 158 頁。

〔註 18〕同上，第 206 頁。

本來在「三一八」慘案發生時，胡適並未在國內自然不可能與聞此事，更不可能「助逆」。胡適也極力撇清自己與「三一八」慘案的關係。但當時，胡適的名頭太大，又深得蔡元培的信任，相互對立的兩派人自然就把他推到派系鬥爭的第一線。兩日後，朱經農給胡適寄來《民生報》原件，並告知蔡元培說此事「既沒有負責的原告，又沒有確實的證據，當然不能成立。胡適應對此事「付之一笑可也」。胡適卻認爲「他（朱經農）不知道這班人處心積慮要用『三一八』的事來羅織我們」。〔註19〕胡適又致函朱經農，解釋了《民生報》之事。朱經農的回函云：

適之兄：

七月十四日的信收到了，寅村本一「一無足取」之人，仗著石曾的關係，獵官、報怨，自無疑義。稚暉先生強替石曾先生辯護則有之，背後玩把戲，是絕不會的。（一）因此項消息傳來時，他正在平漢道上，他胸中計劃的事正多，絕沒有功夫想這些閒事。（二）他在寧的時候，曾與蔡先生、譚組安等聯名電北平，爲秉三（熊希齡字秉三——筆者注）先生辯護。《民生報》所載消息，把秉三先生遷入，絕不是他的意思。（三）他與「吉祥系」因《太平洋》雜誌、《現代評論》的關係，感情並不甚壞。在會議席上，因爲要替石曾辯護，罵幾句「吉祥胡同一班人」或者有之，背後再做什麼，大約不至於此。

至於寅村，大家都看穿了，尤其是蔡先生很明白。吳老頭子對他的批評也很嚴厲。他的把戲雖多，大約也沒有多大效力。他現在想玩的把戲多得很，也不知他的能力究竟有多大。北平這樣大的一個世界也夠他們對付了。我們瞧著吧。〔註20〕

朱經農在信中解釋了吳稚暉與此事並無關係。背後弄人的事吳稚暉大約是不會幹的。他們對於易培基的印象卻極爲糟糕，無才、弄權、獵官、有野心無能力，可能在法日派人士中，易培基的人緣最差。兩派衝突中，本身只靠著李石曾的關係爬上高層的易培基卻衝到了派系鬥爭的最前沿，且兩方人物對其都多有指責。在教育系統內部，易培基已處在一個很危險的境地了。

校長處境危殆卻不自知，勞動大學自然也很快會跟著遭殃。但在1930以

〔註19〕曹伯言整理：《胡適日記全編（五）》，第208頁。

〔註20〕同上，第234頁。

前，勞大與上級大學院和教育部的關係還算融洽。勞動大學和大學院都是蔡元培一手創建的。擔任大學院院長的蔡元培自然不會爲難勞大，反而處處維護、幫助勞大。正如上文所述，勞大開辦的經費是蔡元培籌措而來，其經費的重要性與中央研究院處於同一地位。即便易培基在某些方面和大學院沖突，蔡元培也不以爲意。〔註 21〕繼蔡元培擔任新設的教育部部長的雖是蔣夢麟，但時任浙江大學校長的蔣夢麟因爲浙大新立，校務繁忙。任命後沒有馬上到南京任職，教育部的工作實際由教育部次長馬敘倫掌理。

馬敘倫本爲法日派之人。在民國期間，馬共三次擔任教育部副職。第一次擔任教育次長，在汪精衛、吳稚暉、李石曾等人的慫恿下撤銷郭秉文東南大學校長的職務，開創了國民黨推行黨化教育之先。第二次就是擔任易培基的副職，且有李石曾的幫助。易培基第二次擔任教育總長時，馬又在易的手下任職督辦教育專稅。〔註 22〕因此，馬敘倫對於勞大也不爲難。1930 年初，替蔣廷黻在教育部折沖的馬敘倫因爲戴季陶和陳立夫越權干涉教育部事務。「這樣的事，實在不易應對，就是做官，官興也不佳，就此辭職。」〔註 23〕馬敘倫掛冠而去。因女師大風潮和「三一八」慘案本就與法日派心存芥蒂的英美派教育行政能手蔣夢麟走上前臺，這對本身就問題很多的勞大絕不是一個好消息。

另外，易培基當時還擔任農礦部的部長。農礦部是當時南京國民政府新設立的部門，與原來北京政府實業部的管理職能相類似。該部也是一個有稅收，油水頗爲豐厚的熱門機構。在農礦部長任上，易培基實行了一些舉措，「對於過渡時期的中國開發地下資源有一正確道途，這是不無貢獻的」。〔註 24〕但也正是在這個職位上，易與蔣介石、陳立夫、孔祥熙、宋子文等，國

〔註 21〕1928 年 9 月，大學院公佈國立各教育機關、學校的經費數目。勞大的數目和人數可能有所出入，勞大校方就登報反駁。雙方的矛盾公之於眾。《大學院實行財政公開》，《中央日報》1928 年 9 月 10 日，第二張第二面；《勞動大學經費學生確數》，《中央日報》1928 年 10 月 29 日，第三張第三面。

〔註 22〕馬敘倫自述：「馮玉祥北京政變，由黃郛『攝政』，教育總長讓出來給易培基，通過李石曾的關係，請我去幫忙，我便第二次擔任教育次長了。」「十五年的頭上，段祺瑞改行內閣制了，許世英做國務總理，易培基又做教育總長了。」馬敘倫：《我在六十歲以前》，北京：生活·讀書·新知三聯書店，1983 年，第 76 頁、第 85 頁。

〔註 23〕同上，第 101 頁。

〔註 24〕吳相湘：《易培基與故宮盜寶案》，吳相湘：《民國百人傳》（第三冊），臺北：傳記文學出版社，1982 年，第 220 頁。

民黨內的實權派及新貴矛盾鬧得不可開交。〔註 25〕特別是易培基仗著自己參與首都革命的功績自詡爲老革命，瞧不起依靠蔣介石的姻親關係迅速爬升的黨內新貴宋子文。易培基常常把應繳財政部的款項移到勞大來。加上他湖南騾子的倔脾氣時常發作與宋子文的關係就日益緊張。有勞大同學回憶道：「又一次他（易培基——筆者注）在學校紀念周上報告：『我上周在南京參加中央政治會議。宋部長（子文）要我把農礦部繳部的十一萬元，不要發到勞大去，我當時對他這種不禮貌的行爲，不是因爲大家在開會，我早就給他一記耳光了』。這是易校長的倨傲態度，後來變得越來越厲害，同學們早已爲他捏把汗」。〔註 26〕

無論在教育系統內部還是在政界，易培基已經處在一個十分危險的境地了。英美派學人認爲其背後玩陰謀，人品學識不値一提。在政府內部又孤傲自負，得罪了最不該得罪的蔣介石、孔祥熙、宋子文、陳立夫等人。他一人又身兼國立勞動大學校長、故宮博物院長、農礦部長三職，分在上海、北京、南京三個地方，權利如此之重一時爲人所側目。法日派此時的風頭太盛，難免被人所詬病。其所負責的勞大又存在著這樣或那樣的問題，給外人留下了很多攻擊的口實。木秀於林，風必摧之，易培基和他領導的勞動大學正處於一個大風暴的前夕。

3、勞動大學的第一次停招

正所謂新官上任三把火，蔣夢麟執掌教育部實施了幾項重要措施。首先是制訂了從小學到大學的課程標準及法規，特別是《大學組織法》是中華民國高等教育基本法，從法律上規定了大學性質、定位、功能、管理及組織，尤其是對大學的分類與鑒別，起了很大的作用。其次，設立「教育方案編制委員會」改進和理順中國現代教育基本體制。第三，積極推行國語教育。第四，領導教育部大力整頓各省學校及其體制。〔註 27〕第四點整理措施可謂正逢其時。20 世紀二十年代至三十年代初，中國的高等教育正處於飛速發展的時期。時人稱之爲「大學熱時期」。高等院校如雨後春筍般在全國出現。學校數量增加較快。但隨之問題也接踵而至，學校過多，一時間泥沙俱下，良莠

〔註 25〕唐士亮：《易培基其人其事》，《文史資料選輯》第 124 輯，第 30 頁。

〔註 26〕趙振鵬：《勞動大學的回憶》，《傳記文學》（臺北）第 37 卷第 4 期，1980 年 10 月，第 59 頁。

〔註 27〕馬勇：《蔣夢麟傳》，北京：紅旗出版社，2009 年，第 264～265 頁。

不齊。三十年代初來華的國際聯盟教育考察團曾專門指出：「大學發達之速度，超過其組織，無穩定基礎之大學，遂相繼以起，因而高等教育所必要之經費及合格教師之供給，均感不足」。〔註28〕

具體到上海一地，私立大學「一時如風起雲湧，紛紛創立，其中有鄭毓秀所辦的法政學院，褚輔成、沈鈞儒合辦的法學院，更由何世禎、何世枚兄弟所辦的持志學院，這幾所大學只要交清學費，並不認眞要學生上課，混過四年，不愁文憑不能到手，上海一概給以雅號曰『野雞大學』」。〔註29〕針對這種情況，在1930年初，教育部次長黃建山擬定12條辦法，改進大學教育。黃氏擬定的12條辦法爲：「一、調查全國大學教育狀況，二、分期視察現有各公私立大學，加以整頓或取締，三、規定全國大學應設立之要點，四、嚴令私立大學或學院，依照私立學校規程立案，五、修訂大學教師資格規程，六、制定大學教職員待遇規程，七、制定大學課程標準，八、秉承中央黨部，訂立大學訓育標準，九、制定大學免費規程，十、制定大學貸學金、獎學金規程，十一、編製充實國立大學內容方案及預算書，十二、厲行軍事教育」。〔註30〕在1930年上半年，教育部正式依照12條辦法，在部長蔣夢麟的主持下，對全國的高等教育做了大力的整頓。

1930年5月初，教育部整理全國私立大學已取得一定成果後，開始著手對國立大學進行整頓。對勞大的視察也於此時開始。「教育部特派高等教育科謝樹英、鍾靈秀兩科長，會同上海市教育局局長陳德徵前往視察。三人與5月6、7兩日連續前往勞大，將工學院、農學院、社會科學院內部設備情形及全校學生讀物課卷、宿舍以及圖書館等詳加考察，對學校的行政狀況、學生課外作業及平時思想行動等更做嚴密的視察」。〔註31〕三人視察完畢後，提交視察報告給教育部。

6月6日，南京的《中央日報》首先刊出了教育部下令停止勞大招生的消息。教育部認爲，根據謝樹英三人的調查報告勞動大學「不獨學校行政、工

〔註28〕國際聯盟教育考察團編：《國際聯盟教育考察團報告書》，沈雲龍主編：《近代中國史料叢刊三編》第十一輯102冊，臺北：文海出版社有限公司，1986年，第159頁。

〔註29〕金雄白：《記者生涯五十年》，臺北：臺北躍升文化事業有限公司，1988年，第42頁。

〔註30〕《教育部實行兩辦法》，《中央日報》1930年1月12日，第三張第四版。

〔註31〕《教部派員視察勞動大學》，《申報》1930年5月8日，第三張（十一）。

廠管理，教課設備等項多所未合，而根本『勞動』不與『大學相聯』，大學招收不勞動之學生，工廠純用非學生之工友，南轅北轍宜乎功效鮮見，蠻語四起，若不改弦更張，何以達政府培養勞動人才之目的。」教育部命令勞動大學 1930 年度招生「均應停止，仰即將招生廣告撤銷，並登報聲明。」〔註 32〕正如前文所述，勞大也的確存在著調查報告中所指出的一些問題，但這些問題不獨勞大所獨有，當時的國立大學或多或少都存在著這樣的問題。報告對勞大指責最重之處還是「『勞動』不與『大學相聯』，大學招收不勞動之學生，工廠純用非學生之工友」這一點。從勞大建立之初，關於勞大的非議就很多。一般外界看來，勞動大學學生就應該日日勞動，否則何以稱之爲勞動大學。不管勞大學生在學校是「眞勞動」還是「假勞動」，報告公開指責勞大學生不勞動，正是否定了勞動大學安身立命之本。停招可能還算是小事，否定勞動大學的「勞動」，可卻是徹底否定勞動大學立校之根本了。

命令發出後，勞大校方並沒有服從，通過新聞媒介轉移矛盾焦點。首先勞大承認學校的社會科學院根據《大學組織法》的規定在名稱上確有問題。至於暫時停止招生「學校的招生簡章早已印就發出，勢難中止，易校長與教部協商暫允招生」，這又是勞大向教育部反抗顯示其不妥協的一面。至於對公眾，勞大宣傳「爲發展勞動教育起見，已擬定近三年內實施方案多端，並組織勞教實施委員會及營建委員會積極進行」。〔註 33〕即向公眾說明勞大還是有發展勞動教育的計劃，勞大的勞動教育還有不完善之處，又做了一次隱性的招生廣告——勞大還是要繼續擴建的。

針對勞大拒不服從命令教育部方面持強硬態度，「頃見該校託詞，已於教部接洽，竟廣告招生」，決定採取更加嚴厲的措施，爲撤銷勞動大學招生布告：「本部業令勞動大學停止招收新生，恐未周知特此布告。」〔註 34〕爲此，教育部還在《申報》上從 6 月 12 日至 17 日連續登載撤銷勞大招生的布告。〔註 35〕教育部爲停止下屬國立大學招生竟打擂臺似的在報紙上連篇累牘的登載廣

〔註 32〕《蔣主席諭教部調查上海勞動大學》，《中央日報》1930 年 6 月 6 日，第三張第四版。

〔註 33〕《勞動大學積極進行》，《申報》1930 年 6 月 7 日，第五張（十七）；《勞大並無改組停辦消息》，《中央日報》1930 年 6 月 8 日，第三張第四版。

〔註 34〕《教部撤銷勞大招生》，《申報》1930 年 6 月 12 日，第三張（九）。

〔註 35〕《教育部爲撤銷勞大招生事布告》，《申報》1930 年 6 月 12 日至 17 日，第二張（五）。

告。這在中國近代教育史上可能也不多見。可以說本爲上下級的雙方爲了招生的問題，已毫不顧忌學人的顏面了。

勞大對於教育部的強硬做法，也採取將事態逐步擴大的以硬對硬的措施。停止招生的布告發出後，勞大校方就召集校務會議表明本方態度，「大學招生，按法令本校自有全權，決議仍繼續進行，又報載教部呈行政院文，認爲全非事實，有妨校譽，維推教授代表章友三、黃叔培、龔賢明、夏康農、鄭若谷五人赴京，向國民政府、中央黨部及行政院說明一切」。〔註36〕五位教授到達南京後，在金陵春飯店招待新聞界，向媒體申訴勞大方面的意見：「一、教育部對於勞大向無改進的指示，在勞大正在招生圖謀發展之時，命令停止，不免疏忽於前而操切於後。二、學校與教部的問題本爲社會科學院名稱之事，不過如此，突令停止招生，教育部缺乏誠意。三、謝樹英等三人不諳勞動教育，考察時間僅爲兩日，實際視察僅數小時，教部不根據其他可參考的資料，即根據這樣草草寫出的報告呈報行政院停止勞大招生，不知用意何在，四、勞大是蔡、李、張、褚諸先生奉中央命令建立，以總理農工遺教和『行以求知』爲準則，推行、試驗勞動教育，現今取得一些成效，教部如此措施有損教育尊嚴」。〔註 37〕五位教授的意見，基本上是勞大對於停止招生問題的看法。在勞大看來，發生問題的責任還在教育部，其先是不履行職責，盡上級管理部門職能，後又一意孤行不考慮勞大具體情況。勞大還將衝突的性質升級，反勞大既是反對蔡、李、吳等國民黨元老，是對總理遺教的不尊重。蔡元培、李石曾、吳稚暉是民國教育界的元老，是勞大的創辦人，在教育界有很高的人望和號召力。三人都不擔任教育部的官職，但對教育部還是有很大的影響力的。借元老向教部施壓，這是勞大方面的新措施。搬出總理遺教，說明勞大建立的合理性和革命性。南京國民政府積極將孫中山的思想神化、固化，強力的向大眾宣傳，任何人都是不敢公開反對總理遺教的。教部即使再有理由停招，在這一點上是不能同勞大理論的。因此，在以後雙方的爭論中，勞大一方屢屢拿出總理遺教的尙方寶劍，教部卻從不在這點上爭辯。勞大算是佔了一個論辯的制高點。

五位教授的意見發表後的兩日間，教部方面依然我行我素，絲毫沒有改

〔註36〕《勞大校務會議》，《中央日報》1930 年 6 月 11 日，第三張第四版；《勞大緊急校務會議》，《申報》1930 年 6 月 10 日，第三張（十）。

〔註37〕《勞大代表招待新聞界》，《中央日報》1930 年 6 月 12 日，第三張第四版。

變命令的意思。五位教授的意見沒有回應，勞大校方決定將校內動員的範圍擴大，從部分教員擴大到全體教職員。經過教職員會議的討論，拿出新的五項措施：「一、發佈宣言，反對教育部無理停止招生。二、請學校繼續進行招生。三、電請該校籌備委員蔡刁民先生、李石曾先生、張靜江先生、褚民誼先生、嚴愼予先生等十一人援助。四、電赴京代表積極進行。五、發行三日刊，公佈校務及發揚勞動教育。六、組織委員會推行以上決議各案並代表教職員全體應付臨時發生事項」。〔註 38〕教職員的全體大會除了繼續申明「五教授」的意見外，正式電請蔡元培、李石曾等元老向教部施壓，對社會公眾則是辦刊物宣傳勞大，減少外界對學校的誤解，組織上則成立了委員會決定同教育部長期抗爭。

爲爭取獲得媒體和學界的同情和支持，勞大教授和教職員分別宴請南京和上海的新聞界及學界，呼籲兩方給予勞大援助。〔註 39〕

勞大方面雖奔波數日，但教部一直沒有給予回應。既然教部不予答覆，向教育部的上級管理部門——南京國民政府行政院申訴就成了勞大的進一步選擇。對行政院的辨呈，勞大校方將主要的攻擊點集中於教育部的視察報告，認爲這份報告錯誤點有五項：一、關於行政者，漠視事實，致合法之學校行政，被其誣毀。二、關於社會科學院名稱問題，是在大學組織法未頒佈以前奉部令設立的，不能認爲其不合法。三、關於設備，教育部所給經費有限，模範工廠又有虧損，學校成立時間又短，事實上有困難。四、關於教學，課程沒有審定，科目時間故意弄錯，學生成績和思想狀態又是個人主觀斷定。五、訓育方面，沒有詳加考察，僅以鬆懈二字籠統批評。〔註 40〕勞大這份上呈給行政院的辨正，將教育部視察報告對勞大的種種指責與批評全部給予駁斥、否定。這比「五教授」對教育部報告的批評更爲深入全面。依勞大方面的意見，作爲教育部停止勞大招生、呈報行政院的主要依據——謝樹英三人的視察報告，存在種種的謬誤，應完全推翻。

勞大發表的停止招生宣言，除了長篇解釋學校是特殊性質的學校，目的

〔註 38〕《勞大教職員全體大會》，《申報》1930 年 6 月 15 日，第五張（十七）。

〔註 39〕《勞大教授招待報界》，《申報》1930 年 6 月 18 日，第三張（十一）；《勞大教職員昨宴學界》，《申報》1930 年 6 月 22 日，第三張（十一）。

〔註 40〕《勞動大學對視察報告昨呈行政院辨正》，《中央日報》1930 年 6 月 24 日，第三張第四版。

是「以期造成實施總理農工政策及實業計劃之領袖人才」，與培養黨政人才的中央政治學校，培養革命軍官的中央陸軍軍官學校都爲特殊性質的學校，都是國民革命的產物，應給予特殊待遇之外，還表達了另外一層意思，即勞動大學「全係其命運與教育當局一二人感情權利之私」〔註 41〕，直接將攻擊的矛頭指向了教育部長蔣夢麟。法日派和英美派的派系衝突又夾雜了因爲停招命令而矛盾激化的勞大與教育部，局面日益複雜化。

一般說來，民國時期的這類教育問題發生很多，教職員衝到前線的事也常有。但就不能稱其爲學潮。像這類事件，無論是針對教育主管部門還是針對學校，對抗的另一方如果將學生動員加入己方陣營，無疑會增加聲勢。事件也會升級爲學潮，威力大增。從停招令發佈，勞大的學生一直保持沉默的狀態。學校有難，學生自然不會不管。學潮的主體——勞大的學生即將登上舞臺。

勞大學生加入爭端，起源於 6 月末，有人假借社會科學院「一個學生」的名義匿函教育部，對勞大大肆攻擊。這件事激起了學生的憤怒，正好此時學期將近，本學期課業也已完成。勞大的學生遂全力加入到「護校運動」中。

針對匿名信，學生們登載啓事，稱匿名信「純係捏造」，並「特此聲明嗣後對外一切文件非經全體學生選出之代表署名負責，概作無效」。〔註 42〕學生還發表宣言，表示：「一、堅決擁護三民主義的勞動教育，二、堅決擁護學校當局的主張，三、宣佈勞大創辦以來之發展情形，四、主張繼續招生，五、希各界予以公理正義的援助」。〔註 43〕這表明，學生們是支持勞大校方在此次停招事件中的應對策略的。所不同的是，勞大方面的抗爭由前期的「五教授」到教職員全體的「單線作戰」，轉變爲教職員與學生全部投入，分進合擊的「雙線作戰」。

學生的後續活動則與教職員的活動類似，在南京和上海宴請招待報界和學界，爭取廣泛的支持，積極向教育部、行政院投書。但行政院方面一直未有答覆，勞大教職員遂第二次推選李亮恭、夏康農等五人再次來南京請願，

〔註 41〕《勞大全體教職員爲停止招生事宣言》，《中央日報》1930 年 6 月 26 日，第三張第四版。

〔註 42〕《國立勞動大學全體學生啓事》，《申報》1930 年 6 月 26 日，第二張（五）。

〔註 43〕《勞大學生護校運動》，《申報》1930 年 6 月 26 日，第三張（十一）。

在堅持以往主張基礎上，表明了兩點願望：一、勞大大學地位不變，二、仍應繼續招生。〔註 44〕

作爲衝突的另一方，教育部一方似乎一直保持沉默。但掌握主動權的也一直是教育部。在六月初，教部方面就亮出了本方的強硬後臺——國民政府主席蔣介石。當時報紙在介紹教育部視察勞大的原因時稱，「蔣主席曾於上月召見教育部簡任以上人員時，面諭蔣部長（蔣夢麟——筆者注）速派員調查勞動大學，具報候核」。〔註 45〕有南京國民政府實權派軍事強人蔣介石做後臺，教育部對勞大進行視察當然不會顧忌勞大方面的反映。作爲教育部門首長的教育部長蔣夢麟在 6 月初，就表明了自己的態度：「停止招生，並非停辦，目的在就該大學之組織及原有學生謀適當之變更與改進，使不負國家培植勞動人才之本旨，上事完全爲組織問題，絕非人的問題」。〔註 46〕蔣夢麟的目標不只是停招，還要將勞動大學徹底改組。此時的蔣夢麟「最大的願望之一就是理順高等教育的關係，剔除那些劣質學校，支持優質學校的發展，對得起學生不讓『野雞大學』矇騙學生」。〔註 47〕6 月 14 日，教育部布告：將已准立案及命令停閉的私立大學及學院名稱開列，希各地學生愼重投考，勞動大學也赫然在列。教育部一再登報發佈針對勞大的行政命令，也的確「殊失國家行政法令及教育事業之尊嚴」。

如前文所介紹的，在停招事件之前，易培基和勞動大學已處在一個極危險的境地了。無論是在政界還是在學界，以非去易和整理勞動大學不可，加之派系的恩怨。正是在這種多方合力的作用之下，勞大被停止招生。雖然，教職員和學生多方奔走，但其實處於弱勢的勞大只能接受。而停招直到勞動大學最終停辦也沒有恢復。第一次停招也只是大風暴之前的一個小小的序曲，更大的風暴還在後面。

4、易培基的免職與教育上層的權利鬥爭

勞大方面儘管師生各盡所能，也沒有使教育部收回停止招生的命令。至 7 月初，暑假已開始，學生、教師放假。勞大方面也就接受了停招的命令。

〔註 44〕《滬勞大代表與京教界聯歡》，《中央日報》1930 年 6 月 30 日，第三張第四版。

〔註 45〕《蔣主席諭教部調查上海勞動大學》，《中央日報》1930 年 6 月 6 日，第三張第四版。

〔註 46〕《教育部撤銷勞大招生》，《申報》1930 年 6 月 12 日，第三張（九）。

〔註 47〕馬勇：《蔣夢麟傳》，第 266 頁。

雖然遭到停止招生的厄運，但勞大卻沒有喪失積極向上的辦學信心。在暑假，農學院的化驗室、教室、藏種室、農具間，工院和社會科學院合建的學生宿舍教室，中學部的教室、宿舍等新的建設項目都在積極進行中。〔註 48〕8 月 31 日，勞動大學在新建立的耗資數萬元的大禮堂舉行開學典禮。「全校教職員學生共千餘人，濟濟一堂，氣象蓬勃」。〔註 49〕學校方面針對教育部與外界對勞大的非議，在教學方面做了一些調整，「修正學生生產工作、考試或規程，凡學生曠工繼續至八小時或在一學期內曠工至十六小時者，開除學籍，提交校務會議決定施行」，加強對學生勞動的管理，嚴格勞動時間、勞動紀律。在經費和設備方面，「呈請教育部發給積欠，一面請校長籌備必須的設備費，定期召開圖書委員會」。〔註 50〕校方想通過這些舉措，盡量避免停招對勞大的消極影響，將注意力轉移到學校建設和教學方面，提升學校的教學品質，提高勞動大學在民間和教育界的聲譽。

但停招對教育部來說只是整頓勞大的一個開始，停招之後的下一步就是撤換校長，「爲進一步整頓開一個好頭」。〔註 51〕在政界，逐漸鞏固了統治基礎的蔣介石，力圖將權利逐步滲透到蔡、吳、李等控制的教育界。「在一次總理紀念周上，蔣介石對於中央各部門首長，遙兼數百里之外的大學校長空銜一事，嚴詞斥責，藉此打擊國民黨元老」。〔註 52〕國民黨第三屆中央執行委員會第三次會議遂通過《限制官吏兼職案》，規定「一、中央官吏不得兼任地方官吏，二、各院部會官吏，不得兼任其他院部會官吏，三、各省市官吏，不得兼任其他省市官吏，四、事務官在本機關，不得兼任」。〔註 53〕在以黨治國的黨國體制下，國民政府受國民黨中央的監督與管理，國民政府只能服從和執行國民黨中央的決議案。此案的提出既打擊了蔡、吳、李等元老在教育界的勢力，又間接的實現了蔣夢麟更換勞大校長易培基的設想。

9 月，教育部長蔣夢麟首先辭去浙江大學校長的兼職，兼職北大與中山的蔡元培與戴季陶也相繼提出辭呈。20 日的國民政府第九十四次國務會議上，通過蔡元培和戴季陶的辭呈，唯獨「決議兼國立勞動大學校長易培基免去校

〔註 48〕《勞動大學暑假中之營建》，《申報》1930 年 7 月 1 日，第三張（十二）。
〔註 49〕《勞動大學舉行開學禮》，《申報》1930 年 9 月 1 日，第三張（十二）。
〔註 50〕《勞大開行政會議》，《申報》1930 年 9 月 12 日，第三張（九）。
〔註 51〕馬勇：《蔣夢麟傳》，第 266 頁。
〔註 52〕唐士亮：《易培基其人其事》，《文史資料選輯》第 124 輯，第 31 頁。
〔註 53〕《教育部昨日之兩通令》，《中央日報》1930 年 4 月 4 日，第二張第四版。

長兼職」。〔註 54〕在官場，遇到此類問題比較體面的辦法都是由去職之人自己主動提出辭呈，上級批准，保全兩方的面子。但易培基卻是很丟臉的被免職，易的人緣在政界和學界之差可見一斑。亦可見，因爲得罪宋、孔等蔣介石的姻親與干將，蔣介石已非去易不可。

易培基在三年任職期間，儘管大部分時間沒有管理勞動大學的具體事務。但他在政界和學界爲勞大遮風擋雨，以自己所能爲學校提供各種幫助，盡了一個校長應有之責。現在他被免職，勞大上下自感風波將至，學生與教職員一起動員，向外界表明態度。

勞大學生在上次停招事件時因爲種種原因，最後才加入對教育部命令的抗爭中。此次校長被免職，學校面臨更大危機時則是最先做出反應的一方。工學院和社會科學院學生因同處江灣校區，聯絡方便，首先召開學生大會。學生們提出繼任校長需達到四條標準：「一、在學術界及社會上有地位者，二、認識並擁護勞動教育者，三、有整理高等教育之經驗者，四、能專心辦學者」。學生依此標準認爲楊杏佛、胡庶華、于右任三人較爲合適，決定呈報國民政府希望能加以聘任。〔註 55〕勞大學生們所提出的三個人選，也的確爲一時之選。楊杏佛時任中央研究院總幹事，大學院時代曾任教育行政處主任深得蔡元培的信賴，是教育管理方面的行家裏手。胡庶華則是國立暨南大學的校長，與勞大關係頗緊密。于右任是國民黨元老，年輕時也曾辦過教育。此三人任何一人接任勞大校長，對勞大渡過危機皆有益處。但學生自議，教育部與國民政府能否接受則是另一個問題了。工、社兩院學生也自覺「校長人選問題關係甚大」，需聯合因爲地處吳淞信息不便的農院召集全校學生的代表大會一起商討。〔註 56〕

在學生們召集全校大會，提出校長人選開始行動之後。勞大教職員也展開了活動，召開校務會議決定發表宣言、舉行留別會、組織臨時行政委員會。前兩項是爲表彰易培基三年來的功績。同時表明，教職員一方對於校長被免職，繼任校長問題的立場與看法；組織臨時行政委員會，在組織上安定學校，新校長未就任以前辦理校務。在校務會的宣言中，亦提出了新校長的人選標

〔註 54〕《國民政府第九十四次國務會議》，《申報》1930 年 9 月 20 日，第三張（九）。

〔註 55〕《勞大學生注意校長問題》，《申報》1930 年 9 月 23 日，第二張（八）。

〔註 56〕《勞大學生召集全校代表大學討論整個學校問題》，《申報》1930 年 9 月 24 日，第三張（十一）。

準。校務會的標準與學生大會所提標準相比，增加了三個條件，繼任校長「有中國國民黨的歷史與革命精神者，有高尚的品性與淵博的學問者，具有世界眼光者」。校務會議提出的標準更考慮了當時的政治與學校本身的需要。另外，校務會認識到，勞大之所以遭受非議，與勞大自身極爲特殊的情況有關。它們認爲勞動大學「以試驗勞動教育與發展勞動教育爲宗旨，招收貧苦青年施以免費教育，體力工作與研究高深學問並行」。〔註 57〕這三點迥異於一般國立大學，應把勞動大學確定爲特殊大學，不應用一般考察國立大學的標準來衡量勞動大學。總體上看，學生和校務會在校長人選方面保持了一致的態度。

學生和校方在各自表態之後，選派各自代表赴南京請願，向教育部施壓，謀求創校元老的支持。

學生代表分別向國民政府和教育部請願。蔣夢麟這時去了上海，教育部由高等教育司司長孫本書接見。孫表示會將學生代表的意見轉達蔣夢麟，但學生代表還是堅持「擬留京，候部長面呈一切」。〔註 58〕8 日上午到國民政府請願，原定拜見古應芬，古不在，轉見國民政府秘書朱文中。朱表示同情勞大境遇，同意將呈文轉交國民政府。下午，到教育部要求次長朱經農對勞大事表明教育部態度，朱經農聲明「教部對勞大仍本固有基礎，繼續發展爲中國最完善之勞動學府，尤注意於工廠農場之設備，外間所謂變更名稱，縮小範圍變更待遇等均非事實，至於校長人選問題現尚未確定，惟教部對此極爲慎重，願提出相當人物，以符諸同學及社會人士之望。」〔註 59〕朱的表態使學生代表的多日奔走沒有白費，總算迫使教育部澄清了外間的謠言，對校長人選的問題也算有了一個大致的瞭解。

但教育部不屑與學生糾纏。11 日，同樣進京請願的勞大校務會議代表與蔣夢麟的一番談話，卻表明了教育部對勞大的全盤計劃。茲錄其談話如下：

> 該代表首先陳述宜速派校長理由暨人選標準，繼問校長何時可派出到校。
>
> （蔣答）先派人接收整理，以後再派代表。
>
> （代表問）派委接收人員方法如何？
>
> （蔣答）由教部派委，俟新校長任命後，全部接收人員撤回歸部。

〔註 57〕《勞動大學校務會議宣言》，《中央日報》1930 年 10 月 5 日，第三張第四版。
〔註 58〕《勞大代表來京》，《中央日報》1930 年 10 月 7 日，第三張第四版。
〔註 59〕《勞大代表在京請願經過，《申報》1930 年 10 月 9 日，第二張（八）。

（代表問）接收根據何項法令？

（蔣答）根據行政院指令。

（代表問）接收人員職權如何？

（蔣答）行政方面未定主要爲清理以前賬項及點收器具等等。

（代表問）教部對處理勞大事件之態度如何？

（蔣答）當以公平公開之態度處理之，絕對不以學校問題與人的問題，並爲一談。

（代表問）接收以後具體辦法如何？

（蔣答）一、絕不停辦 二、大學絕不改爲院 三、設農工理三院，社院維持舊有學生，俟畢業後停止招收社院新生而中小學問題，則俟接收後再討論解決辦法 四、其餘詳細辦法，俟將來接收完畢調查明白後再定 五、一年內不派校長，由教部直接管理，在此期間公開整頓校務採用專任教授治校原則並與校務會議協商辦理。

（代表問）委派何人接收？

（蔣答）部派主要人員，人選未定。

（代表問）經費問題如何解決？

（蔣答）將來採取節省經費，多發臨時費原則、現在政府已發下半期，由接收人員帶去。〔註 60〕

蔣夢麟的一番答詞將其對勞動大學的整頓計劃和盤托出。先接收後委派校長，接收期間由教育部直接管理。對勞大整理的重點是勞大的經費情況。其實，「南京政府高層既有李石曾利用國民黨清客地位，貌爲清高，卻借黨行私，專幹一些不光明的勾當之類的批評」。蔣夢麟懷疑「勞動大學的經費可能是李石曾、易培基通過不正當手段獲取的」。〔註 61〕因此，勞大的經費問題始終是蔣夢麟對勞大窮追猛打的一個重要原因。停招時教育部的強硬後臺是國民政府主席蔣介石。此次接收雖然蔣夢麟說是奉行政院的命令。但背後沒有蔣介石的支持，行政院也不一定就會簽發命令。

〔註 60〕《蔣部長對勞大問題表示》，《申報》1930 年 10 月 12 日，第三張（十二）。
〔註 61〕馬勇：《蔣夢麟傳》，第 266 頁。

在蔣夢麟答覆校務會議代表的同時，校務會同時致電國民政府和創辦人申述速派校長的三項理由。〔註 62〕得知了蔣夢麟的答詞之後，校務會議迅速做出反應，又再次致電國民黨中央黨部、國民政府、行政院、教育部及蔡、李、吳等創辦人，表示教育部的辦法「既無先例可循，復易引起外間誤會，似不應教育行政當局對於國立大學應有之態度，勞大師生深感不安，應請打消接收辦法並剋日任命繼任校長以專責成，而免枝節」，〔註 63〕對教育部的計劃，明確反對，繼續要求速派繼任校長。

教育部根本沒有考慮勞大的反對意見，依然按照原計劃進行。接收的方式還沒有商定，經費和賬目方面教育部請審計院派專員協查。〔註 64〕

勞大校務會議和學生的一再活動，終於使創校元老之一——吳稚暉伸出援手。在他的調解之下，「教部僅派員點驗，校長人選已內定，下周可發表」。〔註 65〕教育部方面則準備派謝樹英、朱葆勤到勞大點驗，緊張的事態得到緩和。勞大校務會和學生一方各開會議，校務會議對點驗不予表態，繼續堅持速派繼任校長主張，不接受教育部先接收後派校長的辦法。學生方面對點驗不表示任何意見。實際上，校務會和學生都接受了點驗的辦法。18 日，點驗員進入勞大開始點驗。

對於點驗的情況和國民黨高層的態度以及其中的人事糾葛，通過 21 日晚吳稚暉致蔣介石的兩份信件及蔣介石的一封回函，可以略見其貌。

21 日，吳稚暉《上蔣主席函》：

介石先生勳右：

敬啓者，上海勞動大學不令易君兼辦，自所應當。惟勞動大學本身，以弟旁觀，亦與諸多大學同一不完善。此乃十餘年來，南北相習成風。若諸校皆上軌道，勞動亦能隨之而進步；並非勞動有特別之腐敗，如忌者所傳之甚，故徹查勞動亦可也。若廢棄勞動則亦不必。此次蔣夢麟先生處辦勞動，於整頓之中，似含報復之意。

緣易君前長北京教育時，雖力罷法政大學江庸之職，不受夢麟之請，始終泱泱。

〔註 62〕《勞大校務會電請國府速派校長》，《申報》1930 年 10 月 13 日，第三張（九）。

〔註 63〕《勞大校長問題》，《申報》1930 年 10 月 14 日，第二張（八）。

〔註 64〕《審計院派專員協查勞大賬目》，《中央日報》1930 年 10 月 22 日，第三張第四版。

〔註 65〕《勞大校長內定》，《申報》1930 年 10 月 15 日，第三張（十二）。

何以知之，則向之傳聞，弟所不信。於十九早忽造假言，矇告鈞右，則弟不能無疑其舉動。因素日前弟想起兩月之前，夢麟曾面辱易君。（其時座中四人，夢、易、石、稚也）。盡來又不招呼其辭職，而竟以免職辱之以爲快。未免造成同官不協，操切興事。故於十四晚，弟協石曾先生同造教部，勸彼不可以氣矜用事。勞動賬目，發交審計院徹查；勞動財產，徹底點驗，皆無不可。止需派人點驗，自能清澈。查明後，學校之進行與改良，向有董事會可以協商辦法。蒙彼採納。即於十六日派員前往點驗。僅敍日程如左：

十六日星期四，教育部點驗員謝、朱二君到勞動。其時因教部指定協點之農學院長李亮恭在京未到。謝朱二君電告易君，囑令速回。

十七日星期五，李亮恭抵滬。即召集校務會議，議定點驗日期。

十八日星期六，謝朱二君到校。校中以點驗日期單與二君協定。約明星期一開始點驗。於是校中即協定者，油印一單，通知各部（此油印復呈函內）。

此十九早以前之事實也。

據夢麟囑蔡孑民先生告弟，彼於十九日早進謁先生，告知勞動拒絕點驗。先生赫然震怒。已電告張市長派警接收。且言拒絕點驗時，校中人言：「你們部長都要換了，還來點驗什麼？」弟初聞亦甚愧恨。恨勞動之人，如是可惡！豈知昨日二十晚間，勞動人來屢言其詳。且言二十（星期一）早上，教部兩派員忽言：「不點驗了。又得部令改爲接收。若不馬上交出，蔣主席已命令軍警押交。」弟方知夢麟報復是眞。借整頓之名，行破壞之實。然此或弟神經過敏，而彼忽造作假話，（即拒絕點驗一語），意欲何居？聞彼此次之矜張，據云實恐弟等進言先生，搖動其位置，故作先發制人之計。惟彼以小人之腹，度君子之心，實出情理之外。不惟先生深惡進饞，明察有素。即弟等粗知大意，豈肯得賓禮之榮，又以妾婦之行以自污？四年以來，弟曾有一次論人短長，議及職務用捨者乎？先生必啞然笑其妄也。弟自愧惟有失監察之職，凡有貪污淫穢，莫不因投鼠忌器，切望指兄之臂，徐徐改良。一皆緘默不言，有負期望而已。弟非敢於萬幾叢脞，猶豫此微末，且未敢爲勞動有所偏袒。止以士夫之列，不續造作僞言，行其倗張，故忿而上瀆。死罪死罪。敬叩鈞安。弟吳敬恒頓首。十月二十一日。〔註 66〕

勞大的問題在吳看來，是與一般國立大學普遍存在的問題是一致的，非勞大所獨有。吳稚暉認爲勞動大學是應該點驗，易培基不兼任校長也是合理的。但蔣夢麟在點驗勞大過程中，使用手段，欺上瞞下，刺激蔣介石命令出動軍警接收勞大。這是蔣夢麟的小人手段。吳稚暉還估計蔣夢麟出此計策是擔心吳稚暉向蔣介石進言，免其教育部長的職位，因此先下手爲強。易與蔣夢麟的糾紛也在此信中找到了答案。易培基與蔣夢麟，在北京時就已不睦。蔣夢麟先是免職易培基後又當面侮辱易。個人之間的恩怨影響到勞動大學。吳稚暉還在信中一再申明，自己不是偏袒勞大，是蔣夢麟的小人手段實在可惡。

吳稚暉一直在法日派和英美派的衝突中甘當和事老，實際上還是有所偏向李石曾的法日派。14 日的協調結果，報紙上雖明言是吳稚暉的功勞，但吳的信表明，是其與李石曾同時與蔣夢麟協商的結果。可能在吳稚暉看來是其居間調停的成果。但蔣夢麟可能認爲，本就偏向法日派的吳稚暉和李石曾聯合向其施壓。點驗是對付吳稚暉和李石曾，先接收後派校長還是蔣夢麟的既定方針。

二十一日當晚蔣介石即回信吳稚暉：

稚老先生尊鑒：

手教敬悉，對於勞大事，約日内面告。一年以來，對於勞大與中大，再三考察，所得結果，非根本改革，則必至不可收拾。而中大在首都唯一學府，其學風與内容，尤爲可怪。此確非夢麟先生個人之意，凡有心於教育之同志，皆有不敢直言之隱痛。中大乃爲國家主義與共產主義之角力場，勞大幾爲共產主義託庇所，其與曉莊之情形相等。夢麟先生既有此改革之決心，則教育部範圍與責任内之事，似以囑其負責辦理爲宜，否則教育部不能過問教育，則以後學風與教育更不堪設想矣。晚以本日有約，不克趨候，明後日擬面陳一切也。耑此敬上，並頌近安，晚中正謹上。十月二十一日。〔註 67〕

〔註 66〕吳稚暉：《上蔣主席函》，羅家倫、黃季陸主編：《吳稚暉先生全集》第三卷，臺北：中國國民黨中央委員會黨史史料編纂委員會，1969 年，第 678～680 頁。

〔註 67〕陳哲三：《吳稚暉檔案中總統蔣公親筆函電》，中華民國史料研究中心編：《先「總統」蔣公有關論述與史料》，臺北：中華民國史料研究中心，1985 年，第 452～453 頁。

蔣介石的回信，可以說是對吳稚暉的一大打擊。在蔣看來，勞大事與一般國立大學事不同。勞大實爲共產主義託庇所，將教育問題升級爲政治問題，勞大事件的性質改變。這與吳稚暉的看法截然相反。正如陳哲三先生分析的「蔣公重視教育，也主張分層負責」。〔註 68〕蔣對當時與勞大事同時發生的中央大學的問題都有長期的觀察，蔣心中自有主張。而蔣夢麟對勞大和中大的各種措施，蔣雖沒有對吳稚暉明言，但已暗示吳，蔣夢麟的主張與措施得到了他的首肯與強力支持。蔣夢麟的措施即可理解爲蔣介石的措施。另外，分層負責之意，即委婉的要求吳稚暉和在背後支持勞大的李石曾兩位元老不要對教育部指手畫腳。

蔣的這封綿裏藏針的回信，使本就對蔣小心翼翼的吳稚暉立即緊張起來。21 日半夜，吳稚暉馬上回信。

> 介石先生勳右：
>
> 奉賜覆，敬悉一是。兩校內容如此，深恐所見不同，難免有告者之誤。但先生既有至明之見，自有極相宜之措施。弟等惟先生之命是聽，敢不首先贊助。故今晚君謀來，告以此意。欣然願去其職。且言先生早言之，彼執通家子弟之義，早應請命乞休。力所能盡，隨時可別效勞苦也。今先附呈彼辭呈一通。若國府下令能予以「某某辭職，應免本職字樣」，較有體面。則感激不盡矣。勞大之事，石曾先生當另陳鈞右。敬覆叩鈞安。弟吳敬恒頓首。十月二十一夜半。〔註 69〕

吳稚暉見蔣介石的立場如此強硬，態度馬上軟化，表示無條件支持蔣介石的主張。雖然在這封回信中，吳稚暉大篇幅的爲因中大事而與蔣夢麟反目的張乃燕〔註 70〕說和。對於勞大事吳稚暉申訴不多。但有一點值得注意，當晚張乃燕來吳稚暉處，很可能見到了蔣介石的回信或是吳稚暉告知其回信的內容。爲報復打擊蔣夢麟，30 日張乃燕聲明辭中央大學校長職。在辭職聲明中，張乃燕稱：「最近蔣部長更言於蔣主席曰：中大爲國家主義與共產主義之角力場，勞大爲共產主義託庇所，與曉莊相等，勞大情況如何，非乃燕所知」。

〔註 68〕陳哲三：《吳稚暉檔案中總統蔣公親筆函電》，中華民國史料研究中心編：《先「總統」蔣公有關論述與史料》，臺北：中華民國史料研究中心，1985 年，第 462～463 頁。

〔註 69〕吳稚暉：《上蔣主席函》，羅家倫、黃季陸主編：《吳稚暉先生全集》第三卷，第 680 頁。

〔註 70〕張乃燕，字君謀，國民黨元老張靜江之侄，時任國立中央大學校長。

〔註 71〕其文字與蔣介石的回信幾乎毫無分別。以吳稚暉的爲人，應該不會指使張乃燕發表這樣的聲明。很可能是張靜江或者因爲勞大事與蔣夢麟勢同水火的李石曾所爲。既然蔣介石的意見即蔣夢麟之主張，不便攻擊，那只有將火力和憤怒傾瀉到蔣夢麟身上。

接收即感苦難，教育部也不得不改弦易轍，在背後支持蔣夢麟的蔣介石此時走向前臺，出面調解。蔣介石定下三條辦法，「一、舉行點驗，二、暫由校務會議攝行校政，三、物色繼任校長」。〔註 72〕勞大的問題又回到了原點，又集中到繼任校長人選問題上。此時的蔣夢麟處境已是不妙，因爲張乃燕的聲明，勞大選派代表進京，向其詰責此事。蔣夢麟辯解道：「張乃燕所謂教部向蔣主席報告勞大爲共產主義之託庇所全非事實」。〔註 73〕關於勞大是共產主義託庇所一說，吳稚暉也不以爲然。1947 年，吳稚暉在其 21 日致蔣介石的第一封信後寫道：「此函去後，即得蔣前書。後恒又勸張君謀自動辭中大職。然勞動止有無政府黨，決無共產黨。中大爲共產主義與國家主義派的角力場，恒亦不以爲然。此絕非夢麟所中傷，實還有留心黨事者之謀會也」。〔註 74〕實際正如吳稚暉所猜測的，勞大之事不止捲入了法日派和英美派以及蔣介石，還有另一股勢力摻入其中。據易培基在勞大的嫡繫於蓋回憶：

> 蔣介石及二陳認爲這時是擴展 cc 勢力侵入勞動大學的最好機會，就內定 cc 骨幹余景塘爲勞動大學校長。易聞訊後，擬其女婿李宗侗爲副校長，俟李宗侗到校視事，造成即成事實，易再提出辭呈，同時保薦李宗侗爲校長，以抵制余景塘。李宗侗剛到滬，陳果夫、陳立夫即知道，就促教育部應即下令勞大，將易撤職查辦，掀起軒然大波。〔註 75〕

陳果夫和陳立夫是國民黨當時黨務部門的負責人，在蔣介石的授意下二陳組織中央俱樂部，形成了以其二人爲中心向蔣介石效忠的 CC 系。在國民黨內，CC 系始終在蔣介石的支持下，向各個領域滲透勢力。教育領域也是 CC 系十分重視的。1930 年前後，陳果夫經常在報紙上發表批評中國教育的文章。此舉既顯示了二陳對教育的關心，又可爲 CC 系進入教育系統尋找機會。因

〔註 71〕《張乃燕聲明辭職眞相》，《中央日報》1930 年 10 月 30 日，第三張第四版。
〔註 72〕《勞大糾紛解決》，《申報》1930 年 10 月 24 日，第二張（八）。
〔註 73〕《勞大生進京請願經過》，《申報》1930 年 11 月 6 日，第三張（十）。
〔註 74〕羅家倫、黃季陸主編：《吳稚暉先生全集》第三卷，第 680 頁。
〔註 75〕唐士亮：《易培基其人其事》，《文史資料選輯》第 124 輯，第 31 頁。

此，將勞大和中大事定義爲政治性事件的很可能就是CC系所爲。但此內情又怎會被時人所知。吳稚暉、李石曾及其法日派對蔣夢麟日益不滿，勞大和中大學生又因爲兩校事件定性問題激起對蔣夢麟的憤怒。蔣夢麟教育部長的職位已難以保持了。

11月26日夜，吳稚暉來到教育部指責蔣夢麟，「他老先生問我中央、勞動兩校所犯何罪，並爲兩校訟冤。據吳老先生的看法，部長是當朝大臣，應該多管國家大事，少管學校小事。最後指向我一點，厲聲說道：『你眞是無大臣之風』」。蔣夢麟恭恭敬敬的站起來回答道：「先生坐，何至如是，我知罪矣」。〔註76〕第二天蔣夢麟辭職，幾日後回到北京大學。蔣夢麟的去職一方面是因爲勞大和中大事，李石曾的法日派和英美派矛盾激化所致。另一方面，一直以來，兩派雖然在教育系統內互相爭鬥。雙方都沒有借助外力打擊對方。此次，蔣夢麟爲整頓勞大和中大，在處理過程中，屢屢電告蔣介石謀求蔣的支持。和事佬吳稚暉也不滿，「夢麟手段太多」。而且，正是蔣夢麟謀求蔣介石的支持，給予了CC系進入教育系統的天賜良機。

蔣夢麟去職，教育部重組。「由於蔡、李兩系的齟齬，蔣公不得已，由蔣公以行政院長名義自兼教育部長」。〔註77〕兩派的衝突終爲蔣介石控制教育系統提供了機會。長期合作無間的蔡、李兩人也因此事頓生罅隙。勞大的校長問題，在各方勢力的纏鬥，合力作用之下也有了最終的結果。易培基方面，放棄李宗侗擔任校長的原計劃，CC系的余景塘也不入勞大。蔣夢麟的先接收後派校長的計劃也變爲，先派校長以後再整理。各方妥協的結果，推選前駐比利時公使王景岐爲國立勞動大學繼任校長。風波已停，勞大卻已傷筋動骨。一些教職員因爲校長更換而離開勞大。最適合擔任校長的易培基又被免職，無人爲勞大遮風擋雨了。對勞大素有成見的蔣介石兼任教育部長就更不是個好消息。總之，勞大的生存環境因爲校長更換的風波變的更爲惡劣了。

（二）解散、整頓與「平靜的」九一八

1、王景岐初掌勞大

勞大的新任校長王景岐，字石孫，號流星，福建閩侯人。早年入武昌方言學堂法文班，19歲時赴法，研習政治，1908年又入法國巴黎政治大學，王

〔註76〕蔣夢麟：《蔣夢麟自傳》，北京：團結出版社，2004年，第212頁。
〔註77〕陳布雷：《陳布雷回憶錄》，北京：東方出版社，2009年，第127頁。

景岐精通法、英、德、俄四國語言，留法時兼任駐法使館翻譯，1910 年畢業，同年入英國牛津大學專攻國際法。1914 年初，任北京政府外交部主事、憲法研究會調查員、外交部僉事，從此走上職業外交家的道路。1921 年，接替魏宸組爲駐比利時全權公使，1929 年 3 月以佐理條約事，奉召回國，免去公使職務，12 月任國立勞動大學校長。〔註 78〕

通觀王景岐在執掌勞大以前的履歷可以發現，王是一個純粹的職業外交家，沒有在教育界任職的經歷，唯一能與教育有關的就是赴比利時的勤工儉學曾得到王的大力幫助。〔註 79〕王任職於勞大一方面是其當時的境遇，從比利時奉召回國，還沒有新的職位。另一方面，王具有留學比利時的背景，也可算是留法派與李石曾等人親近，易培基已不能擔任校長，法日派的其他人又各有職位。在各方爭持不下之時，王景岐這個一點教育背景都沒有的條件，反而是個優勢。王景岐任職勞動大學是個不考慮勞大辦學具體需要，各派勢力互相妥協的產物。

不同於易培基擔任勞動大學校長時，身後有蔡元培、吳稚暉、李石曾的鼎力支持。王景岐從上任開始就處在時任國民政府主席、行政院院長兼教育部長蔣介石的關注下。王景岐繼任校長的消息最早是《申報》在 1930 年 11 月 19 日以內幕消息的方式報導出來。〔註 80〕兩日後教育部正式確定王景岐擔任校長。12 月 18、19 兩日，王景岐即到勞大查看情況受到教職員的歡迎。9 天後，蔣介石因事來上海，「十時許低吳淞，即至海濱路旅館，略用膳點，旋赴寶山西門外勞動大學視察一周，未幾即回海濱旅館午膳並遊覽海濱景色，於午後一時半回滬，固吳淞地軍警機關事前均未得悉，故亦未迎送」。〔註 81〕蔣介石不驚動地方軍警，暗地視察勞大是想獲得勞大第一手資料和觀感。對於勞大，想必暗查後的蔣介石已有自己全盤的計劃了。

1931 年 1 月 7 日，兼職教育部長的蔣介石接見教育部人員，恰好遇見到部的王景岐。蔣即向王「詳述此次視察勞大所得之感想，而囑王校長切實整頓，並謂國家歲耗數十萬金，應使學校有相當成績，吾人培養青年，不僅使每個青

〔註 78〕 王國華：《王景岐》，劉紹唐主編：《民國人物小傳》第七冊，臺北：傳記文學出版社，1985 年，第 8～9 頁。

〔註 79〕 國民政府教育部：《中國第一次教育年鑒》戊編，第 100 頁。

〔註 80〕 《三大學校長 勞大定王景岐》，《申報》1930 年 11 月 19 日，第三張（十）。

〔註 81〕 《蔣主席昨來滬並往吳淞視察勞大》，《申報》1930 年 12 月 28 日，第四張（十三）。

年將來均有知識能力……此全在校長教職員之能負責云云」。〔註 82〕還未上任，蔣介石對王景岐和勞大就已經極爲關注了。在王景岐就職時，蔣介石的重要謀士時任上海市長的張群向王景岐和勞大提出了具體的要求「一、懲前毖後，從茲努力。二、使教育主義化，適合時代之需要，達到教育救國之目的」。〔註 83〕此兩點，明顯顯示，蔣介石對易培基時代的勞動大學極其不滿，要求王景岐不能再犯易培基的錯誤。「教育主義化」，就是要王景岐在勞大推行黨化教育，在蔣看來勞大是「共產主義的託庇所」。作爲南京國民政府成立後首創的大學，當然不允許這種情況的發生。而本就在教育界毫無根基的職業外交家王景岐，對於自己最高上司蔣介石的指示當然也只有遵命接受了。

王景岐剛上任，就發表名爲《勞大精神與使命》的演講詞。在演講詞中，王景岐詳述勞大建立的理論與現實基礎，提出勞動教育的旨趣「一曰教育之勞動化，二曰勞動之教育化」。這與勞大建立初期，對於勞動教育的定義是一致的。針對外界對勞大學生不勞動的非議，王景岐認爲勞大學生「亦當益求勤奮，而痛自策勵，奮其艱苦卓絕之精神，努力共救民族之艱危，共謀經濟之發展，共造民眾之福祉」。〔註 84〕王景岐希望勞大學生能以一個新的精神面貌展現給公眾，逐漸消解對勞大的誤會。

對於整理勞大的措施，王景岐認爲主要有兩點：「一、尤須拓展農場，擴充工廠，無論習農工社會之學生，均須實地工作，與工農人員實接觸。二、尤當節省度支，愛惜物力，和衷共濟，以圖發展」。〔註 85〕王景岐的兩項措施，第一項在易培基時代即力圖通過學校設備方面的增加，達到此目的。第二項則是完全針對導致易培基下臺的重要原因——勞大經費管理的混亂。王景岐的政策即堅持了勞大一直以來力圖實現的目標，又試圖改變勞大內部被人詬病的經費管理問題，對於黨化教育的問題卻沒有提出明確的措施。

王景岐延攬和招聘了一些新的教職員來到勞大。此時的勞大，一些易培基的嫡系教職員因爲易培基的離任離開了勞大。聘用的教授也因爲勞大的持續動蕩而離開，確實需要補充新的人員。在王景岐任內，最重要的人員更動即是聘用了章淵若爲社會科學院院長。聘用章淵若還有一段趣聞。勞大學生

〔註 82〕《蔣兼教長昨到部視事》，《中央日報》1931 年 1 月 8 日，第三張第二版。
〔註 83〕《勞大校長王景岐宣誓就職》，《申報》1931 年 1 月 20 日，第三張（十二）。
〔註 84〕王景岐：《勞大之精神與使命》，《中央日報》1931 年 1 月 14 日，第三張第二版。
〔註 85〕《勞大王校長答詞》，《申報》1931 年 1 月 20 日，第三張（十二）。

因爲校長更動，學校經費無著，學生制服費也難以收到，聽聞王景岐已收到教育部撥給的 4 萬元經費，選派代表與王接洽。在談論中，學生代表反對章淵若爲社院院長，因「章復旦畢業未久，比國留學爲時甚短，學問資格及辦學經驗均未有合。」王答「章先生雖無辦學經驗，但他還有學問，資格雖不好但他在黨部很活動，外國語雖說不好，但他能看參考書，且此刻係試用時期，不勝任此任當即撤退」。〔註 86〕此報導，滿篇充滿了對章的戲謔，該報導見報的第二天，社院馬上闢謠，稱此事顯有人假借名義，惡意攻擊。實際上在勞大的後期，章淵若的確沒有辜負王景岐的厚望。章不只擔任社院院長，在校內他的權利等同於易時代的秘書長，爲王景岐分擔解憂。學生們顯然沒弄清章淵若的狀況，借題發揮反對推行黨化教育。即使學問不好在黨部能活動也會聘請，對王景岐的用人的標準表示不滿。

在章淵若協助下王景岐聘用了一批新的教授，將原有三院的教職員做了大量的更換。社院新任院長章淵若，工學院院長唐英，農學院院長張農。大規模的人事調整的同時，勞大的組織機構也做了較大的調整將原有掌握大權的校長辦公處縮小爲總務處，分設文書、註冊、會計、庶務、出版五課。這樣的調整使勞大的組織機構與國立其它大學的組織機構達到了一致。另外，計劃擴充工廠，承接外部訂單商業化運營，在上海市設立總經理處。

新任的三院院長在各院實行了新的舉措。社會科學院新聘名教授，在各系設特別講座以提高課程水平，工作時間改爲每天 7 小時，將學生的講義交給學生自行排印，還通過了四年級論文的原則。農學院忙於充實設備，建立研究室、整理農場、改進其他設施。4 月，農院還組織了共計 5 團的春假實習。工學院的學生組織了建設工程學會，出版雜誌、翻譯本專業的外文書籍。中學部在江灣中等學校演說競賽中獲得一等獎。黃郛、成舍我等政界、學界名人受邀來到學校演講。

5 月初，校務會議爲第一屆畢業生拓寬就業出路，組織職業介紹委員會，「向各方分別介紹，並由學校徑函各省廳及呈請教育部轉商各省廳，盡量任用該校畢業生，以資發展勞動教育，又擬呈請教育部派往東北及西北工作，以符培養勞動人才之本旨」。〔註 87〕7 月 1 日，勞大第一屆畢業生舉行畢業典禮，「儀式極爲隆重，並舉行體育館開幕式及軍事訓練檢閱，晚間在圖書館歡

〔註 86〕《勞大王校長定期宣誓》，《申報》1931 年 1 月 15 日，第三張（十二）。
〔註 87〕《勞大校務會議之決議》，《申報》1931 年 5 月 9 日，第三張（十）。

宴畢業生」。〔註 88〕因爲停招和校長更換而傷筋動骨的勞大似乎又慢慢恢復了生機，一切又向著好的方向發展了。

2、解散與整頓

在教育界毫無背景和工作經驗的王景岐在勞大工作初期似乎一切都還順利。他也看出了勞大存在的問題，在接任後不久就表達了他對這些問題的看法：

> 勞大具有兩特別難題。
>
> 其一爲，我國勞動教育之特別見解，即所謂勞動教育化，教育勞動化。此爲國民黨統一中國後之主張實行者，此種最高尚之理想，在最高深之學問上、大學上灌輸於最下層之社會階級。在歐美先進國家，據余所知亦方在理想範圍。彼之所謂勞動教育者，可以歸納爲二種。
>
> 一即職業學校，在教社會以適用的，必要的技能，予人以半工半讀之機會，固此種學問，當然趕不上其他大學學生之程度。
>
> 一即國家社會設法使貧苦子弟亦能在大學内去研究高深學問。
>
> 我國理想之勞動大學化，大學勞動化，較諸別國自爲更上一層樓。使勞動者受大學教育或使受大學教育者同時作勞動，在普通大學制度之外，再加做工試驗之期間。第一先問做工者有無趣味，時間上，精力上能否分配合度。
>
> 其二即爲勞大工廠問題，勞大工廠原爲模範工廠。其初年年虧本，中經若干年，不得無充分力量發展，而且愈趨愈下，且其設備是否合於學生工作，亦是一問題。凡由國家經營之工業，無論何國，無論管理如何得法，俱不及商家所經營者。故國家工廠向來賠錢，尤其在中國。勞大工廠倘不用工人，完全教學生去做，萬無此事。即一部分使學生做工其費原料、耗時間，牽動工人進程異常不便。假定日期勞大工廠仍由學校經營又加入學生練習，勢必賠本，無款賠本。若工廠停閉，則機器不易保存，若不停閉則學校方面，哪有

〔註 88〕《各校舉行畢業典禮——勞動大學》，《申報》1931 年 7 月 2 日，第三張（十二）。

許多財源賠墊，又若不停閉，又使之流動多做外間訂貨，則製貨之流通資本何來。〔註89〕

王的一番談話將勞動教育的理想與現實，理論與實踐之間的巨大鴻溝與困難和盤托出。在王看來他說這番話，「並非害怕不向前去做，要在使社會人士知勞動大學癥結之所在，可以隨時以高明意見指示」。其實，勞大存在這樣的困難易培基又何嘗不知，易手下的一批人又何嘗不知。所以在易培基管理勞大時，經常將農礦部的款項不經財政部和教育部直接劃給勞大，爲的就是維持勞大這個理想化的、需要資金巨大的「賠本買賣」。易培基下臺的一個原因也是經費管理上的混亂。王景岐給自己下的軍令狀一大內容是理清賬目，管理好勞大的經費。但一旦上任，王景岐亦體會到了當年易培基的難處了。所以，王要在報紙上大倒苦水，向各界人士尋求解決辦法。

上文所提的將勞大工廠商業化運營是王景岐改變勞大資金短促的一個方法。即開源又要節流，在學校各方面要想盡辦法節省經費了。而導致學生圍困王景岐的學潮就是因節流而起。

1931 年上半年，勞大在王景岐的管理下看似平穩運行，實際在表面的平靜之下，暗藏著洶湧的潮流。上文已述，勞大學生的福利待遇不只在當時上海各大學中是較好的，在全國的大學中也是可以排入前幾名的。但這優厚的福利待遇的代價即是學校在這方面不小的開支。「王校長任北京政府駐比利時公使多年，溫文雅靜，要處理一個隨時向政府要錢的大學，只有易校長可以勝任」。〔註90〕王景岐沒有當年易培基的背景和官職，也沒有那頂住壓力的倔脾氣。勞大的日常經費當然就會出現狀況。他自己下的軍令狀又是要節約經費，只能在教師工資和學生福利待遇方面想辦法了。有學生回憶王景岐擔任校長，「第一個月就遲發工資，取消學生福利」。〔註91〕6 月學生和校方分別向教育部申請允許招生，教育部以整理未畢予以拒絕。王景岐逆來順受，不做任何表態接受了教育部的命令。本就因爲停招和校長易主而情緒不穩的學生對王景岐的無能更加憤怒。而王景岐動了學生們的最後一塊奶酪——暑假期間不准住校，最終引爆了火藥桶。〔註92〕

〔註89〕《王景岐博士談勞動教育之癥結》，《申報》1931 年 2 月 4 日，第四張（十六）。
〔註90〕趙振鵬：《勞動大學的回憶》，《傳記文學》（臺北）第 37 卷第 4 期，1980 年 10 月，第 59 頁。
〔註91〕馮和法：《在國立勞動大學的歲月》，《出版史料》第二輯，第 120 頁。
〔註92〕程仲文：《江灣勞動大學漫憶》，《上海文史資料存稿滙編》第九冊，第 153 頁。

勞大的校園生活與其他學校相異。學生多爲貧困的子弟，很多在上海沒有家庭。易培基時代爲了照顧學生允許學生寒暑假住校，繼續免費提供食宿。作爲補償，學生需在校勞動。校方對住校的學生照顧的也很周到，1929 年春節時爲留校過節的學生每桌增加了菜金兩元。〔註 93〕因此，對許多學生來說勞動大學的校園即是他們的家。

王景岐不准學生暑假住校，觸動了勞大學生的底線。而自五四運動後，學生維護自己權利的一大法寶，就是鬧學潮迫使校方或政府妥協。當時，蔡元培即有這種隱憂，「今後將不容易維持紀律，因爲學生們很可能爲勝利而陶醉。他們既然嘗到了權利的滋味，以後他們的欲望恐怕難以滿足了」。〔註 94〕事態的發展證實了蔡元培的隱憂，「學校裏的學生竟然取代學校當局聘請或解聘教員的權利。如果所求不遂，他們就罷課鬧事。教員如果考試嚴格或者贊成嚴格一點的紀律，學生馬上就要罷課反對他們。他們要求學校津貼春假中的旅行費用，要求津貼學生活動的費用，要求免費發給講義。總之，他們向學校予取予求，但是從來不考慮對學校的義務。他們沉醉權利，自私到極點」。〔註 95〕

學生發起的學潮一般有著這樣的歷程，「先由學生方面，驟起暴動、封鎖門戶、斷絕交通，毆辱校長（或教職員）；繼以罷課，打電報、發宣言、請願官廳，求援外界；後由校長呈報官廳，藉助軍警之力開出，或解散學校」。〔註 96〕勞大學潮也大致經歷這樣一個過程。

7 月 2 日，因爲中學部發生驅逐主任楊嗣福事件，教育部派人協同上海市教育局視察中學部，到校後召集各班學生數人，詢問罷課經過，加以勸導，約定次晨在大學部繼續談話。3 日，教育部所派戴觀英和上海教育局所派代表來到大學部，由王景岐接待。大學部畢業生忽然聚眾要求王景岐撥給參觀費，其數目超出教育部指定者數倍，王景岐未允，即遭大學部並中學部學生，將王景岐和戴觀英強行擁入第六教室，緊閉各路大門包圍，從上午十時半起至下午三時半，提出各種要求。警察聞訊，前往營救，先由所長入校與學生商

〔註 93〕《國立勞動大學周刊》，1929 年 3 月 2 日第二卷第一期，第 3 頁。
〔註 94〕蔣夢麟：《蔣夢麟自傳》，第 125～126 頁。
〔註 95〕蔣夢麟：《蔣夢麟自傳》，第 131～132 頁。
〔註 96〕楊中明：《民國十一年之學潮》，《新教育》1923 年 2 月第 6 卷第二期，第 310 頁，轉引自呂芳上：《從學生運動到運動學生：民國八年至十八年》，第 24 頁。

量，請其放出，不允。整隊警察到場，將王景岐和戴觀英帶出教室。〔註 97〕

對於學潮的起因，學生的回憶與當時報紙的報導有些出入。但不管原因如何，勞大的學潮被官方認定爲性質惡劣。解散、整頓就是勞大接下來的命運了。

首任教育部長蔣夢麟去職的一個重要原因是對學潮的處置手段不當，致使事態惡化。蔣介石兼任教育部長後，強硬鎮壓是他處理學潮的首選方式。蔣介石命替其管理教部的陳布雷曰：「教育爲革命建國要計，凡事當請教於吳、李、蔡諸先進，然必勿墜入派別之見，總之不可拂李、蔡諸公之意，亦不可一味順從李、蔡之意見，宜以大公至誠之心，斬決一切葛藤，而謀所以整頓風氣，至於政府及前教部所行整頓大學教育與整肅學風之政策，則需排除萬難以貫徹之，不以人事關係而稍爲遷就也」。〔註 98〕另外，蔣介石還公開表示，「倘有一二學風最壞，無法整治之學校，即不得已而至全校解散，亦所弗惜」。〔註 99〕對於學生攻擊校長，蔣介石對學生發出警告，「學生若任意攻擊校長，即不啻反對任命校長之政府，若任意干涉校長行使職權，即不啻破壞國家法律，反對政府，破壞國家法律之學潮，自與反革命無異，政府自當嚴厲制止，如法懲處也」。〔註 100〕

在蔣介石看來，勞大本就學風不良，又發生毆辱校長的學潮，自應以嚴厲措施懲處。果不其然，教育部迅速出臺三項措施徹底整理勞大，「一、大學部已屆畢業之學生，限令即日離校，不得逗留，二、大學部各院學生，均限即日離校；聽候訂定登記辦法，定期通告舉行登記，三、附屬中學停辦，所有學生，一律離校，聽候舉行甄別試驗，按其程度給予轉學證明」。〔註 101〕依照教育部的指令，勞大大學部重新登記，農學院僅剩 35 人，工學院 80 人，社會科學院 39 人。

如果說停招和校長更換使勞大傷筋動骨，但還是皮外傷還具有恢復元氣的能力。那麼此次解散，重新登記是眞正傷了勞動大學的元氣了。停招、易長，保護勞大的元老外圍已被掃清。這次學潮的處置使勞大學校規模縮小，整齊劃一的小學部、中學部、大學部三級具備的原有設計被摧毀。學生人數大大減少。

〔註 97〕《教育部昨日暫行解散勞大》，《申報》1931 年 7 月 12 日，第三張（十二）。
〔註 98〕陳布雷：《陳布雷回憶錄》，第 127～128 頁。
〔註 99〕《行政院整飭全國學風》，《中央日報》1930 年 12 月 7 日，第一張第一版。
〔註 100〕《蔣主席告誡全國學生》，《中央日報》1930 年 12 月 12 日，第一張第三版。
〔註 101〕《教部徹底整理勞大》，《中央日報》1931 年 7 月 12 日，第二張第一版。

學校內外環境均遭到嚴重打擊。國立勞動大學已不同於往日的勞動大學了，它已失去了賴以爲生的與其他國立大學相比更爲雄厚的各種資源了。

3、勞大學生參與九一八事變後的上海學生運動

1931 年 9 月 7 日，勞動大學開學。原先教職員近千餘人的景象已看不到了，中學部被停辦，小學部交給上海市教育局辦理。僅存的大學部只剩一百多人了。但既然教育部沒有徹底停辦勞動大學，正常的教學工作自然還要進行下去。校務會對學生的工作做了新的調整，「決定學生除實習工作外，每周需做生產工作十六小時。另組工作委員會，專司指導計劃考成，校長爲主席委員，每學期終了，各生須有工作委員會發給工作證明書，然後參加學期及畢業試驗，若工作成績不良，則不能參與」。各院學生的具體工作也做了重新安排，分爲五股，「（一）工務股，製造土木工程（二）農事股，農場生產推廣（三）公用股，水電學校消防（四）教育股，翻譯編輯印刷（五）調查股，社會統計每股主任一人，由委員兼任」。〔註 102〕工廠爲增加銷量，委託上海的貿易公司爲總經理，實行面向市場的商業化運作。經受三次打擊的勞動大學開始變的謹小愼微，調整工作完成後，還沒有過完九月份，新的情況又出現了。

1931 年 9 月 18 日夜，日本關東軍炸毀南滿鐵路柳條湖一段鐵軌，以此爲藉口進攻中國東北軍瀋陽駐地北大營，九一八事變發生。

事變發生後，全國群情激奮。上海的各大學學生紛紛成立抗日救國組織。勞大的行動也很迅速，在事變發生 3 日後即組織抗日救國會。會議決定，「1、電國民政府嚴重交涉 2、電粵方呼籲和平 3、電全國同胞團結一致共赴國難 4、全體學生自本日下午一致出發，向民眾宣傳，以後生產工作時間，皆改作宣傳工作」。〔註 103〕此時的南京國民政府正因爲蔣介石扣押胡漢民而陷入寧粵分裂當中。國民黨內粵方中委在廣東獨樹一幟，與國民黨中央頡頏。勞大的電文同當時很多大學的做法一樣，呼籲國民黨寧粵兩方停止爭鬥共赴國難。

或許是因爲屢受打擊，勞大參與上海學生抗日運動始終小心翼翼，擔心因爲學生的任何越軌行爲而授人口實再遭處分。因而勞大學生的抗日運動始終在國民政府劃定的範圍內活動。滬上報界即評論道，「國立勞動大學，此次抗日工作，始終不罷課，且勞苦之體力工作照常實施、學風淳樸，與往昔相

〔註 102〕《勞動大學從秋季開始起厲行半工半讀》，《中央日報》1931 年 8 月 10 日，第二張第一版。

〔註 103〕《勞大組織抗日救國會》，《申報》1931 年 9 月 22 日，第三張（十）。

較，大有天淵之別，該校師生抱定以學術救國之原則，少做浮面工作，多從實際經營，宣傳、研究、實踐，有組織，有紀律。救國讀書，並行不悖，良可風矣」。〔註 104〕

勞大學生組織演講、話劇演出等活動，宣傳抗日，還特別邀請馮玉祥來校演講。勞大軍訓優良的傳統也得到發揮。勞大的學生軍在上海大學中組織的最好，軍容最整。上海學生義勇軍的訓練處即設立在勞大。訓練處長王柏齡對勞大的義勇軍讚賞有加。〔註 105〕

勞大的教師也沒有落在學生的後面，一些教師也參與到抗日運動中。社院的章淵若教授擬定了救亡誓言，在上海市民大會散發。他還在勞大周刊上連續發表《民族自強之準備》、《質國聯並告友邦人士》等文聲援抗日。

對於上海各大學集體組織的一些抗日行動，勞大也隨同參加，但沒有採取其他學校曾有的過激舉動。總之，在九一八事變所引發的上海學生運動中，勞大積極參加，又謹慎小心不逾矩。勞大的這種變化起碼在教育部和國民政府眼中是好多了。可是，當時勞大師生沒有想到，上海人沒有想到，大部分的國人也沒有想到本在白山黑水間延燒的戰火在幾個月後會在東方的巴黎——上海的繁華街頭騰焰而起。而這不期而遇的戰火給了勞動大學最後的致命一擊。

（三）「一二八」事變對勞大的破壞與復校運動

1、「一二八」戰事對勞大的破壞

1932 年 1 月 28 日，日本法西斯爲轉移國際視線打擊中國的抗日活動，以上海三友實業社中日衝突爲藉口，進攻上海。駐守上海的國民革命軍第十九路軍奮起抵抗，「一二八」淞滬抗戰開始。

中日雙方軍隊交戰主戰區在閘北、江灣一帶，江灣天通庵車站是攻守的核心區域。勞動大學的工學院和社會科學院正位於天通庵車站對面，勞大工廠也在此地。1 月 28 日當晚，雖然報紙報導中國有可能向日本妥協，不會發生衝突。但勞大教師有貼近法國使館的已得消息，衝突無法避免。勞大校長王景岐決定先不聲張，將重要案卷運往租界。晚 11 時 30 分日軍向中國軍隊發起進攻。戰事一起，江灣成爲戰區，交通中斷。勞大在江灣校區未搬出設備、

〔註 104〕《勞大以學術救國》，《申報》1931 年 10 月 16 日，第三張（十）。
〔註 105〕《勞大義勇軍昨日檢閱》，《申報》1931 年 12 月 3 日，第三張（十）。

高大的建築只能任由戰火吞噬了。在吳淞的勞大農學院，通過農場主任馬壽徵的妻子比利時人馬青玉的關係，雇傭汽車冒著危險把農學院和農場的許多重要東西取了出來。〔註 106〕這是勞大在戰前保護下來的一些東西。

2 月 10 日，勞大發出通告「本校已交通梗阻，教職員學生經暫行它徙，一俟確定開學日期再行通告」。〔註 107〕勞大的法國背景在這時起了作用。3 月 7 日，勞大將教室暨學生宿舍暫遷到法租界亞爾培路亞爾培坊廿四號，「一所法國人辦的學院裏」。〔註 108〕7 號，學校正式上課。

「一二八」淞滬抗戰至 3 月 5 日事實上已經停戰。上海的教育事業受到極大的摧殘和破壞。在戰時校址位於戰區的學校，有能力的租賃房屋在租界辦學，勞動大學、中國公學、中央商學院等學校是爲典型。來校上課的學生也不少。有的學校躲到其它地方，既不能遠去又沒錢在租界辦學的學校只能暫時停閉。在戰後，在戰區的學校受到了極大的財產損失。如下表所示：

全部資產被毀學校統計表

校　名	損失總數	校　址
中大商學院	104.7 萬元	江灣
勞動大學	80 余萬元	江灣
持志學院	70 萬元	江灣
上海法學院	35.86 萬元	江灣
藝術專科	7.129 萬元	江灣
中國公學	158.6 萬元	炮臺灣
同濟大學	120 萬元	炮臺灣

資料來源：尚：《一二八後的上海教育（二）》，《申報》1931 年 5 月 21 日，第三張（十一）。

與別的學校相比勞大損失的數額不是最大的。但勞大辦學的硬件設施在江灣的教學樓幾被全毀。有報導云戰後勞大江灣校區的慘狀：「至江灣鎮，昔日高聳入雲之鐘樓，今日但見一片焦土，東北角隅存危樓一角巍然獨立，車

〔註 106〕徐仲年：《在勞動大學》，《青年界》1936 年第一期，第 26～27 頁。
〔註 107〕《國立勞動大學通告》，《申報》1932 年 2 月 10 日，第一張（二）。
〔註 108〕許滌新：《風狂霜峭錄》，第 52 頁。

站僅存一角，軌業已修復，小火車一節尙停靠該站，對面之楊柳數行，折損不堪回首，田中炸痕累累，爲作戰時日軍飛機所投擲，最爲痛心者，屍骨盡成白骨數根，似已被野犬所唾棄」。〔註 109〕

5 月 5 日，淞滬停戰協定簽字。6 日，日軍開始撤退。政府開始接收敵佔區。國民政府教育部著手恢復因戰爭被毀的淞滬各國立學校。勞大教職員和學生也熱切盼望在教育部的幫助下，在江灣的殘垣斷壁中修復勞大，重現勞大往昔的風采。可他們這種期望被教育部的命令擊的粉碎。在短短兩年中，勞大的全體師生又不得不第三次行動以維護學校以及自己的權益。

2、復校運動

教育部停辦勞大的命令始於 6 月 7 日，國民政府行政院第三十九次會議時任教育部長朱家驊的提案。該案云：

> 案查國立勞動大學自建立以來，成績未著。迭經本部令飭整理，停止招生。現除土木系四年級學生三十八名本學期可以畢業外，餘僅有電機系、農藝系、園藝系、農業化學系、經濟系三年級學生共一百名。此次滬變，該校適在戰區，校產又遭摧毀，迭據報告，損失六十九萬七千四百五十元之巨，亟待籌劃善後，以資救濟。查該校原有基礎，如農場本屬初創，設備簡單，工廠部分雖多，亦只合於養成普通職業人才，而不適爲大學生之實驗場所。即欲使該校完成爲一大學，必須另行計劃，擴充工廠，充實設備，然此絕非少量經費所能辦理，加以滬變損失，規復所需，爲數更巨，尤非事實所能辦到。現國庫支絀，辦學力量允宜集中。京滬杭一帶，既有國立中央、浙江、同濟、交通等大學，或設有工學院，或兼設工農兩學院及中法工學院，均具有相當基礎。該國立勞動大學，擬令本年度終了時全部結束。該大學下半學年各級學生約一百人，即令轉入其他國立大學，以竟學業。是否有當，敬請
>
> 公決
>
> 教育部部長　朱家驊〔註 110〕

〔註 109〕《江灣劫灰記》，《申報》1932 年 3 月 9 日，第一張（三）。

〔註 110〕朱家驊：《教育部長朱家驊致行政院提案（1932 年 6 月 7 日）》，中國第二歷史檔案館編：《中華民國史檔案資料彙編》第五輯第一編教育（一），第 189～190 頁。

蔣介石兼任教育部長後，由於其兼職過多，很少到教育部。後改李書華爲部長，蔣又對李書華不甚滿意。李書華去職後，「戴傳賢乘機建議於蔣介石說，要達到『以黨治國』的目的，必須使用國民黨的忠實黨員充任教育部長，方能全新全意地爲黨效力，實行『黨化教育』的措施」。〔註111〕戴傳賢向蔣推薦因中央大學學潮辭職的朱家驊。朱家驊，字騮先、湘麟，浙江湖州人。中統負責人，CC系干將。朱雖是歐美名校畢業，但在政治上是堅定的國民黨員，是陳果夫和陳立夫爲首的CC系大將。在抗戰後期，其還脫離CC系，自成一派。朱家驊入主教育部可以看成是CC系對教育領域滲透的一大成果。

朱家驊的提案在會議上被討論通過。但停辦的命令遲至11日教育部才通知給勞大。勞大的師生對命令自然極其反對。11日下午，教職員馬上召開全體大會組織護校委員會，推選15人爲執行委員，草擬呈文駁斥朱家驊的提案，同時向元老求援。全體學生也在當日組織護校委員會，表示爲保護學校在必要時會進京請願。〔註112〕

同前兩次一樣，勞大教職員和學生又是分別行動，發表宣言和選派代表進京的手段亦是與以往一致。教育部仍是強硬應對。雙方的手法和態度都沒有變化。16日，儘管勞大方面積極採取措施反對停辦命令，但教育部還是下令，「所有該校學生准予轉學各國立大學肄業，各生願轉入何校，應迅速塡報，以便令知各校照辦」。〔註113〕

6月21、22日，學生和教職員分別呈請行政院，反對朱家驊的提案。學生們認爲，（1）戰事雖然使勞大受損，「而農學院尚完好如恒，工學院亦僅損一部」，還有辦學的條件。（2）勞大成立僅5年，成績自然不能同北大、清華等學校相提並論。（3）勞大是特殊性質的學校，旨在試驗、推廣勞動教育，有不和之處也是人的問題。〔註114〕教職員的呈請則是分條批駁，（1）成績未著，學生較少。教職員認爲勞大成立僅5年，這一點要求過於苛刻。教育部兩次停招自然使學生人數減少，並不是勞大不招收學生或是學生不報考勞

〔註111〕高思庭：《國民黨政府統治教育事業概述》，《文史資料選輯》第87輯，第144頁。

〔註112〕《教部訓令停辦勞大師生共同護校》，《申報》1932年6月12日，第三張（十）。

〔註113〕《教部令勞大生轉學》，《申報》1932年6月17日，第四張（十三）。

〔註114〕國立勞動大學全體學生：《國立勞動大學全體學生致行政院呈》，中國第二歷史檔案館編：《中華民國史檔案資料彙編》第五輯第一編教育（一），第190～191頁。

大。(2)設備不善，政府教育經費緊張。設備不齊全是教育部長期剋扣勞大經費，學校巧婦難爲無米之炊。政府經費緊張，但卻有鉅額款項用於內戰。(3)辦學力量宜集中。這種集中是消極的集中，內地非兵即匪，治安良好的南京、上海更應多辦學校，爲內地學生提供上學機會。〔註 115〕爲擴大聲勢，勞大積極謀求其他大學的援助。上海各大學學生抗日救國會在 22 日發表通電聲援勞大。〔註 116〕

勞大教職員和學生多方奔走，但是教育部的立場並沒有鬆動的迹象。朱家驊表示，「高等教育，則主張應求充實，勿事鋪張，必須提高研究學術之程度，並注意於使用人才之培植，毋事量多，只貴質精」，〔註 117〕重申其整理大學教育的主張。而且，1932 年中國高等教育正處於一個調整時期，當時各界對於高等教育存在的問題，批評的聲音很多。有人認爲，「大學教育至今日，其病已入膏肓，勢至不可救藥」，主張「裁併公立大學」，其理由有三，「一、振興義務教育及普及民眾教育入手，裁撤疊床架屋的國立、省立大學，全力經營下層教育事業；二、大學畢業生供過於求，且學非所用與社會實際需要脫節，對於人而非才之大學生之生產數量，加以限制；三、無論公私立大學皆爲政客所盤踞，已失去研究學術之精神；四、教師學識、修養水平不高，而尤以大學教師爲甚」，建議「將一部分教師收入中研院，作爲學術後備力量加以培養，再不然教師降格使用，大學充高中，高中充初中，初中充小學，以提高各級教師水平」。〔註 118〕作者的觀點固然有些過激，但也的確指出了當時中國高等教育的各種弊病。如上文所述，1933 年教育部長王世杰還爲大學畢業生的出路擔憂、籌劃，可見大學畢業生就業之難。大學畢業生畢業即失業也是普遍現象。另外，吳稚暉、李石曾等元老們對於教育的態度也發生了變化，吳稚暉向易培基抱怨，「加以四中全會時，黨中四面八方搶奪教育權，雖覺知向日我輩以爲豆腐生涯，將無人顧問，不免尚蹈錯誤。所以戲告石曾先生，從此於教育事業，亦當如黨部運動，我輩並須癡聾退出，以免妄生顧

〔註 115〕國立勞動大學教職員護校委員會:《國立勞動大學教職員護校委員會致行政院呈》，中國第二歷史檔案館編 :《中華民國史檔案資料彙編》第五輯第一編教育（一），第 191～194 頁。

〔註 116〕《各大學聲援勞大》，《申報》1932 年 6 月 22 日，第三張（十二）。

〔註 117〕《朱家驊對於目前政府整理大學辦法之說明》，《中央日報》1932 年 7 月 25 日，第二張（八）。

〔註 118〕林平 :《大學教育問題之商榷》，《中央日報》1932 年 7 月 13 日，第二張第三版。

忌，或礙當局之發言。故石曾先生亦笑而頷之，一切遂取放任。弟並有個人意見，以爲今日之教育，可有可無，任他狗咬死羊，或羊咬死狗皆無不可」。〔註 119〕吳稚暉和李石曾明顯因爲 CC 系等各派系對教育大權的爭奪，而對教育事業心灰意冷。再者，蔣介石在勞大易長事上已敲打過吳稚暉。儘管，吳稚暉和李石曾還是蔣介石在政治舞臺上的鐵杆支持者。但在教育方面，他們不得不顧忌蔣介石和蔣支持的 CC 系的力量。所以，在這種輿論和政治形勢下，勞大的復校運動很難獲得如期的結果。

在現實困難的情況下，勞大的教職員和學生的要求也從開始的復校轉爲保護現有的自身權益了。勞大學生去南京請願，更關心學業和待遇問題。正值大三的經濟系學生許滌新，即代表經濟系學生要求教育部畢業後再停辦勞大。〔註 120〕經學生們的爭取，7 月 17 日，教育部公佈勞大學生轉學辦法，「1、未畢業之勞大學生，一律轉入可轉入大學肄業 2、依據原學校（勞大）成績報告單，以定轉入國立學校之相當年級 3、待遇仍舊」。〔註 121〕勞大在校學生的問題得到妥善解決。

教職員的問題集中於教育部欠發的工資，教職員開會屢次要求發給薪資，「電教部在本月補發本月一切欠薪，若欠薪未發清；即認教部未盡執行其全部結束本校之訓令，同人等亦不能離校，其多留數日，教部應負聘約尚未撤銷之經濟上之責任」。〔註 122〕至 8 月 20 日，教育部撥款勞大，付給教職員薪資以及勞大欠付各商號的貨款。〔註 123〕

在校學生和教職員的問題解決了，辦理五年「成績」和特點都極爲突出的國立勞動大學的命運也在 1932 年 7 月 31 日終結。〔註 124〕

〔註 119〕吳稚暉：《致易培基函》，羅家倫、黃季陸主編：《吳稚暉先生全集》第三卷，第 677 頁。

〔註 120〕許滌新：《風狂霜峭錄》，第 51 頁。

〔註 121〕《勞大學生轉學辦法》，《申報》1932 年 7 月 17 日，第三張（十二）。

〔註 122〕《勞大師生積極護校》，《申報》1932 年 7 月 13 日，第三張（十二）。

〔註 123〕《國立勞動大學啓事》，《申報》1932 年 8 月 20 日，第二張（五）。

〔註 124〕《勞大校長呈報結束期》，《申報》1932 年 7 月 30 日，第二張（八）。

結　語

1932 年 6 月，南京國民政府行政院議決，命令國立勞動大學在 1931 學年度終了時，全部結束，原有學生轉入其他國立大學完成學業。勞大的善後問題，「其所有校產經建設西北農林專科學校籌備委員會委員及前勞動大學校董李石曾、吳稚暉、褚民誼等提議，分別撥歸西北農林專科學校及國立同濟大學，並以一部分租與立達學園，一部分發還前上海大學校董會，其經費則移作西北農林專科學校之用」。〔註 1〕至此，辦理 5 年的國立勞動大學結束。勞大的校產和經費被分割撥給其他院校，隨著時間的流逝，國立勞動大學的色彩在人們的記憶中逐漸淡去，消逝於中國近代的歷史長河中。

對於國立勞動大學——南京國民政府成立後創建的第一所國立大學，幾十年後臺灣國民黨人對它的評價還是較為中肯的。吳相湘認為，「這一所大學的性質是前所未見的。時值『清共』後不久，一般人看到『勞工』『勞農』字樣很容易聯想到蘇俄及共產黨，因之，對這一學校頗多誤解。但公平論者都說：這一學校設備不夠是事實，不過學生素質卻不能說低，至於誤會學生多是共產主義的信仰者則更與事實相違」。〔註 2〕代表國民黨官方對勞工運動態度的《中國勞工運動史》則認為，「勞大創辦於清黨以後，對麻醉青年之馬列主義，力持遏制；在訓育方面，頗能宣揚三民主義，灌輸革命理論，惟於西方蒲魯東、巴庫寧之社會思想，有時亦加推闡，致論者有工團主義色彩，校譽因之稍抑。勞大時歷五載，畢業學生，人數綦眾，高材生輩出，服務社會，

〔註 1〕《中國國民黨第四次全國代表大會教育工作報告》，黃季陸主編：《革命文獻》第五十三輯（抗戰前教育與學術），第 170 頁。

〔註 2〕吳相湘：《易培基與故宮盜寶案》，吳相湘：《民國百人傳》第三冊，第 230 頁。

頗多知名人士。……勞大遂全部停辦，實爲有關勞工教育之一大損失」。〔註3〕

這些評論多少反映了勞大的些許實情。人們評價一所大學多以其畢業生的優良與否爲標準。若以此觀之，辦學僅五年的勞大也的確高材生輩出，學生素質不算低。據筆者的不完全統計，1949 年後，留在大陸的勞大學生較爲傑出的有：

許滌新，著名經濟學家，

黃源，翻譯家，

許天虹，翻譯家，

馮和法，中華人民共和國左派經濟學家，

徐懋庸，雜文家、教育家，

張庚，當代戲劇作家

郭安仁，文學家、翻譯家

呂驥，曾在勞大旁聽課程，音樂理論家

周立波，《暴風驟雨》的作者，著名小說家

彭柏山，文教工作者

鄭漢濤，曾任國防科辦副主任

丁冬放，財經專家，曾任中國人民銀行副行長

馬純古，曾任全國總工會副主席。〔註4〕

在臺灣的勞大學生較著名的有：

李良榮，曾任國民革命軍第二十二兵團司令，1949 年末參與指揮金門戰役。

詹純產，曾任臺灣「立法委員」，

沈宗琳，曾任臺灣「監察委員」。〔註5〕

五年時間，勞大就培養了這些優秀的學生應該說是一項不小的成績，若假以時日，相信勞大還能培養出更多的優秀學生。當然，勞大也不是沒有缺點，正如筆者在前文所指出的，勞大的教學設備實在是寒酸。勞大基本上是

〔註 3〕中國勞工運動史續編編撰委員會：《中國勞工運動史》第二冊第五編，臺北：中國文化大學勞工研究所理事會，1984 年，第 291 頁。

〔註 4〕許滌新：《風狂霜峭錄》，第 46 頁。

〔註 5〕趙震鵬：《勞動大學的回憶》，《傳記文學》（臺北）第 37 卷第 4 期，1980 年 10 月，第 60 頁。由於在臺的勞大學生資料缺乏，筆者僅找到這兩位勞大學生，但據趙震鵬的敘述勞大學生在臺辦有同學會，學生應爲數不少。

在邊建設、邊辦學的狀態中度過四年半的時光。模範工廠雖然有齊全的設施，但是入不敷出，在經濟上是個累贅。教師群體素質很高，但是兼職的教師不少，學校有任何經濟上的風吹草動，必受影響。在教學上，學校的學制、課程等方面一而再、再而三的更動，逐步向一所一般國立大學的標準貼近。這樣做即喪失了自己的特色，又造成了教學上的混亂，貽人口實。以上勞大的種種缺點既有共性又有特殊性。共性方面，國立大學經費的支絀不只勞大一所學校所獨有，民國時代教育經費獨立的倡議連綿不絕即是因此而起。勞大的特殊性在於從它誕生之日起，就與 1927 年以後的民國政治存在著剪不斷理還亂的錯綜複雜的關係。

正如上文兩個評論所指出的，勞大是在四一二政變之後建立的。在這樣異樣的歷史背景下，作爲南京國民政府建立後創建的第一所大學，它不可避免的就背負起南京國民政府所賦予它的責任——爲國民黨培養農運和工運人才，與中共爭奪地方基層組織、農民和工人運動的主導權。但是，隨著國民黨由革命黨向執政黨的轉變，其對工農運動的態度和政策也發生巨大變化。1928 年 2 月，國民黨二屆四中全會撤銷農民、工人、商人、青年、婦女五部爲標誌，陸續改變和調整了國民革命時期國民黨民眾運動的組織和指導方針，從而完成了時人稱之爲「國民黨不要民眾」的立法過程。〔註 6〕國民黨的這種轉變就使勞動大學的存在缺少了合理性。

另一方面，勞動大學是蔡元培、李石曾、吳稚暉、張靜江四人通力合作建立的。它與大學院一樣是四老力圖擺脫現時政治的束縛，使教育少受其影響自由發展的產物。但「政治力量的干預是不可避免的；有時它可以是一種助力，有時則可能是一種災難，相當複雜」。〔註 7〕大學院因中央大學的風潮使四人產生齟齬繼而分裂，而勞大之事在其中也起了推波助瀾的作用。蔣夢麟因此去職，蔡元培與李石曾矛盾加劇。更爲糟糕的是雖然蔣夢麟通過借助蔣介石的力量實現了整頓勞大的目的，但是招致了 CC 系對教育領域的大肆滲透。南京國民政府成立以來，教育行政大權始終爲蔡元培等自由主義知識分子所掌控。自蔣夢麟去職後，中經蔣介石的短暫兼職，教育部長的職位還是

〔註 6〕王奇生：《黨員、黨權與黨爭——1924～1949 年中國國民黨的組織形態》，第 104 頁。

〔註 7〕徐明華：《中央研究院與中國科學研究的制度化》，《中央研究院近代史研究所集刊》，第 22 期下冊，第 253 頁轉引自陶英惠：《中研院六院長》，第 171 頁。

收入了 CC 系大將朱家驊的囊中。雖然，朱家驊下臺後由英美派的王世杰接任。但是，在抗戰時期 CC 系眞正的實現了對教育大權的控制。無論英美派還是法日派，這些自由主義知識分子由執政派變爲了在野派。國民黨與高級知識分子間的矛盾衝突就轉變爲教育部與國立大學的衝突了。

國立勞動大學是南京國民政府奉行革命政策的產物。建校的目的是想通過工讀互助的方式，改良中國社會，化解資方與勞方的矛盾。但這種實踐思想本身就充滿了矛盾，工讀互助論是無政府主義者提出的。無政府主義者通常是厭惡權威，盡可能地排斥官方干涉。而勞動大學培養學生的目的是爲國民政府服務的，兩者難以共存。而且勞動大學建校之初，極力宣揚無政府主義思想，正像胡適所指出的「以政府而提倡無政府，用政府的經費來造無政府黨」。這是國民政府方面難以容忍的。

種種的變化與自身先天的矛盾決定了國立勞動大學的悲劇命運。但是，通過工讀互助的方式，消解階級分化，改良社會、化解矛盾，無政府主義式的革命心態與革命思想卻並沒有消失。國立勞動大學停辦的 22 年後，紅旗漫捲的中國大陸上，另一所植根於江西山嶺與河川之中的勞動大學——江西共產主義勞動大學在最高領袖毛澤東的強力支持下由汪東興創辦而起。類似的大學再次出現，只不過這是另一群人的另一段故事了。

參考文獻

一、資料類

文獻彙編

1.《勞大概況》，國立勞動大學編譯館 1929 年。
2.《勞大論叢》，國立勞動大學編譯館 1929 年。
3. 南京國民政府教育部編印：《全國高等教育統計（十七年～二十年）》。
4. 黃季陸主編：《革命文獻》第五十三輯（抗戰前教育與學術），臺北：中國國民黨中央委員會黨史史料編纂委員會，1971 年。
5.《第一次中國教育年鑒》，臺北：傳記文學出版社，1971 年。
6. 中華民國史料研究中心編輯：《先「總統」蔣公有關論述與史料》，臺北：中華民國史料研究中心，1985 年。
7. 中華民國史料研究中心：《中華民國史事紀要》（1927 年 1 月至 6 月），臺北：中華民國史料研究中心，1977 年。
8. 中國人民政治協商會議全國委員會文史資料研究委員會《文史資料選輯》編輯部編：《文史資料選輯合訂本》第 87 輯、第 90 輯、第 91 輯、第 124 輯，北京：中國文史出版社，1999 年。
9. 上海市政協文史資料委員會編：《上海文史資料存稿彙編》第九冊，上海：上海古籍出版社，2001 年。
10. 上海市出版工作者協會《出版史料》編輯組編輯：《出版史料》第二輯，上海：學林出版社，1983 年。
11. 中國第二歷史檔案館編：《中華民國史檔案資料彙編》第五輯第一編教育（一），南京：江蘇古籍出版社，1994 年。
12. 莊建平主編：《近代史資料文庫》第八卷，上海：上海書店出版社，2009 年。

13. 復旦大學校史編寫組編：《復旦大學志》第一卷（1905～1949），上海：復旦大學出版社，1985 年。
14. 錢淦總撰；顏小鍾標點：《〔民國〕江灣里志》，上海：上海社會科學出版社，2006 年。
15. 北京師範大學校史資料室編：《匡互生與立達學園》，北京：北京師範大學出版社，1985 年。
16. 黃美真、石源華、張雲主編：《上海大學史料》，上海：復旦大學出版社，1984 年。
17. 沈雲龍主編：《近代中國史料叢刊三編》第十二輯 102 冊，臺北：文海出版社有限公司，1986 年。

報刊資料

1.《國立勞動大學周刊》。
2.《國立勞動大學月刊》。
3.《勞動教育》。
4.《勞動季刊》。
5.《國立勞動大學三日刊》。
6.《申報》1927 年 4 月～1932 年 7 月。
7.《中央日報》1928 年～1932 年 7 月。
8. 上海《民國日報》1927 年 5 月。
9.《中華教育界》1930 年第十八卷第七期。
10.《青年雜誌》1936 年第一期。
11.《大學院公報》1928 年第一期、第七期、第九期。
12.《勞動》第四號，1918 年 6 月 20 日。
13.《上海特別市土地局年刊》1928 年第 1 冊。
14.《傳記文學》（臺北）第 37 卷第 4 期，1980 年 10 月。

二、個人文集、年譜、日記、回憶錄、評傳

1. 中國蔡元培研究會編：《蔡元培全集》第 5 卷、第 6 卷、第 16 卷，杭州：浙江教育出版社，1998 年。
2. 羅家倫、黃季陸主編：《吳稚暉先生全集》第三卷，臺北：中國國民黨中央委員會黨史史料編纂委員會，1969 年。
3. 中國國民黨中央委員會黨史委員會編：《李石曾先生文集》上、下冊，臺北：中國國民黨中央委員會黨史委員會，1980 年。

4. 天一出版社編輯部編：《吳稚暉傳記資料》第二冊，臺北：天一出版社，1985 年。
5. 高平叔撰著：《蔡元培年譜長編》第 3 卷、第 4 卷，北京：人民教育出版社，1998 年。
6. 王世杰：《王世杰日記》第 1 冊，臺北：中央研究院近代史研究所，1990 年。
7. 曹伯言整理：《胡適日記全編（五）》，合肥：安徽教育出版社，2001 年。
8. 陳布雷：《陳布雷回憶錄》，北京：東方出版社，2009 年。
9 蔣夢麟：《蔣夢麟自傳》，北京：團結出版社，2004 年。
10. 許滌新：《風狂霜峭錄》，北京：生活・讀書・新知三聯書店，1989 年。
11. 馬敘倫：《我在六十歲以前》，北京：生活・讀書・新知三聯書店，1983 年。
12. 王韋編：《徐麟庸研究資料》，南昌：江西人民出版社，1985 年。
13. 安葵：《張庚評傳》，北京：文化藝術出版社，1997 年。
14. 周天度：《蔡元培傳》，北京：人民出版社，1984 年。
15. 胡光凡：《周立波評傳》，長沙：湖南文藝出版社，1986 年。
16. 馬勇：《蔣夢麟傳》，北京：紅旗出版社，2009 年。
17. 嚴宗平、宗志文主編：《民國人物傳》第九卷，北京：中華書局，1997 年。
18. 吳相湘：《民國百人傳》第三冊，臺北：傳記文學出版社，1982 年。
19. 劉紹唐主編：《民國人物小傳》第四冊、第七冊，臺北：傳記文學出版社，1985 年。

三、論著

1. 陳遠編：《逝去的大學》，北京：同心出版社，2005 年。
2. 楊奎松：《國民黨的「聯共」與「反共」》，北京：社會科學文獻出版社，2008 年。
3. 〔日〕家近亮子著、王士花譯：《蔣介石與南京國民政府》，北京：社會科學文獻出版社，2005 年。
4. 王奇生：《黨員、黨權與黨爭——1924～1949 年中國國民黨的組織形態》，上海：上海書店出版社，2009 年。
5. 王奇生：《革命與反革命：社會文化視野下的民國政治》，北京：社會科學文獻出版社，2009 年。
6. 金以林：《近代中國大學研究：1895～1949》，北京：中央文獻出版社，2000 年。

7. 金以林：《國民黨高層的派系政治：蔣介石「最高領袖」地位是如何確立的》，北京：社會科學文獻出版社，2009 年。
8. 〔加〕許美德著，許傑英譯：《中國大學 1895～1995：一個文化衝突的世紀》，北京：教育科學出版社，2000 年。
9. 蘇雲峰：《從清華學堂到清華大學（1928～1937）：近代中國高等教育研究》，北京：生活・讀書・新知三聯書店，2001 年。
10. 田正平、商麗浩主編：《中國高等教育百年史論——制度變遷、財政運作與教師流動》，北京：人民教育出版社，2006 年。
11. 呂芳上：《從學生運動到運動學生：民國八年至十八年》，臺北：中央研究院近代史研究所專刊（71），1994 年。
12. 中國勞工運動史續編編撰委員會：《中國勞工運動史》第二冊第五編，臺北：中國文化大學勞工研究所理事會，1984 年。
13. 王李金：《中國近代大學創立和發展的路徑——從山西大學堂到山西大學（1902～1937）的考察》，北京：人民出版社，2007 年。
14. 陶英惠：《中研院六院長》，上海：文匯出版社，2009 年。

四、論文

1. 桑兵：《大學與近代中國——欄目解説》，《中山大學學報（社會科學版）》2010 年第 1 期。
2. 許小青：《北伐前後北京的國立大學合併風潮（1925～1929）》，《中山大學學報（社會科學版）》2010 年第 1 期。
3. 林輝峰：《五四運動後至北伐戰爭前夕的教育界風潮——以馬敘倫的經歷爲視角》，《中山大學學報（社會科學版）》2010 年第 1 期。
4. 徐溧波：《「校長治校」：蔣夢麟高等教育管理思想的核心》，《寧波大學學報（教育科學版）》2007 年第 29 卷第 6 期。
5. 趙穎霞、石麗娟：《李石曾近代大學區制教育思想與實踐評析》，《保定大學學報》2009 年第 22 卷第 3 期。
6. 〔韓〕鄭文祥：《1920 年代上海的大學與學生文化》，《史林》2004 年第 4 期。
7. 張耀傑：《文人的派系之爭——遭受「包圍的蔡元培」》，《傳記文學》（臺北）第 89 卷第 5 期，2006 年 11 月。
8. 李莉：《抗日戰爭時期的國立東南聯合大學（1941 年 2 月～1943 年 7 月）》，碩士學位論文，暨南大學，2007 年。
9. 趙穎霞：《李石曾的教育思想及其實踐述論》，碩士學位論文，河北大學，2003 年。

10. 于劍偉：《李石曾文化教育思想研究》，碩士學位論文，華中師範大學，2006 年。
11. 吳立保：《中國近代大學本土化研究——基於大學校長的視角》，博士學位論文，華東師範大學，2009 年。
12. 孫存昌：《中國近代大學教師專業素質研究——以大學職能演化爲視角》，博士學位論文，蘇州大學，2009 年。
13. 劉嵐：《國立大學的角色與職能分析》，博士學位論文，蘇州大學，2008 年。
14. 崔恒秀：《民國教育部與大學關係之研究（1912～1937）》，博士學位論文，蘇州大學，2008 年。
15. 鄧小林：《民國時期國立大學教師聘任之研究》，博士學位論文，四川大學，2005 年。
16. 張正鋒：《權力的表達：中國近代大學教授權力制度研究》，博士學位論文，南京師範大學，2006 年。
17. 楊禾豐：《聖約翰大學的校園生活及其變遷（1920～1937）》，博士學位論文，復旦大學，2008 年。
18. 曾海洋：《廈門大學與閩南區域社會文化變遷研究——以私立時期（1921～1937）爲中心》，博士學位論文，廈門大學，2007 年。

革命時代中的上海大學

王小莉 著

作者簡介

王小莉，1985 年生，安徽省合肥市人。2007 年畢業於安徽師範大學歷史教育學系，獲歷史學學士學位。2009 年考入華東師範大學思勉人文高等研究院，專業中國近現代史，師從劉昶教授，主要研究方向爲江南學，2012 年獲中國近現代史碩士學位。現爲上海市靜安區上海市第一中學高中歷史教師，主要從事高中歷史教學和學生德育教育。

提　　要

上海大學存在僅五年（1922 ～ 1927 年）。在這樣一個被戲稱爲「弄堂大學」的學校，卻聚集了國共兩黨的一些重要人物（邵力子、于右任、陳望道、鄧中夏、瞿秋白等等）以及社會名流（胡適、戴季陶等等），國共兩黨的領導人以及後來逐漸成名的學者，當然還有來自江浙皖川等地的近千名的青年學生。時稱「北有北大，南有上大」、「武有黃埔，文有上大」。本文從上大的建立、教授群體、課程設置、黨派爭鬥以及學生活動出發，努力描述一個眞實的「弄堂大學」。

相關的史實梳理清晰是首要部分。其次，關於上海大學的幾個問題的深入討論。一上大的教授及其改造上大的努力，知識分子是影響一個時代進程的重要因素，爲何當時諸多不同政治傾向的知識分子願意彙聚在上大？二上大內的政黨爭鬥及其對上大的影響。風雷激蕩的國民革命中，強調中共在上大的活動同時，也不可忽略國民黨在上大的活動。三上大的經費問題。這是一個串聯上大各階段活動的重要線索。

幼年的中共對於馬克思主義並沒有深刻的體會，更無法結合中國的實際去靈活運用。黨派之間及各黨派內部的爭鬥不利於清晰的認識中國革命的癥結，反而因爲黨派色彩過重，學生成爲了激進運動的急先鋒，也爲此作出了巨大的犧牲。

目次

表　次

革命時代〔註1〕中的上海大學（1922～1927）

緒　論

1、選題緣起及意義

近代中國以「革命」頻發而著稱，1920 年代則是一個重要的轉折時期。〔註2〕長期以來，中共以五四運動爲界標，將之前的革命稱作「舊民主主義革命」，之後的革命稱作「新民主主義革命」。劃分革命「新」、「舊」的標準，主要是以革命的領導者、革命的參與群體以及革命的對象與目標的不同而設

〔註1〕「革命的時代」一詞是受到羅志田《士變：20 世紀上半葉中國讀書人的革命情懷》（《近代讀書人的思想世界和治學取向》，北京大學出版社，2009 年版）一文的啓發。羅志田教授人認爲：如果「革命」不限於政治層面的「暴力行動」，而意味著從根本上改變既存狀態，並往往訴諸於非常規的方式，那麼，20 世紀的中國，特別是前半段，説其經歷了一個「革命的時代」，或不算過分。20 世紀 20 年代，中共成立，國民黨改組，學生運動進入了「後五四時代」，「革命」表現爲多樣化，比如「家庭革命」、「佛教革命」、「文學革命」等等，不論是政治的（或者意識形態的）、社會的、思想的、文化的、學術的、生活的等等各方面，「革命」都得到提倡，使得 20 年代成爲革命的時代中，「革命」特徵顯著的一段時期。上海大學就是在這樣的背景下成立的。

〔註2〕王奇生：《革命與反革命：社會文化視野下的民國政治》，社會科學文獻出版社，2010 年。

定。20 世紀 20 年代的中國，隨著列強的政治威脅與經濟侵略的深入，北洋內部各派系爭鬥不斷，政局動蕩，政府無能。國民黨重組，共產黨創建，國共兩黨達成合作，開始國民革命。

對「革命」一詞的考察可知，「革命作爲一種話語形態，是在本世紀初（注：指 20 世紀）的數年裏才出現的。「革命」是本土語彙，而它在本世紀的復活，很大程度是借助於日語的翻譯，也即受了某種西化的洗禮，遂構成如史華慈所說的『革命之謎』——在本世紀最初的二十年激進主義的形成。」〔註 3〕中國的古文獻中就出現過「革命」這一詞彙的意思，但是到了 20 世紀初經由外出留學生帶回來得「革命」一詞已經是經過日語重新翻譯過的，陳建華認爲「如果沒有日本文化傳統在長時間裏完成了對中國傳統革命意義的改造並通過梁啓超的譯介，革命意識形態就很難獲得知識分子和民眾的廣泛認同，也不可能在本世紀初如此迅速的形成。」隨著中國傳統的革命話語和「天演之公例」、「世界之公理」接軌，意味著中國從此被納入黑格爾、馬克思所勾畫的世界革命的進程。〔註 4〕革命話語進入現代化之後，其主體也在發生著變化，由原先的王朝主體轉向民族主體，同時也涉及到集體記憶的重構等。俄國十月革命的成功衝擊了關注民族命運的知識分子群體。如中共中央的機關報《嚮導》周刊（1922～1927 年），「革命」是該刊出現最頻的中心詞語之一。

十月革命這聲「響炮」給中國送來了不同於西方各種主義的新的意識形態——布爾什維克主義。在瞭解了「革命」這一話語在 20 世紀初的發展及其含義之後，我們需要結合 20 世紀初中國社會這一新的狀況去瞭解「革命」這一話語是如何被知識分子和廣大的學生所廣泛接受的。五四運動之後，學生的群體行動得到了廣泛的肯定，群體的「革命」在醞釀之中。既有的革命史觀常常忽略了具體的社會群體在這一時期對「革命」的認識，以及在普遍革命（或者走向革命）的狀態下如何生活和行動的。所以從 1920 年代更深、更廣的社會群像入手有助於拓寬我們對「革命」的理解。羅志田教授在《士變：20 世紀上半葉中國讀書人的革命情懷中》討論了「革命的時代」讀書人的思想轉向和對「革命」的態度，提出了一個很重要的問題：20 世紀那麼多的讀

〔註 3〕陳建華：《「革命」的現代性——中國革命話語考》，上海：上海古籍出版社，2000 年，頁 2。

〔註 4〕陳建華：《「革命」的現代性——中國革命話語考》，上海：上海古籍出版社，2000 年，頁 18。

書人（包括上層菁英）如此嚮往革命是一個相當特別的現象，他們對「革命」是如何理解和認識的？就是說革命對他們來說意味著什麼？通過「革命」（各類不同的革命）他們想得到什麼？（國家、民族和個人的利益？）而革命最終又給予他們怎樣的回報？意即參與革命者的生活、學業和事業有什麼影響？

20 世紀 20 年代，面對內憂外辱，知識分子和青年學生的視野迅速由地方升到了中央，他們對全國性的政治議題多有所關懷，可是教育和就業機會卻並沒有相應的增加，以滿足他們的期望，貧苦學生在教育和就業的競爭中充滿了挫折和不滿。新知識的傳授刺激和求變求新的心理，經過五四愛國運動的洗禮，學生的各種不滿和挫折動輒以示威和遊行的形式表達。五四之後各地的學潮迭起可視爲這一心態的表現。「後五四時代」的學生運動，既保留了學生運動的激情，又由於政黨的介入，有規模的有組織的集體運動正在醞釀之中。中共的建立、國民黨的改組以及他們的政治努力可視爲當時的知識人提供了一條可以直接關心上層政治的渠道。20 世紀 20 年代一大獨特的社會現象，就是五四後知識青年群趨入黨，並以入黨爲榮。各政黨也認識到青年學生是一種大可利用的重要的政治資源，也主動挾其主義學說滲入學界，競相爭取吸引這股新生的社會力量。引發一個「主義的時代」的來臨，知識青年以信仰主義爲時髦，「任憑他是什麼主義，只要有主義，就比沒有好」。〔註 5〕在這樣的背景下，包括學生在內的知識群體如何在自身生存與國家命運之間衡量取捨？而當時的主要政黨（國民黨與中國共產黨）在複雜的世情下對此又是如何利用發展的？我們需要從一個具體的事件去考察與之相關聯的社會群態。

上海大學存在僅五年（1922～1927 年），在這樣一個當時被戲稱爲「弄堂大學」的學校，卻聚集了國共兩黨的一些重要人物（邵力子、于右任、葉楚傖、陳望道、鄧中夏、瞿秋白、蔡和森、彭述之、惲代英、施存統等等）以及社會名流（胡適、戴季陶、洪野、周建人、胡樸安等等），後來國共兩黨的很多領導人（劉少奇、秦邦憲、陽翰笙、張治中等）以及後來逐漸成名的學者與文學家（施蟄存、戴望舒、孔另境等）也在這個學校學習過，當然還有來自江浙皖川等地近千名的青年學生。時「北有北大，南有上大」、「武有黃

〔註 5〕心氣薄弱之中國人，1919 年 2 月 1 日《新潮》第一卷第二號。

埔，文有上大」之稱。僅有「紅色聖地」這一種解釋，似乎很難較全面瞭解爲何這樣的學校可以成爲 20 世紀 20 年代南方的運動中心。通過閱讀相關史料發現，上海大學從創建的形式就是當時社會的一個縮影，它的發展更是當時社會、政治、文化的一個折射，上大校內就是一個「小社會」。現有的諸多資料是從「革命」的角度出發，將上大描述成「革命」聖地，中共的紅色學府，〔註 6〕將其變成一個政治宣傳的符號。我所希望做到的是將「革命聖地」這一光環剝開，從上大的的建立、教授群體課程設置、黨派爭鬥以及學生活動出發，努力描述一個眞實的「弄堂大學」，以瞭解 20 世紀 20 年代的社會政治情況。

「民族的希望在於教育」，教育的普及提高了國民素質，但是現在的教育現狀仍存有較多的問題，値得關注。雖然本文探討的是 20 世紀 20 年代的學生和學校，但是「以史爲鑒」，我們才能更好的面對未來的道路，這也就使得本文有了研究的現實意義。通過對上海大學的綜合討論，我們會對現在日益嚴重的就業問題和青年學生以及知識人對社會政治經濟的關注有了歷史的借鑒。

2、研究現狀

關於 20 世紀 20 年代的革命研究著述已經非常豐富了，中共建立、國共合作及國共內部的爭鬥等問題，學者都已有了詳細的論述。有關學校的研究，除了校史的編撰外，教育史方面的研究更爲注重。而教育史的研究關注的是教育制度、教育思想和重要教育家。對學校的個案研究多偏重校務管理、教材教法等，對於將學校納入大的歷史背景來討論這個學校裏教授、學生活動與社會歷史之間關係的研究較少。而在歷史著作中，則往往從運動、鬥爭角度來審視近代學生，關注學生在學潮以及學生運動中的作用。「這些狀況導致了學生在常態教育活動中『被隱身』，在社會史、教育史頁造成一大留白」。不僅學生「被隱身」，學校中的教授群體亦是較少提及。選擇上海大學（1922～1927）作爲研究對象來窺探 1920 年代的社會、文化與政治，對於大的歷史背景的瞭解是必須的。

〔註 6〕在搜索有關上海大學的資料時，上海大學的資料大多是歸類爲黨史一欄。如《上海大學：不該遺忘的中共第一學府》，西江月：《新華航空》，2011 年第 7 期，徐世強：《上海大學：20 世紀 20 年代的「紅色學府」》，《黨史博覽》，2010.11 等等。

王奇生先生的《革命與反革命：社會文化視野下的民國政治》〔註 7〕就試圖在業已「告別革命」的今天，如何以一種「去熟悉化」的眼光來重新檢視在我們腦海中長期存在的有關革命的觀念。1920 年代開始，革命成爲多個政黨的共同訴求，革命不僅爲多數黨派所認同。也爲多數無黨派的知識分子所信奉，而且迅速形成一種普遍的觀念，認爲革命是救亡圖存、解決內憂外患的根本手段。《黨員、黨組織與都市社會：上海的中共地下黨》考察中共在向上海社會滲入的過程中的情況以及自身組織存在的問題。上海大學與中共的早期活動分不開的，中共自身組織發展過程中存在的問題影響了上海大學，王奇生教師並未提及上大的有關內容。

呂芳上先生《從學生運動要運動學生（從民國八年至十八年）》〔註 8〕詳細了討論了 1919 年至 1929 年學生運動的形式與政黨對於學生的動員。呂芳上教授認爲 1924、1925 年（民國十三、四年）的學運有了從「學生運動」轉變爲「運動學生」的明顯趨勢。1922～1927 就是新興政黨運動學生的階段。上海大學是在這段時間內存在，上大的學生在當時上海各類運動中也是非常積極主動的。上大內國共兩黨都有運作，呂芳上教授並未對上大作深入探討。但是，在資料方面，與王奇生教授的書相對應的是，本書提供了許多國民黨方面的資料。

上述兩本著作都不是專門研究上大的，主要是提供了一個大的社會背景，因爲資料有限的原因，有關上海大學的專著和論文目前還不多，而且論文大多是校史簡介等。部分學者的著作和論文中對於上大是有提及，因爲各自討論重心的緣故，尚沒有學者在任何方面對於上大有一個系統的描述與討論。

斯民先生的《上海大學，革命的搖籃》〔註 9〕是一本紀實文學。作者根據上大的一些資料而寫成，對於上大的創建與發展有個較爲宏觀的講述，有助於對上大的發展以及學生生活情況做一宏觀的觀察，也啓發了我對上大的興趣。但是文學作品和學術研究的要求是不同的，這些文學的敘述給我很多想法。

〔註 7〕王奇生：《革命與反革命：社會文化視野下的民國政治》，社科文獻出版社，2010 年版。

〔註 8〕呂芳上：《從學生運動要運動學生（從民國八年至十八年）》，中央研究院近代史研究所專刊（71）中央研究院近代史研究所，民國八十三年（1994 年）。

〔註 9〕斯民：《上海大學，革命的搖籃》，作家出版社，2005 年。

葉文心教授（Wen-Hsin Yeh）的專著“The Alienated Academy: Culture and Politics in Republican China, 1919～1937”〔註10〕。本書主要介紹1919～1937年上海各類大學的課程設置、學生生活等，探討異化的校園裏的學生生活與政治。其中第三章專門介紹上大的情況。葉文心教授的著作時從大學教育史的角度來看上海大學，在敘述上海大學與共產黨的密切關係外，也注意到了它和上海其它幾所大學的共同點。葉教授提出了一些有意思的問題，一是上海大學的辦學經費困難問題一直被忽略，而這是影響上大發展的一個重要因素。二是上大改組的初衷主要還是育人成才就業，但是現實與理想之間的差距使得他們的初衷卻一直被忽略。在傳統的革命史觀中，英雄主義的革命運動掩蓋了史實。葉文心教授提出了這兩個問題，但是並未進深入的分析。

華志健教授（Wasserstrom, Jeffrey N）的“Student protests in twentieth -century China: the view from Shanghai”〔註11〕以上海學生運動來討論學生運動形式的變化。介紹上海作爲條約口岸的政治、經濟以及學生運動的中心組織的變化，依次是震旦大學（1903～1905）、復旦大學（1905～1919）、上大的崛起（1922～1924）及上大作爲核心組織（1924～1927）。介紹了上大的興起以及學校的情況。分析了上大的經費是由國民黨提供，而管理上則是由共產黨與國民黨合作管理，兩個政黨合作與之間的爭鬥，使得上大所處的社會環境要比其它學校更爲複雜。政黨的參與和領導對上大的學生運動的形式和組織產生了怎樣的影響？

張元隆副教授20多年前就開始了20年代上海大學的研究，剛剛出版的專著《上海大學與現代名人（1922～1927）》〔註12〕是這一領域最新的學術成果。本書從上海大學的領導成員、名師薈萃、英才濟濟、革命伴侶等方面較爲詳細的介紹了曾經在上海大學任教和求學的師生的情況。筆者確定論文題目直至開題之後，張教授的著作才問世。從張教授的著作內容來看，本書主

〔註10〕Wen-Hsin Yeh: “The Alienated Academy: Culture and Politics in Republican China, 1919～1937”, Harvard University Asia Center, 2000。葉文心教授的這本書現已有中文譯本，《民國時期大學的校園文化》，馮夏根，胡少誠等譯，中國人民大學出版社，2012年8月出版。筆者寫作本文時中譯本尚未出版。

〔註11〕Wasserstrom, Jeffrey N: “Student protests in twentieth-century China: the view from Shanghai”, Stanford, Calif: Stanford University Press, c1991.

〔註12〕張元隆：《上海大學與現代名人（1922～1927）》，上海大學出版社，2011年版。感謝上海大學徐有威教授向筆者提及此書並贈書。

要還是陳述性的資料彙集。而且本書的重心在於「名人」，而當時在上海大學的默默無名的學生還是大多數。書中也迴避了一些細節的敘述。張教授 2011 年底的一次講座《關於 20 年代上海大學的幾個問題》，主要探討了四個問題，一是上海大學與國共合作，認爲上海大學的起落與第一次國共合作從醞釀到破裂的過程相始終，從一定意義上說，沒有國共合作就沒有上海大學；二是上海大學與中共早期領導人，強調上海大學從一個側面展示中國共產黨創建時期的歷史風貌；三是上海大學與工人運動開展，指出了我們在國民黨上海執行部與上海工運的關係的史實方面，需要進一步地加以挖掘和探研；四是上海大學與青年運動開展，特別強調上大的青年學生運動，不僅代表一個學校，而且在很大程度上體現上海甚至全國的青年運動。〔註 13〕張教授強調的四點內容也是筆者畢業論文中想要解決的問題。

有關上大的期刊文章以校史資料以及回憶紀念資料居多，學術性的文章目前尚無。孫傑《鄧中夏和二十年代初的上海大學——紀念鄧中夏同志逝世五十五週年》〔註 14〕、盛祖繩《二十年代初創時期的上海大學》〔註 15〕、王偉、史嘉秀《二十年代的上海大學》〔註 16〕、趙守仁、陳豔軍《于右任與上海大學》〔註 17〕，等等，述及了與上大相關的重要人物在上大的蹤跡及對上大的貢獻，這些內容可以作爲史料的一部分。

通過對上述著作及文章的概述，筆者發現對於上海大學還存有較大的研究空間。首先，從歷史研究的角度對於學校發展總體脈絡的梳理。討論這個大學的存在對當時社會的影響，相關的史實梳理清晰是首要部分。其次，關於上海大學的幾個問題可以深入研究。一是上大的教授及其在上大的理想，大的知識分子是影響一個時代的進程的重要因素，爲何當時諸多不同政治傾向的知識分子願意彙聚在上大？二是上大內的政黨爭鬥及其對上大的影響。在強調中共在上大的活動同時，不可以忽略國民黨在上大的活動。三上大的經費問題。這是一個串聯上大各階段活動的重要線索。

〔註 13〕上海大學學術通訊。

〔註 14〕孫傑：《鄧中夏和二十年代初的上海大學——紀念鄧中夏同志逝世五十五週年》，上海大學學報（社科版），1988 年第二期。

〔註 15〕盛祖繩：《二十年代初創時期的上海大學》，上海大學學報（社科版），1988 年第 2 期。

〔註 16〕王偉、史嘉秀：《二十年代的上海大學》，上海高教研究，1985 年第二期。

〔註 17〕趙守仁、陳豔軍：《于右任與上海大學》，遼寧師範大學學報（社科版），1997 年第 2 期。

在史實之外，史觀也需要改變。現有的資料多囿於傳統的革命史觀，非中共則爲反動分子。在分析 20 年代上大校園內的政黨和學運時，不必爲「英雄主義」分析的論調所束縛，應該從當時的社會變動中來分析上大中的各類矛盾和學校的運行。

3、研究思路與方法

因爲上海大學的存在時間較短，而且處於動亂的社會，有關上海大學完整的檔案資料現在已不可見。葉文心教授的書中使用的《上海大學檔》（現存於臺灣教育部的木柵資料室），因爲各種原因，筆者不可獲取這個資料。但是有關上大的資料，除了黃美眞、王家貴等人編著了兩本史料集以及中國幹部教育研究資料中有關上大的內容外，有關上大的資料零星散落於各種回憶錄、青運史資料集和革命史資料集以及報刊如《申報》、《民國日報》中。通過對檔案的搜集整理以及分析、統計，我整理出了上海大學的相關資料以及當時的國共兩黨以及與蘇俄的關係等相關資料。依據這些資料，再綜合對當時整個複雜的社會背景的考慮，探究 1922～1927 年間，這個學校如何生存與發展的，它的生存發展又如何體現當時的社會政治與經濟的。

一、因學潮而立：上大的建立

五四運動，學生的集體行動所取得的成功激勵了一代青年學生。學生的激進運動衝擊了原本就動蕩而脆弱的社會結構。在動蕩的社會中，對於「革命」基本都是肯定其「正當性」。對於政治的混亂，政府無能，許多人對革命充滿想像的嚮往。「革命」的動機不一定就是因爲「受壓迫」或「政治失意」。「革命」有時或許就是一種風氣，一種意願的表達，而很多人則將其視爲「幹革命」。雖然有不少人是通過書本或者其它方式被灌輸了革命及其可能性，對於革命「概念」和理論以及行動的方式有了深刻的認識後再付諸實踐的人卻是極少數。多數人不過是憑腦海中可能非常簡明的認識而立言和力行的。〔註1〕對於學得幾年書本知識的青年學生來說，「革命」帶來的變革或許可以給他們未卜的前程提供更多的機會。

讀書人與生俱來的擔當和責任感以及政黨的組織宣傳推動了「革命」的進行。能走出家庭離開家鄉去外省或者國外讀書的人並不多是受剝削的貧窮子弟。在嚮往革命的讀書人中，最積極活躍的還是廢科舉和城鄉疏離之後興起的邊緣知識青年。深受報刊宣傳廣告的影響，來到了上海這樣的大城市，學習和生活的現實與理想差距很大。「一個爲教育中心地點的北京，因鬧經費，常常罷課；素稱教育發達的廣東，因領不到薪資，也是關起門來了；一個與世界文化接觸最近的上海，雖未曾罷課，舉目一看，又何嘗能令人抱樂觀呢？各省青年底腦裏心裏，常時印著一個上海是求智識最好的地方，以爲一到上海，就可以進與他們相當的學校，滿足他們求知識的欲望，在家中苦

〔註1〕羅志田：《士變：20世紀上半葉中國讀書人的革命情懷》，收於專著《近代讀書人的思想世界與治學取向》，北京大學出版社，2009年，頁106。

苦的奮鬥，好容易如他們所講，哪知不到不可，一到簡直到了苦海，投進了愁城了。」〔註2〕上海的信息流通速度很快，很多青年學生中學畢業之後沒有出路，因爲報紙的宣傳來到上海想要繼續求學或者尋找就業的機會，來到上海之後卻發現，「好學校被資本家佔了去，一些騙人的學校騙得學生錢財後一走了之。」〔註3〕進城的這些學生面臨著理想與現實的困境。上海大學即是在這樣的背景下因私立的東南高等專科師範學校學潮改組而來。

1、東南高等專科師範學校的學潮

上海大學的前身，私立東南高等專科師範學校就是一個以名師爲幌子騙人的學校。〔註4〕該校創辦於 1922 年春，市儈文人王理堂（王公燮）藉學斂財，假陳獨秀、胡適之名，以「實驗男女同校」，提倡新文化爲號召，在上海閘北青雲路建立的這所「東南高等專科師範學校」。校長王理堂（安徽人）、校務長陳績武（河南人）、會計湯石庵（安徽人），當時從各地來的學生達到 160 人，安徽籍的學生占到半數以上。校舍設在閘北青島路（後改爲青雲路），極其簡陋，僅有五、六排坐西朝東的兩層民房，是名副其實的「弄堂大學」。該校設立了國文、英文及美術專修科和附中（初級中學），各科上有許多的課程，但實際上都是有名無實的。「無教師，即或有之，亦多不稱職」〔註5〕，是典型的「經營式的學店」。學生中不少是在「五四」運動中受到鍛鍊、被當地反動力量壓迫失學而來滬的。遇此情況，學生先是組織了學生會向學校當局交涉，無果。校長並未思索著如何去改善學校情況，反而帶著學生上繳的學膳費去日本留學，此舉激怒了學生。當時《申報》（1922 年 10 月 19 日）的對於東南高師的學潮的報導：

〔註2〕直清：我對於教育的感想，民國日報副刊《覺悟》，1922 年 10 月 5 日。

〔註3〕直清：我對於教育的感想，民國日報副刊《覺悟》，1922 年 10 月 5 日。

〔註4〕一九二二年春，有吳夢非等創設上海專科師範學校於閘北，延呂鳳子、王濟遠、汪仲山、李超士、仲子通等爲教授，專事培養中等學校圖畫、音樂和工藝的教員。但是此校校內不久發生風潮，舍監陳太漢（常熟東鄉人）率領一部分同學另組東南專科師範學校，內設文學與美術兩科。」此處是上大學生周啓新回憶，回憶有誤，吳夢非與豐子愷等於 1919 年創辦上海藝術專科師範學校，而非 1922 年。該校曾因經費問題而發生風潮，東南專科師範學校是因此次學潮從上海專科師範學校分離而來。但是東南專科師範學校和東南高等專科師範學校並非同一所學校。

〔註5〕程永言：《回憶上海大學》，1959 年 10 月，上海《黨史資料叢刊》1980 年第 2 輯。程永言曾是東南高等師範專科學校的學生，學潮時的十人團之一。

閘北寶興路東南高等專科師範學校，於昨日起罷課，其原因實緣於十五日午飯夾生，有少數學生主張罷飯，擲筷翻桌，聲勢洶湧。學生朱開白，因腹饑異常，未曾服從，眾加以非語。朱甚忿，事後即寫一紙條，黏於膳堂反映，詎此條揭發，該校學生周學文、孔慶仁、吳懷民等，邀集同學，以自治會名義，請求學校當局將朱某開除，否則即全體罷課，該校校長王理堂，以考察教育，逗留東京，代理者爲會務主任陳績武，未加允准，僅宣佈將朱某記大過二次。周等堅不允從，同時校中有趙吟秋、湯鏡明在前八時自治會中，起而反抗，周某等堅阻不許，稍加辯論，即生衝突，結果將湯鏡明毆傷，逃出校外，赴中國公立醫院醫治，校中其它同學，見此情形，知將釀成大禍，因往五區員警署報警，旋由該署派來武裝警察五名，當場彈壓，直至十二時始去。該校多數學生，因組織一學生維持會，監督周某等行動，周某等益加忿怒，又要求將趙吟秋開除，陳某不許，學生乃宣佈改造學校，請陳獨秀或于右任爲校長，令陳某將學校文具及經費交出，不許出校門一步，刻下風潮甚烈，正在相持中，已由學生維持會致電校長，請其即日回國，從事解決云。

據申報的報導，學潮爆發的導火線是因爲學生對食堂伙食的不滿，引起學生內部意見不一而引起的衝突。學生分成了兩派勢力，一部分是周學文、陳蔭楠、孔慶仁、陳子英、程永言等學生秘密組織的學生自治會，又稱十人團，另一部分則是部分學生組織的學生維持會，監督自治會的行動。學生自治會提出「決定改組學校，擬推翻前校長，迎接一個有革命聲望的人進來，辦一所革命的大學，使外地青年來滬求學有所問津。」〔註6〕以公開伙食賬目爲名，學生自治會召開全校大會，決定伙食自辦，宣佈驅逐校長，改組學校。當時校長人選有三人：陳獨秀、章太炎和于右任，學生對於這三人並不熟悉，只是慕名而已。此時正逢中國共產黨的第二次全國代表大會作出與國民黨內以孫中山爲首的革命民主派建立聯合戰線的決議。自治會的學生遂向中共尋求幫助，得知陳獨秀的行蹤不定，章太炎在蘇州消極，于右任住在上海黃河路大鐵濱，邵力子先生與于先生關係密切，中共負責人建議學生請國民黨要

〔註6〕程永言：《回憶上海大學》，1959年10月，上海《黨史資料叢刊》1980年第2輯。

人于右任來當校長。〔註7〕1922年10月20日，申報載：自治會開會，決議，改校名爲上海大學，請于右任爲校長，胡寄學爲教務主任，聞已由於君允許。……維持會聞之，深爲不服，即付江蘇省教育會……〔註8〕10月21日，罷課第三天，學生自治會與維持會雙方仍處於對峙局勢。此時學生自治會已經宣佈改造學校，清理經費問題。「惟所有經費，……非俟校長王公變回國後，不能爲徹底至解決。」「維持會方面以自治會一再逼迫，滋爲不滿，除已情願江蘇省教育會維持外，再電王校長，望其即日回國云。」〔註9〕「同學一百五六十人，均一一簽名書押，極端贊成改組」。東南高師的學潮，主張激進的學生自治會取得了勝利，開始了學校的改組。

2、學校改組：上大的建立

東南高師教職員和全體學生開會討論，一致決定變更學制，改名爲上海大學，力請于右任擔任校長。于右任起初覺得「改組大學，前途艱巨」。恰時，孫中山和一些國民黨人，因在軍事上和政治上屢遭失敗，開始將目光轉向文化教育事業，以圖培植人才，發展政治勢力。于右任深感培養人才之重要：「以思以兵救國，實志士仁人不得已而爲之；以學救人，效雖遲而功則遠」。〔註10〕上海原東南高師教職員陳東阜、陳藻青和學生代表二十餘人力邀于右任出任。〔註11〕在邵力子幫助和國民黨內的柏文蔚、柳亞子、楊杏佛、葉楚傖等人極力促駕下，于右任答應出任校長，並親自書寫了「上海大學」牌子。1922年10月23日，上海大學正式成立。在成立會上陳藻青致詞說：此次改組學校，可謂公理戰勝強權，于校長爲革命偉人，共和元勳，言論界之前驅，教育界之先進，敬爲本校前途表示歡迎。于右任認爲「念西哲互助主義，自動植物以致野蠻人類皆能互助，何況吾輩爲有文化之人，自當盡力之所能，輔助諸君，力謀學校之發展」。邵力子稱讚「諸君以革命精神，改造學校……上海學校林立，優少劣多，所謂劣者，即營業式之學校……現代青年病根在羨慕虛榮，騙錢學校亦即高等，或專門，或大學，諸君此次改組大學，只能視

〔註7〕茅盾：文學與政治的交錯——回憶錄（六），新文學史料，1980年，頁168。
〔註8〕申報：申報東南高專師校風潮續考，1922年10月20日。
〔註9〕申報：三紀東南高等專科師範學校之風潮，1922年10月21日。
〔註10〕屈新儒著：《關西儒魂：于右任別傳》，人民文學出版社，2002年，頁170。
〔註11〕《民國日報》，《上海大學歡迎校長》，1922年10月24日。

爲懸一大學之目標共赴之，萬不可遽自命爲大學學生。」〔註 12〕邵力子希望辦學者切切實實多求學問。

學潮的原因往往並不單純。〔註 13〕此次東南高師的學潮涉及到了對學校設施、食堂以及對校長的不滿，學生內部也有分歧和衝突。學生內部分爲兩派，各有支持者。當時的報刊《民國日報》和《申報》對此事都有報導，各有偏向。《民國日報》當時是由邵力子等人主辦，對激進學生傾向支持，《申報》則較爲全面的報導了此次學潮的進行。此次學潮值得關注的重點就是在於改組之後的學校後逐漸成爲國共兩黨合作到分裂的見證以及共產主義運動的興起。「在學界風潮激蕩的時候，公立院校校長往往要靠政界「名角」才能鎮住陣腳〔註 14〕；私立大學的設立更需要官僚政客的捧場。」〔註 15〕政界中人成爲學界的管理者，不可避免的將學校環境複雜化。上海大學的建立過程也是此潮流之一種表現。「政治流毒引入了學界，對學生的直接影響：遠則抱文憑主義作晉身之階，近則啓動了政治勢力進入校園之漸」。〔註 16〕上海大學改組完成之後，不僅于右任等國民黨員進入，共產黨等更多派別人物的加入，使得上大的環境尤爲複雜。

東南高師改組成上海大學後，學潮並未立即終止。因爲東南高師的校長王理堂一直未從日本回來。1923 年 1 月 7 日，《民國日報》還刊登了一篇啓事：《東南高等專科師範學生啓事》，稱：

敝校前因吃飯問題釀成巨大風潮，學生周學文、程嘉詠、汪越等被教員陳東阜等所利用……妄言改組，擾亂數旬，尤未平息。近日校中負責無人，

〔註 12〕《民國日報》，《上海大學歡迎校長》，1922 年 10 月 24 日。

〔註 13〕民國 8～17 年學運及學潮願因統計表：共 248 次中，反對新舊校長 99 次，占 39.91%，其次是學生不滿學校設施 37 次，占 14.91%。接下來依次序的事，反對政府及教育當局，經費以及收費問題，反對教職員。後面才是反對列強、學生衝突等。資料來源於呂芳上：《學生運動與運動學生》，中央研究院近代史研究所集刊，民國八十三年八月，頁 18～23。

〔註 14〕呂芳上：《學生運動與運動學生》，中央研究院近代史研究所集刊，民國八十三年八月（1994 年 8 月），頁 6，注釋中提及東南高等專科師範學校的風潮就是請國民黨人于右任擔任校長而平息的。

〔註 15〕呂芳上：《學生運動與運動學生》，中央研究院近代史研究所集刊，民國八十三年八月（1994 年 8 月），頁 6，作者統計了當時京滬兩地 25 校，校長與政界有關的達 18 校，眞正的教育家擔任校長的幾乎絕無僅有。

〔註 16〕呂芳上：《學生運動與運動學生》，中央研究院近代史研究所集刊，民國八十三年八月（1994 年 8 月），頁 6。

以至無形解體，幹等派代表一再向于右任先生請求繼續維持，于先生表示絕對不管，幹等爲求學前途計，迫不得已已於昨日（六日）歡迎舊創辦人入校，一切均恢復原形。

1922 年 1 月 18 日《民國日報》刊登上海大學學生委員會啓事則解釋了這一緣由，稱：王理堂（公燮）乘學校放寒假之後，突然率領流氓及被開除的學生到學校滋鬧。上海大學雖然已經邀請了于右任、邵力子等人來重新改組，但是從改組後直到 1923 年 1 月，上述啓事的刊登這段期間內，上海大學並沒有進行相應的改革，學校內的衝突沒有完全解決。後來王公燮因爲訴訟不佳，請律師與上海大學校長及學生委員會聲明脫離關係，請求和平解決，撤銷訟案，並答應將原東南高等師範所有校具和各種對象都歸上海大學所有。至此，學潮才算最終解決。1923 年 1 月後，于右任、邵力子等人才開始了學校的重組和改革。上海大學新的學期即將開始。

二、選擇上大：上大的教職員與學生

民國八年，北京八大高校索薪事件引起當時社會對政府的極大不滿。國立大學受政潮影響，經常呈現混亂，停滯狀態。此時私立大學一般比較穩定、紮實，對師生都不無吸引力。當時上海的一般私立大學，大多數由於下列客觀條件所促成：反對原學校，另起爐竈，創立新校；有政治理想或學術造就的人士創辦擴大影響，培養人才；失意文人政客糾結黨羽，開辦學校，伺機活動；私立大學學生來自富裕家庭者較多，洋場十里；舊社會偏重資格，進了大學混張文憑，對個人進身有利；私立學校招生錄取標準較低，往往降格以求。〔註1〕對應來看，上海大學是一個名副其實的私立學校，而且是一個「弄堂大學」。〔註2〕上海大學存在時間僅僅五年，即從1922～1927年，所謂「百年樹人」，作爲一個高等的學校來說，他存在的時間似乎並不能培養出多少聞名的教師和優秀的學生。上海大學的特殊之處就在於雖然是一個私立的學校，沒有固定的校舍和老師以及學生，但是上大的存在，許多不容忽視的行動和影響，值得我們去探討。

1、「青年導師」：上海大學的教職員

上海大學初建時，學校的教職員配置毫無疑問的是「豪華型」的。國民

〔註1〕歐元懷：《大夏校史紀要》，20世紀上海文史資料文庫（1），上海書店出版社，1999年，頁80。

〔註2〕雖然有黨辦和黨校之爭，但是毫無疑問，上海大學是一個私立的學校，並不是政府備案的國立院校。

黨人于右任擔任校長，共產黨人邵力子任副校長。于右任是從事政治活動的人物，不可能主持日常校務。於是他發動國民黨的力量共同辦學：請楊杏佛擬草上大招生簡章；延聘葉楚傖爲教務長（葉原來就是東南高專師校的教員），張君謀、何世禎、洪禹仇、陳德徵、楊明軒等人分別爲主任、會計等要職。一九二三年，于右任親自主持上大第一評議會，請孫中山爲名譽校董，蔡元培、汪精衛、李石曾、章太炎、張繼、馬寶山、張靜江、馬君武等二十人爲校董。陳獨秀因爲知名而且政黨色彩較重，沒有親自來到上大工作，但是他安排和籌劃了上大工作。如邀請陳望道來校任教，陳獨秀說「上大請你組織，你要什麼通知請開出來，請你負責。」一九二三年秋季陳望道到上大任教，擔任中國文學系主任。陳獨秀還先後把中共中央、中共上海地委和青年團中央的領導人安排到上大任教。李大釗推薦鄧中夏、瞿秋白分別於一九二三年四月、六月來到上大工作。上海大學的改組，眾多名人雲集，可謂人才濟濟。

表 1：上大的教職員及其所授課程

學系	姓名	入校年月	教授學科	備　　註
中國文學系	陳望道	1923 年秋季	文法、修辭學、美學	復旦大學教授
	邵力子	1923 年秋季	散文	復旦大學文學士、教授
	葉楚傖	1923 年春季	詩歌	民國日報主筆、復旦大學教授
	劉大白	1924 年春季	中國文學史	復旦大學教授
	田漢	1923 年秋季	文學概論、近代戲劇	少年中國學會會友、南國半月刊編輯
	俞平伯	1923 年秋季	詩歌、小說	北京大學文學士
	沈仲九	1923 年秋季	語體文	吳淞中國公學教員
	胡樸安	1924 年春季	文字學	吳淞中國公學及江蘇二師教員
	沈雁冰	1923 年 5 月	歐洲文學史，小說	商務印書館工作
	傅東華	1924 年春季	詩歌原理	前北師大教授
	瞿秋白	1923 年秋季	社會學	陸軍學院漢文系教授

學系	姓名	入校年月	教授學科	備　　註
中國文學系	周頌西	1923 年秋季	英文	曾任哈同大學及南洋女師教員
	曾傑	不詳	英文	
	馮子恭	不詳	英文	香港大學文學士、理學士
	火賁達	1924 年春季	英文	南洋大學經濟學士、遠東商業專門學校教授

表 2：上海的特色學科社會學系為例：

學系	姓名	入校年月	教授學科	備　　註
社會學系	瞿秋白	1923 年秋季	社會學、社會哲學	俄文專修館畢業，莫斯科東方大學助教。
	施存統	1923 年秋季	社會思想史、社會問題	浙江一師風潮後曾加入工讀互助團，曾投粵軍未成，後來到上大
	蔡和森	1923 年秋季	社會進化史	主辦中共中央機關刊物《嚮導》
	安體誠	1924 年春季	現代經濟學	現浙江法政專科學校教授
	周建人	不詳	生物哲學	前紹興師範學校、上海神州女學大學預科博物學、生物學教授
	張太雷	1925 年	講授國內外時事問題	俄國留學歸來
	李季	1925 年	英文	
	惲代英	1925 年	心理學	曾是少年中國學會會員
	蔣光赤	1925 年	英文	
	任弼時	1925 年	政治學	

資料來源：黃美眞，石源華等編：《上海大學史料》，復旦大學出版社，1984 年版，頁 51～54。統計的教師來到上大的時間集中於 1923～1924 年，後期進入上大的教職員暫時沒有列入内。

就表 1 和表 2 的內容，我們僅舉幾例作一討論，這批教職員有何特點？他們爲何會彙聚到上大呢？

首先，以浙江一師風潮中的幾位參與者爲例。五四時期省立浙江第一師範學校被視爲浙江的「北大」，是南方新文化運動的重要據點。「四大金剛」（陳望道、劉大白、夏丏尊和李次九）中，陳望道、劉大白在一師風潮中都是學生的支持者。劉大白學潮結束後，1920 年回到上海，參加《星期評論》、《民國日報》副刊的編輯工作，1921 年曾到沈定一主持的蕭山衙前小學任教，後來又到復旦大學和上海大學教書。陳望道離開一師後到家鄉義烏，開始翻譯《共產黨宣言》。1920 年 5 月參與上海《星期評論》編輯工作，並參與的共產黨的發起工作，編輯過《新青年》，1923 年到上海大學教書，擔任中國文學系的主任。

一師風潮的導火線就是由施存統發表在《浙江新潮》上的一篇文章「非孝」。「非孝」案後，施存統到北方參加了北京工讀互助團，互助團試驗失敗之後，1920 年 3 月到上海與《星期評論》的沈定一、戴季陶往來，參與中共的初創。施存統曾一度想投考陳炯明的粵軍，但是不成，赴日留學，開始熱衷於共產主義運動。1922 年被逐回國，任中共社會主義青年團書記，後來來到上海大學任教。浙江一師風潮時他還是個「激進」的學生，此時已經是上海大學的主力教師了。學潮時在杭州學生聯合會中相當活躍的之江大學的學生陳德徵，一師風潮先後在蘇州、蕪湖任中學教員，1923 年出任上大中學部主任。後來在上大的活動中非常活躍的楊之華，一師風潮時是浙江女師的學生，風潮後到沈定一創辦的衙前小學任教，參與當地的農民運動，失敗後轉往上海。後來進入上大學習，並繼續領導婦女運動。〔註 3〕

在一師風潮正發生時，上海《民國日報》從國民黨立場支持學潮，邵力子主編的《覺悟》、葉楚傖的社評和時論，用犀利的文字譏刺浙江省政當局，對一師學生行動鼓勵有加。浙江一師風潮之後，較多活躍分子走向政治。1919 年五四運動和上海六三運動，復旦大學是當時上海學生運動的中心。邵力子、陳望道、劉大白、葉楚傖等都是復旦的中學教師。

五四以後學生態度逐步激化，知識分子提出改造社會的新方案，但往往沒有結果，便會認爲社會改造與新舊問題的困境，只有由政治中尋求出路。五四以後，國民黨迎接新思潮，醞釀改組，積極吸收青年力量。1921 年成立的共產黨，剛成立時的主要成員也都是當時有名的知識分子。上海大學的建立，當年的學潮中心人物紛紛來到上大，可以看出，國共兩黨對培養人才的的重視，此外也可見當時逐漸激進的知識分子改造社會的想法。

〔註 3〕一師中活躍的學生宣中華、徐白民、唐公憲（後來都是上大的學生），分別加入了激進的政治組織和活動。

表3：上大部分教職員的生平和簡單經歷（入上大前）

姓名	祖籍	生　平	最高學歷	主要經歷（入上大前）
高語罕	安徽壽縣	1888～1948	早稻田大學、哥廷根大學	1920 年冬加入社會主義青年團，1923 年入中共，1925 年五卅後到上大
陳望道	浙江金華	1891～1977	留日，東洋大學、早稻田大學、中央大學學士	《共產黨宣言》首位全本中文譯者，浙江一師國文教員，中共發起人，1923 年進入上大，任文學系主任
楊賢江	浙江慈谿	1895～1931	浙江一師	「少年中國學會」評議員，1923 年入中共；教育思想
瞿秋白	江蘇常州	1895～1935	俄文專修館	1921 年在莫斯科東方大學任助教，同年加入中共，1923 年到上大擔任教務長和社會學系主任
鄧中夏	湖南宜章	1894～1933	北京大學文學系、哲學系	中共創始人之一，1923 年北大畢業，曾任勞動組合部書記，上大教務長，創辦《中國青年》
任弼時	湖南湘陰	1904～1950	東方勞動者大學即東方大學	1920 年加入社會主義青年團，1922 年入中共，1924 年在上大教俄語
惲代英	江蘇武進	1895～1931	武昌中華大學中國哲學	1921 年入中共，後來任國民黨上海執行部領導人；1923 年夏到上大任教
蕭楚女	湖北漢陽	1891～1927	武昌新民實業學校	1922 年加入中共，同年創辦重慶公學，後被取締
李季	湖南平江	1892～1967	北京大學英文系	1922 年法蘭克福大學經濟系，1924 東方大學。1925 任上海大學經濟系教授、社會學系系主任
蔣光慈	安徽金寨	1901～1931	莫斯科共產主義勞動大學	蕪湖學潮，1922 年入中共，1924 年進上大任教
沈澤民	浙江桐鄉	1900～1933	東京帝國大學	1921 年底平民女校任教；1923 年底進上大任教
沈雁冰	浙江桐鄉	1896～1981	北大預科畢業	1921 年即上海共產主義小組成員，後加入中共

姓名	祖籍	生　平	最高學歷	主要經歷（入上大前）
張秋人	浙江諸暨	1898～1928	寧波崇信中學畢業	1921 年加入社會主義青年團，1922 年加入中共
周越然	浙江吳興	1885～1946	南社社員	南社社員，曾任商務印書館函授學社副社長
施存統	浙江金華	1899～1970	浙江一師	1922 年青年團中央書記，1924 年到上大任教
李漢俊	湖北潛江	1890～1927	東京帝國大學	參與組織上海共產主義小組，編輯《新青年》，1924 年脫離中共，1926 年到上大
蔡和森	湖南湘鄉	1895～1931	長沙一師	「五四運動」後赴法國留學，接受共產主義，1921 年加入中共，主辦《嚮導》
邵力子	浙江紹興	1882～1967		早年留學日本，加入同盟會，創辦南社，參與組織共產主義小組，後加入中共，主持《民國日報》

資料來源：回憶錄及網絡資料。此處並沒有將上大所有教師的生平都總結，取了大部分當時比較有名的知識分子

劉再復認爲，在過去的百年間，中國的知識分子經歷了三大意識的覺醒，即 19 世紀末 20 世紀初的「民族——國家」意識的覺醒，「五四」時期的「人——個體」意識的覺醒，20～30 年代的「階級——國家」意識的覺醒。伴隨著最後的階級意識的覺醒，對階級鬥爭的崇拜以及對階級鬥爭的極端形式暴力革命的崇拜便形成了，結果人們爲了「國家的富強」付出了個人自由這一巨大的代價。〔註 4〕一些學者從近代以來知識分子的政治、社會地位的邊緣化來探討他們激進化的原因。張瀚認爲，除了文化思想方面的原因外，政治危機、文化危機（文化秩序的基礎即將崩潰）和知識分子的文化的、社會的狀況。比如報紙雜誌的發展，知識分子對社會和文化的影響力反而增大。還有知識分子精神的不平衡狀況，對現存的社會秩序和政治秩序充滿了不滿情

〔註 4〕劉再復：《在痛苦中找自己的路——百年來中國三大意識的覺醒及今天的課題》，1996 年 12 月 21 日（臺灣）《聯合報》，第 37 頁。轉引自陳映芳：《「青年」與中國的社會變遷》，社會科學文獻出版社，2007 年，頁 89。

緒。〔註 5〕陳映芳認爲，20 世紀 20～40 年代的整個歷史，一種激進化的趨向一直存在於青年之中。青年知識分子激進化，大致反映在以下三種現象中：馬克思主義的傳播和共產主義運動的興起，左翼文化運動的發展及其激進化，學生運動的激進化。〔註 6〕曾在新文化運動和五四運動中承擔組織者和參加者角色的年輕知識分子，到了 20 年代初期他們所接受的思想和經歷對他們人生的導向影響了青年學生。

二十年代活躍的學生，出生多半在一八九〇年代後期，年紀二十出頭。多數人對戊戌變法沒有印象，辛亥革命時正值十五、六歲，新文化運動時正就讀高等或中等學校。上大的教師多出生於 1890 年代後期，辛亥革命他們沒有直接參與過，而受到 1915～1919 年新文化運動和五四運動的影響很大。作爲當時的在校學生，受到五四學生運動浪潮的影響，在所在學校和地方都表現的較爲激進。他們其中大多數人有過留學經歷，以留學日本和俄國爲主。不可忽略的是，留學的經歷讓他們更能認識到國家的危難。其中還有大多數人曾有過辦教育的經歷。民初新式教育的革新，吸引很多人以圖教育救國。更明顯的是，他們都是國內較早的接受馬克思主義的人。參與了共產主義小組或者是共產主義青年團的創辦。綜合來說，這一批人可以看作是當時的「青年導師」。〔註 7〕一方面他們還是青年，但是他們的經歷使得他們對於社會問題和國家命運有著奮鬥的熱情。另一方面，他們是導師，他們比較熟悉青年人的心理，理解青年人心裏的彷徨和困苦。他們所接受的知識和參與激進運動以及留學的經歷對青年學生來說亦是一種嚮往。20 世紀 20 年代，中國年輕的知識分子們的思想較爲繁雜，除了傾向馬克思主義、無政府主義以及激進的民主主義之外，還有國家主義，國民黨所信奉的三民主義等思想存在。從上大教職員的組成中我們也可以看出這一特點。我們如何看待這些年輕知識分子在掌握了這些思想以後如何對學生及青年的激進行動產生影響？

〔註 5〕張瀚：《一條悲劇的道路——中國近百年來的革命思想道路》，1996 年 12 月 21 日（臺灣）《聯合報》，第 37 頁。轉引自陳映芳：《「青年」與中國的社會變遷》，社會科學文獻出版社，2007 年，頁 89。

〔註 6〕陳映芳：《「青年」與中國的社會變遷》，社會科學文獻出版社，2007 年，頁 84。

〔註 7〕所謂的青年導師的概念是受到陳映芳教授《「青年」與中國的社會變遷》一書的啓發。陳教授認爲這些人是五四後確立起來的「青年」角色的擔當者。他們一方面是青年，另一方面因爲其教育和參加運動的經歷，從而成爲青年學生的導師。

2、激進與信仰：上大的學生

我要投身在時代的狂瀾中，
我要投身於事變之中，
痛苦與歡樂，
失敗與成功，
變相更迭不爲動，
男兒事業一步也不能放鬆。〔註 8〕

上大未在北京政府立案，也就是俗稱的「野雞大學」或是「弄堂大學」。在其五年時間裏，前後學生共一千八百餘人，籍貫以江蘇、湖北、陝西、湖南、四川、安徽等省較多。見下表：

表 4：上大在五年時間裏前後學生人數表

系別 ＼ 畢業時間	1923 年	1924 年	1925 年	1926 年
美術系	10 人	10 人	15 人	停辦
中國文學系	21 人	12 人	54 人	59 人
英國文學系	22 人	30 人	13 人	25 人
社會學系	無	32 人	85 人	192 人

資料來源：上海檔案館所藏的《上海大學各系畢業生名單》（D10－1－42）

1、因爲美術系和文學系畢業學生是原東南高師的學生，而社會學系新辦，故 1923 年沒有畢業生；
2、美術系 1925 年學生畢業後不再招生了；
3、根據統計，中國文學系、英國文學系、社會學系以及美術學系的所有學生合計有 570 人（因爲有一頁紙丟失，據其它頁紙的情況推斷，學生數不超過 660 人）。這些學生是有正式學籍的。文中所稱的一千八百多人是包括了曾在上海大學旁聽課的同學和未在上大拿學位的學生。
4、具體的學生籍貫：中國文學系畢業的 187 人中，江蘇籍共 42 人，浙江籍 30 人，安徽籍 30 人，湖南籍 6 人，另有四川、河南、福建、山東、陝西等地；英國文學系：42 人，江蘇籍約 13 人，浙江籍約 7 人；社會學系：262 人，江蘇籍約 65 人，

〔註 8〕歌德：《浮士德》。引自李季：《我的生平》，上海亞東書局，民國 21 年 1 月初版，頁 204。

浙江籍約 21 人；美術系：共 46 人，安徽籍 15 人。資料來源：D10－1－41，上大文學系、英國文學系、美術系學生名單。(內有缺頁）人數和表格中有出入，還是因爲登記畢業的人數和後來恢復學籍時登記的人數的差異。

這些從外省市來的學生爲何會選擇上大呢？「上大的聲望地位……既不像國立大學畢業了可以圖一個出身之階，也不像教會大學畢業了可以謀一條出洋之路……」〔註 9〕然而上海大學創辦一年當中，有的學生是從偏僻省份趕來的，有的是從海外歸來的，有的是脫離有名大學（如北大）來的，有的情願不考別的有名大學而來考上大。上大的學生數從原來的 160 多名，到 1924 年得時候已經有 400 名。鄧中夏曾指出上大的宗旨是：「養成建國人才，促進文化事業」。他的文章中認爲學生爲了「建國」來投考上大。「建國」是一項需要付出的事業。綜合當時的社會環境和青年學生的出路，要瞭解學生選擇上大的原因，我們必須做具體的分析。

在政府無道，外強侵略逼迫的情勢下，青年學生此時是迷惘與痛苦的。《民國日報》副刊《覺悟》1922 年 9 月的諸多文章都反映了青年學生的這種迷惘。比如 1922 年 9 月 7 日，化名爲如音的讀者給邵力子的信：青年人的生活太煩悶了；1922 年 9 月 19 日，李猛濟論青年與政治：「現代青年，究竟應不應該干涉政治」；1922 年 9 月 26 日，假借新潮流的教育界敗類（新式教育的問題：男女平等等）；1922 年 9 月 28 日，一封來信說青年因爲辦教育而產生經濟問題而自殺，反映了當時青年群體中存在的婚姻、經濟問題等等。

「五四」運動之後，青年要求進步，「1921～1922 年，在江南地區發生多起校園不安定事件，大多數事件主要發生在初級中學，主要有兩個爆發的高峰。一個是新學期開始的 9～10 月，一個是期末考試後的 5～6 月。一年中的這些時間裏，校園環境是不安定和暴力的。學生很快就訴諸於暴力而不是屈從於教師權威或者課程指導者或是考試。」〔註 10〕很多學生要求找出路的心很切，很需要有人指點。當時上海一些進步報刊，經常答覆青年的一些問題，於是青年們就跑到上海來了。陳望道談社會主義青年團早期的情況時就提到，青年有的因鬧學潮離開學校，或不滿家庭包辦婚姻而逃出來了。但是雖

〔註 9〕鄧中夏：《上大的使命》，黃美眞等編《上海大學史料》，復旦大學出版社，1984 年，頁 182。

〔註 10〕Wen-Hsin Yeh, "The Alienated Academy: Culture and Politics in Republican China, 1919～1937" Harvard University Asia Center, 2000, p135.

然是到了理想中的上海，現實的殘酷卻一次次的擊碎青年人的夢想。「五四以後，學生已不是奴隸性的了，學潮底澎湃，確是近來教育界的好現象——雖然有些是不良分子多釀成的，但學校好了，怎會有不良分子？」〔註 11〕當時的社會思潮紛雜，學生受到不同思想的影響，學生彙聚到上海大學，思想方面表現的也是很複雜。上大最初的一批學生大部分是東南高等專科師範學校學生轉來的。而招錄的一批學生，來自於各地，成分不同，政治信仰亦不同，有屬共產黨者，有屬國民黨左派者，有屬國民黨右派者，有屬張東蓀系統解放與改造派者，有屬曾琦等國家醒獅派者，有屬無政府主義者。〔註 12〕可見當時學生內部的思想、信仰亦很複雜。

1918 年，14 歲的丁玲投考湖南省省立第二女子師範學校，「那時的師範學校由政府供給。學生大半是中產階級的子女，……只想有一個出路，可以當小學教員。」「有改造舊社會的一些朦朧的想法，但究竟該怎樣改，怎樣做都是沒有一定道路的。」〔註 13〕1922 年丁玲來到上海，進入上大平民女子學校學習，1923 年進入上大中國文學系做旁聽生。「我那時候的思想正是非常混亂的時候，有著極端反叛的情緒，盲目的曾傾向於社會革命，但因爲小資產積極的幻想，又疏遠了革命的隊伍，走入了孤獨的憤懣、掙扎和痛苦。」〔註 14〕

來到上大的學生大多數與丁玲的來上大之前的經歷相似，但是進入上大的想法卻有不同。比如後來成爲婦女運動領導人的鍾復光，她在家鄉組織學生自給會，與封建的家庭以及包辦婚姻抗爭，後離開家庭外出讀書，在中學期間讀到《新青年》、《社會主義文集》等書籍，覺得自己的思想得到了引領。她還給鄧中夏寫信，述說自己的煩惱和苦悶。後來經鄧中夏介紹進入上大社會學系學習。

一個好的學校不僅可以教授學生以知識，更能讓他們認識瞭解這個社會，畢業後可以有個好的出路。這是當時學生的主要想法。據周文在的回憶，爲什麼許多青年不遠千里到上海投考上海大學呢？就是因爲許多青年受五四運動的影響和《新青年》、《嚮導》的影響，不滿現實，要求改革，希望國家

〔註 11〕許金元：《敬告一般所謂教學者》，民國日報，1923 年 9 月 4 日。

〔註 12〕周啓新：《上海大學始末》，《文史資料選輯》，第 35 輯，頁 110。

〔註 13〕丁玲：《丁玲自述》，大象出版社，2006 年版，頁 49。她認爲上大是共產黨員的講習班，她不想入共產黨，所以後來離開了上大。

〔註 14〕王周生著：《丁玲——飛蛾撲火》，上海教育出版社，2004 年，頁 20。

富強、繁榮、昌盛；就個人前途來說，也希望有一個理想的職業。他後來考上上大附中。五四運動和《新青年》對各省青年學生影響很大，比較激進的學生被自己家鄉驅逐，來到上海，尋找一個可以施展自己抱負，畢業後可以尋得一份理想工作的學校。而上大相較於其它學校來說，門檻較低。這可以看作是上大吸引學生的一個重要原因。未進上大前（1926 年春天）薛尚實和同學談到學費問題，其同學陳志莘說，他有一位親戚在上海大學讀書，讀了一年書。書費至今還拖欠著，而且在這所學校裏學到了很多東西。我們就追問他上大究竟辦得怎樣？他說：「上大辦得好，是製造炸彈的！」這句話說得很新奇，我繼續問他這話的道理何在？他接著就解釋所謂製造炸彈就是培養革命幹部的意思。〔註 15〕

黃玠然和張崇文，原來在浙江法政專科學校讀書。受安體誠影響，接受了五四時期的新思想。一九二五年由支持上海的五卅運動轉入驅逐浙江教育廳長的運動。掀起了著名的「浙江風潮」。上海大學派代表團去慰問學潮情況，並請他們去上大讀書。他同張崇文、周澤等四人於一九二六年二月進上海大學。有的學生則是由於上海大學的一系列活動而來到上大的。姜長林原是松江小學的校長，受到一九二四年暑假上海大學舉辦夏令講學會的吸引，受侯紹裘的革命影響，慕上海大學的名氣，從松江小學到上海大學來學習。劉披雲原來在南方大學教書，一九二五年鬧學潮反對校長江亢虎，一九二五年下半年轉到上海大學讀書。「我在上海大學讀書是交學費不上課、取得學生代表資格的一名學生。」〔註 16〕

上大的學生基本都是外地的，這也是上大學生的一個突出特點，在後面章節中將要介紹到因爲外鄉人的這種身份，上大學生在運動時更爲激進。綜合上述原因，學生投考上大的原因可以歸結爲：一是學生自身因素，受激進運動的影響，學生紛紛離開家鄉，來到陌生的大城市，投歸一個好的學校，學習一門技能，回去還可以充當小學教員或者尋得一份理想的工作。可是來到上海後，國立的大學並不容易進去，而許多私立的大學高昂的學費也讓許多人望而卻步。私立的上海大學規章中規定的學費雖然也不低，但是由於可以緩交或者由教職員墊交學費。在同鄉同學之間，也起到了一個互相影響的

〔註 15〕 薛尚實：《回憶上海大學》，上海《文史資料選輯》，1978 年第 2 輯。

〔註 16〕 劉披雲同志的回憶，王家貴、蔡錫瑤等編：《上海大學（1922～1927）》，上海社會科學院出版社，1986 年，頁 91。

作用。比如上海大學四川同學的同學特別多，原因就是當時四川軍閥混戰的很厲害，農村經濟瀕臨破產，知識青年簡直沒有出路。到軍閥中去當政客，多數人不願意。青年人有一個革命的要求，由於受了「五四」運動的影響，都想尋求革命的道路，大家都往上海跑，一看上海大學是革命的學校，所以其它學校都不想進。都願進上海大學。而且上大也很容易進去，先問你的家庭出身、經歷、幹過什麼，越窮越苦的學生越要收，讀過中學，畢業和沒畢業的都要，有時候也考一下國文、歷史或寫兩篇文章。〔註 17〕所以第二個原因就是上海大學的入學門檻較低。上面也提到，越苦越窮的學生都要，畢業和沒畢業的也都要。並不需要經過嚴格的考試。雖然上大的規章中規定較爲嚴格。上海大學的學生是無所謂畢業不畢業的，「我在那裏學了約兩年，是學習時間最長的，有的同志學習時間很短，由於黨的工作需要就調走了。」〔註 18〕上大的學生流動性也很強。不可否認的是，上海大學的「革命」標簽對學生的吸引力。當時正值國共合作，不論是國民黨還是共產黨，都將學生作爲爭取的對象。鄧中夏和瞿秋白來到上大以後，對上大所進行了一系列的改革，在後文中也將敘述到的，他所設置的特色課程，聲稱培養「建國」人才，吸引了外省來的學生。

〔註 17〕陽翰笙同志回憶上海大學，王家貴、蔡錫瑤等編：《上海大學（1922～1927）》，上海社會科學院出版社，1986 年，頁 84。

〔註 18〕陽翰笙同志回憶上海大學，王家貴、蔡錫瑤等編：《上海大學（1922～1927）》，上海社會科學院出版社，1986 年，頁 82。

三、上大的運行及校內外的活動

1、課業與現實

(1)「把上大建成南方新文化運動的中心」:鄧中夏和瞿秋白的設想

鄧中夏當時是中國勞動組合書記部的書記，1923 年二七大罷工後，中國勞動組合書記部由北京遷往上海，鄧中夏隨書記部到上海之後，被中共調到上海大學主持工作，擔任總務長。鄧中夏到校後，主要著手解決三個問題：整頓教師隊伍、制定學校發展規劃和章程、改進教學方法。他首先解聘了原東南高等專科師範學校的學監唐筱汀和思想迂腐不稱職的教師多人，聘請了沈雁冰、陳望道、施存統、朱自清、田漢、俞平伯等進步學者到校任教。1923 年夏之後，瞿秋白、蔡和森、安體誠、惲代英、任弼時、張太雷、彭述之、周建人、胡樸安、劉大白、方光燾、豐子愷、黃葆戊等人也相繼到上大任教。著名學者和革命家聚集上海大學就是集中在鄧中夏來到上大之後的改革時期。至此，上大才眞正走上了大學發展之路。

除了聘請大量學者外，鄧中夏還爲上大制定了六年發展規劃，分三期進行，每期兩年，擴充大學部的社會科學院和文藝院，建造新校舍，創辦新科系。具體計劃是：第一期（1923 年秋到 1925 年夏）建造社會科學院、圖書館、學生宿舍、運動場，添辦社會學系及繪畫、俄國文學系等三個系；第二期（1925 年秋到 1927 年夏）建造文藝部、中學部、體育館和大會堂，添辦經濟學、政治學、史學及德國文學、音樂等五個系；第三期（1927 年秋至 1929 年夏）建造行政廳、教師宿舍、美術館，添辦法律系、哲學、心理教育學及法國文學、雕刻等五個系。〔註 1〕這個是上大發展的美好藍圖，只是結果並未遂人願，除了第一期的計劃得以部分實現外，其它的都未實現。

鄧中夏制定了《上海大學章程》。將「養成建國人才，促進文化事業」作爲上大的辦學宗旨。他認爲，上大師生「共同的意識和希望」是「建國」，而當時中國「唯一的出路」也是「建國」。……「全國中等以上學校總數達一千三百七十五所，大學專門總數達一百〇六所，……教會教育不用說是帝國主義的文化侵略，其目的在培植一班洋奴，……就是所謂的國立省立或公立的學校，他們教育的目的在哪裏：他們吃的教育飯只是吃的教育飯罷了。……其實並沒有指示學生一條應走的道路和一種應受的訓練。更可惡的，是他們……簡直把中國的學校替外國人造奴隸，……這眞是亡國的現象呵！」〔註 2〕鄧中夏強調「建國」意欲反對帝國主義的文化侵略，不失中國教育的內涵。師生要擔起救國重任。《上海大學章程》還規定了上大的體制，有關校長、校董會、行政委員會等的設置以及權責等。學部的組織、教育方針、各科教學大綱以及成績考察等具體規則，也作了詳細而具體的固定，明確了各部門和教職人員的職責範圍。另外，鄧中夏還制定了《行政委員會細則》、《學務處細則》、《校務處細則》和《圖書館細則》。這些具體細則的頒佈表明學校的體制完成了重大的改革，開始走上了正規學校發展的道路。

上海大學改組之初，原設文學和美術兩科。文學科分國文和英文兩組，美術科分圖音和圖工兩組，並設普通班。1923 年秋季開學時，改國文組爲中國文學系，英文組爲英國文學系，增加社會學系，美術科照舊，附設之普通班改爲中學部。鄧中夏根據六年發展的規劃，創辦了社會學系，聘請瞿秋白任主任。瞿秋白在《現代中國所當有的「上海大學」》〔註 3〕中提出：切實社會科學的研究及形成新文藝的系統——這兩件事便是當有的「上海大學」之職任，亦就是「上海大學」所當有的理由。瞿秋白設定的院系設置的計劃包括：

〔註 1〕黃美眞、石源華、張雲編著：《上海大學史料》，復旦大學出版社，1984 年，頁 46。

〔註 2〕鄧中夏：《上大的使命》，《上海大學周刊》第一期，1924 年 5 月 4 日。轉引自黃美眞、石源華、張雲編著：《上海大學史料》，復旦大學出版社，1984 年，頁 181。

〔註 3〕瞿秋白 1923 年 7 月到上海大學擔任教務。1923 年 7 月 23 日在《民國日報》副刊《覺悟》上發表此文。詳細闡述了上大的院系設置的目標和細則。

（一）社會科學院：

社會學系

經濟學系

政治學系

法律學系

哲學系

史學系。

（二）文藝院

1、文學系：

中國文學系

英文系

俄文系

法文系

德文系

2、藝術系：

繪畫系

音樂系

雕刻系。

社會學系、中國文學系和英國文學系三系最早開辦。瞿秋白著重闡釋了創辦上海大學社會學系的目標。「社會學系是幼稚的科學，我們現代的中國居然能創一學系，這是很難能的事。」19 世紀末 20 世紀初，社會學和社會心理學相混，即所謂社會心理學。1915 年，在當時社會學最盛的美國，還沒有明晰的社會學材料，「一切雜七搭八無所歸的東西都推入社會學」。直到一戰後，社會學才成爲一個系統。在中國，最早開設社會學課程的是教會大學，如上海聖約翰大學。最早系統的發展社會學這門學科的，則是滬江大學（原名上海浸會大學）。滬江大學於 1914 年成立社會學系，只開設了一門社會學課程，即進化論。教師是畢業於美國布朗大學的教授葛學溥，所用教材是布朗大學教授詹姆斯・狄利（James Q.Dealey）參照美國社會學家沃德（Lester F. Wand）的《應用社會學》。1915 年，社會學改爲社會科學系，課程增加了人類學、社會學、社會制度、社會病理學及社會調查。葛學溥指導學生在楊樹浦地區進行調查。直到 1921 年滬江大學才建立了較爲系統、完整的社會學系。除此之外，中國大學裏設立社會學系影響較大的是燕京大學社會學系。

燕京大學社會學系成立於 1922 年，由美國普林斯頓大學駐華同學會步濟時（J.S.Burgese）、艾德敷（D.W.Edwards）倡議發起，並得到普林斯頓大學基金會的讚助，是繼滬江大學（1913）、廈門大學（1921）社會學系之後在中國誕生的第三個社會學系。〔註 4〕燕京大學社會學系成立之時，步濟時自任系主任，聘請 6 名美國教師任教，其中，專任教師 1 人。社會學系開設了宗教學、社會工作、社會調查等十幾門課程。教材均是英文版的美國教材。他們在教學上側重於爲教會服務，不大注重理論和學術研究，男女青年會、慈善機構等成爲學生重要的學習場所。總的來說，當時社會學系的培養目標是爲西方教會在中國設立的社會團體及社會福利機構培訓社會服務人才。〔註 5〕滬江大學和燕京大學社會學系的主要課程和所進行的社會調查，都是從基督教社會服務的觀點出發的。由此可以看出，20 年代初期社會學在中國，主要是美國傳教士來任教和主持工作。他們中雖不乏思想開明，富於理想與獻身精神之人，他們在工廠區所作的社會調查也有助於瞭解民眾疾苦，並爲他們提供幫助。但是傳教士的身份決定了他們的目的，他們是從基督教出發在中國傳播宗教價値觀，爲教會服務。

相較於此，上海大學的社會學系的創辦設想和滬江、燕京大學的顯然不同。瞿秋白認爲「社會學之系統，當定於其能抽象研究一切人類社會現象的公律之時；我們現在當然已可不偏於那敘述的社會學，亦並不遺忘它（社會進化史及社會學史）；然而必以一有系統的爲基礎，方能眞正的各方面之比較研究。研究之最後期，並當以此社會學的方法整理中國史料（所謂「乙部」的國故——直至於志書等），以期切於實際。」瞿秋白所設想的社會學系的最終目的是可以用社會學的方法整理中國的史料，可見其所設想的，更確切來說應該是社會科學。用科學的研究方法研究中國的文化。「在社會上，近年來，各大學中，社會系——是很時髦的一種學科，於是不少學生紛紛選這門科學研究……上海大學中的社會學教授，都是社會學研究者。他們將自己編的講

〔註 4〕鄭杭生著：中國社會學史新編，高等教育出版社，2000 年。

〔註 5〕《教會大學中國籍教師與中國近代大學的學科建設——以燕京大學社會學系爲個案》，田正平、劉保兄，陝西師範大學學報（哲學社會科學版），2007 年，第 36 卷，第 2 期。

義授給學生，這比較那些用外國人教英文本的社會學，畢竟誰切合些呢？」〔註6〕施蟄存從社會學系同學的口中聽到：「我們研究我們的社會學知識，參考外國的社會學學說，預備實用於中國社會。」

瞿秋白設置上大課程想要達到的目標：將社會自然原則和語言、文化問題連接起來。近代中國迎受所謂的「西方文明」的順序：首先是軍事技術交通技術，進而至自然科學數理科學，再進而至社會科學……中國模仿浮泛表面的軍事技術、政治制度，不得不求社會科學的原理。中國也有傳統的政治組織，卻沒有眞正的社會科學，連相當的術語也沒有製造出來。西方的資本主義損壞了中國的語言文化，外國的詞組語句和相關的繪畫主題扭曲了中國的文學和藝術表達。中國舊式的文化生活漸次崩壞，文學藝術方面發生許多新要求，如個性的發展，學術的民眾化等。瞿秋白認爲中國文藝之中「外國貨」的容納取受，並不是「國粹淪喪，文化墜絕」之表徵，而卻是中國文化命運之轉機，中國新文化生活（復生）的端倪。〔註7〕中國自從「文學革命」以來，文學之中，當然已開始一新時期。此種新文學運動正在漸次集中形成一系統之時；然這不過指文字學方面而言。……然而學術上能助文學家的（大學教育的職任）卻多半在於文字學（或言語學，更廣泛言之及「語言文字的科學」）。文字學不但能助文學，並能助社會科學自然科學——如「語族」與人種學的關係，金石考據與歷史學的關係。値此白話代文言而興的時代，整理中國舊有的這種科學，是大學的重任。

若按照鄧中夏、瞿秋白等人所設想那樣去發展上海大學，或許在 20 世紀 20 年代的上海會出現一個新的文化中心。從他們的設想中可以看出，知識分子在向學習西方思潮的過程中還是意識到了中國傳統文化的重要性。學習西方的各類社會理論的目的也是爲了改造舊有的中國傳統文化。正如瞿秋白給胡適的信中所說：「我和平伯（俞平伯）想把上大建成南方新文化運動的中心」。

（2）上大的課業設置

上大的課程設置中，學制是四年。社會學系也一樣，四個學年開設的學科主要有：社會學、社會運動史、社會進化史、生物哲學、社會思想史、政

〔註 6〕施蟄存：《上海大學的精神》，《民國日報》副刊《覺悟》，1923 年 10 月 23 日。

〔註 7〕瞿秋白：《現代中國所當有的「上海大學」》，《瞿秋白文集》政治理論編，第二卷，人民出版社，1988 年，頁 130。

治史、社會問題等。有的課程是四個學年都開設的，但是學習的程度不同，學習的內容也隨之提升。比如社會學，第四學年就是社會學——中國史料研究。再如社會問題，分爲社會問題通論及勞動、農民、婦女及其它。另外，每個學年還需要修讀兩門外國語課程。上述內容是必修內容。上大的社會學系還設置了選修課程：現代政治、哲學概論、哲學史大綱、心理學、倫理學及科學方法論、中國史、生物學等。課程內容可謂是豐富，涉及到政治、社會、思想、經濟等各個方面。上大和其它大學不同，沒有設置數學、物理、化學等不實用的科目。瞿秋白設計的社會學課程強調兩個方面：其一是一般的社會科學理論和西方的社會運動的歷史；其二是學生需要去瞭解現代社會問題和學習中國社會歷史。〔註8〕

文學系的課程大類有：語音學（音韻）、字形學（形體）、語原學或字典學（訓詁）、字法、句法、敘述的言語學（普通文法）、歷史的言語學（小學考證）、比較的言語學（外國文中研究「語族」等問題）。具體的課程分中國文學系、英國文學系和俄文系，中國文學系所開設的課程除古詩選、國文名著、國語文選、中國文學史、日本文學史、歐洲文學史、小說、文學概論、修辭學、文字學、古書校讀法等專業課外，同時開設社會學、倫理學（即邏輯學）、社會心理學、科學方法論、社會進化論、中國哲學史、美學等課程。再如英國文學系，不僅開設散文、小說、演說、高等文法、語音學、文字學、修辭學、英國文學史、詩歌、戲劇、文學批評、歐洲文學史等專業課，還開設包括現代政治、藝術史、經濟學概論、社會進化史、社會思想史、哲學概論、法律、教育學、新聞學等等選修課程。上大還開設了英、德、俄、日四種外文，要求每個學生至少掌握兩門外文。文學系與英俄兩系設置共同講座制。〔註9〕

上列社會學系、文學系（英俄）的課程，都設置有「當代政治」的選修課，——其實是每星期一次的自由討論研究的集合，各系共同的。學生亦可以組織其它的研究會，與此同樣請一導師，擔任分配材料及題目，講解答辯。這種「研究會」的制度，有幾種好處：（一）不是搬著死教科書背的；（二）

〔註8〕Wen-Hsin Yeh: "The Alienated Academy: Culture and Politics in Republican China, 1919～1937", Harvard University Asia Center, 2000, P153.

〔註9〕共同講座制是以中文講課。瞿秋白表明設置共同講座制的理由是：教員可以和學生共同用出一種優美的中國的「科學的用語」出來，不致因用外國文教科書而助長彼此之依賴性。

學生自動的以其現在所知科學方法應用到實際生活中去；（三）全校學生共同一堂可以鍛鍊青年的「集合意識」；（四）不是「書房裏的」少爺生活，而是社會裏的公民生活。〔註10〕至於課目上特定「現代政治」，而不及其它的「研究會」，乃是因爲人是政治的動物，最迫切最普遍的，——其它的問題比不及他。「人人不一定是詩人，做一個『公民』卻是你應當的。」（shanghai people's college）上海大學，這裏的 people 就意爲培養公民的大學。

社會學系是上大的特色學科，是學生們積極投考的科系。這與社會學系所設置的課程呼應了青年學生瞭解中國政治現狀及參與政治的需求是分不開的。而當時在上大的較爲激進的教師如瞿秋白、鄧中夏、施存統、蔡和森也主要是在社會學系任教。他們的個人革命影響也是吸引學生的重要因素。蔡和森擔任的主課是《社會進化史》，講義後來出版了。他講的社會進化，實質上全是社會發展史。例如他闡述了恩格斯的名著《勞動在從猿到人轉變過程中的作用》，並且多次引證《家庭、私有制和國家的起源》（上述兩書當時還沒有中譯本）中有關章節。「講到關鍵章節的時候，和森同志會旁徵博引，講到從猿到人，首先是由於四肢分工，兩隻手經常勞動影響了大腦和身體的發達與變化。他指出恩格斯曾說明，手的發展變化是由生理上的『生長相關律』所起的作用。闡述了『生長相關律』的科學原理……講五種生產方式……」〔註11〕這些知識在當時來說是新鮮的，受到學生們的歡迎。

從上述課程設置可以看出，課程所期望提供的是當時較爲新鮮的知識和理論，讓學生能夠對現代中國的文化有所瞭解。西方社會科學的理論學習有助於學生瞭解過去、現在的中國的社會經濟政治結構，以及中國與外面世界的關係。這對形成革命行動的框架有非常重要的作用。而文學系課程的設置，意圖在於整理中國傳統文化，在面臨外來文化侵襲時，可以利用中國傳統的文化以形成科學的課程，來抵禦西方文化的滲透。這也反映了新文化運動之後，面對中西文化，知識分子逐漸清晰，認識到了傳統文化的重要性。

前面已經討論到，不論是自願走出來，還是被迫離開，投入上大的學生都是外省人，而且其中多數是激進的，因其激進的政治和反傳統的觀點，被

〔註10〕瞿秋白：《現代中國所當有的「上海大學」》，《瞿秋白文集》政治理論編，第二卷，人民出版社，1988年，頁130。

〔註11〕胡允恭：《創辦上海大學和傳播馬克思主義——蔡和森同志革命鬥爭的一件大事》，《回憶蔡和森》，人民出版社1980年第三版，頁89。

家鄉所驅逐出來。在大都市，他們的身份是漂泊者。在這個都市裏他們要掌握什麼樣的知識和技能才能爲他們帶來「權力」呢？英文是當時上海學校必開的課程，也是爲了適應上海的商業發展的需求，爲了畢業後能尋得一份不錯的生計。上大的專門部可以隨時增設社會所需之各種專科（如美術、英數、新聞等）程度與舊制高等專門學校相等。〔註 12〕這些學科的設置目的就是爲了學生畢業之後可以謀得一份不錯的職業。有關政治史、生物進化理論、經濟理論、社會運動等理論雖然不是剛剛傳入中國，但是在學校中開設課程來講授的，上大是走在了前列。許多從外省來的青年，在上海的資產階級輝煌和殖民權力的陰影下艱難的維持生活，心懷不滿的知識分子生活在一些不安定的地方，如工廠區後面的小巷裏。他們對自己的生活無法尋求精神上的自我理解而苦惱。施存統等講授的關於貧困和現存秩序缺乏道德立法的討論吸引了這些人。〔註 13〕瞿秋白等上大領導者所設立的課程，他們所作的努力是爲了讓這些遠離家鄉的外鄉人更多的話語權力。上大與其它大學的區別就在於此。社會學系也成爲了上大的特色學科。

除了正常的課程設置外，學校的文化活動也是非常豐富的。一個「弄堂大學」卻是彙聚了大批當時的社會知名人士來校做演講。

表 5：上大社會知名人士演講

時　間	人　物	演講內容
1923.4.1	張溥泉	
1923.4.16	李大釗	演化與進步
1923.5.15	馬君武	國計民生政策
1923.12.2	章太炎	中國語音系統
1924.3.14	戴季陶	東方問題與世界問題
1924.3.22	吳稚暉	
1924.4.4	惲代英	中俄交涉破裂原因

〔註 12〕《上海大學章程》，引自黃美眞、石源華、張雲編：《上海大學史料》，復旦大學出版社，1984 年，頁 63。

〔註 13〕葉文心教授認爲，這些外省來的知識青年，在上海追求社會理論知識是被政治行爲的壓力所驅使以及社會主義烏托邦的想像的需要。根源還是在於經濟的困苦，社會地位的低下。

時　間	人　物	演講內容
1924.4.4	沈澤民	歐洲形勢與東方民族之關係
1924.4.17	劉仁靜	
1924.4.20	胡漢民	
1925.4.18	楊杏佛	從社會方面觀察中國政治之前途
1925.4.21	惲代英	中國民生問題
1925.5.11	華德博士	社會科學及社會問題

資料來源：錢偉長編：《上大講演錄（1922～1927）》，上海大學出版社，2009 年。

此外上海大學還舉辦了特別講座：

據 1923 年 11 月 10 日，《民國日報》載，邀請馬君武：一元哲學（二續）、李大釗先生：史學概論、胡適之先生：科學與人生觀（一次講完）。這些講座對外面也都是開放的。由於有名知識分子的影響，上海大學一時吸引了很多學生。

此外，1924 年 7 月～8 月，上海大學組織了八周的夏令講習所。不僅陳望道、邵力子、瞿秋白、施存統、何世禎等上大的教職員擔任了講師，吳稚暉、戴季陶、胡愈之、汪精衛等等當時的社會名流都被邀請為授課講師。夏令講習所所授課程非常豐富，涉及到社會政治、法律、哲學、經濟學、語言學等，還開設了關於勞動問題、青年問題、農民問題、進化論等等課程。〔註 14〕

表 6：夏令講學會（1924 年 7 月 6 日～8 月 31 日）

時　間	講　師	科　目	時　間	講　師	科　目
第一星期	何世禎	全民政治	第五星期	張廷灝	合作概論
	邵力子	中國憲法史		毛飛	消費合作
	瞿秋白	社會科學概論		許紹棣	農業合作
	董亦湘	人生哲學		張廷灝	合作史概論
	施存統	社會進化史		阮永釗	心理學概論

〔註 14〕關於夏令講學會的具體內容可見：黃美真、石源華等編：《上海大學史料》，復旦大學出版社，1984 年，頁 106～108。

時　間	講　師	科　目
第一星期	瞿秋白	新經濟政策
	陳望道	婦女問題
	陳望道	美學概論
第二星期	戴季陶	三民主義
	葉楚傖	中國外交史
	沈玄廬	外交問題
	董亦湘	唯物史觀
	李春蕃	帝國主義
第三星期	李權時	租稅原理
	安體誠	經濟思想史
	楊賢江	教育問題
	吳稚暉	注音字母
	胡愈之	世界語
第四星期	施存統	勞動問題概論
	蕭楚女	中國農民問題
	鄧安石	中國勞工問題
	陳濤	工會論
	劉伯倫	各國勞動狀況
	楊賢江	青年問題
第五星期	張子石	商業常識
	張子石	國內匯總
	鄒安眾	簿記
	淩瑞拱	商業政策略史
第六星期	周建人	進化論
	韓覺民	科學方法論
	繆斌	無線電概論
	高野	抵抗治療法
	董翼孫	夏令衛生
	何世禎	訴訟常識
第七星期	惲代英	中國政治經濟狀況
	左舜生	中國近世史
	沈澤民	世界近世史
	何世禎	比較政治
	何世禎	民刑法概略
第八星期	汪精衛	中國革命史
	李權時	中國財政問題
	陳承蔭	俄國革命史
	葉楚傖	中國小說史
	沈雁冰	近代文學
	田漢	近代戲劇

資料來源：黃美眞、石源華、張雲編：上海大學史料：發起組織夏令講學會

（3）有違初衷：理想與現實

上大教職員和管理者將上大設想成一個在革命鬥爭中傳播新鮮理論知識內容的大學，設想學生從中認識到中國社會的現狀，將眼光放在國家、社會視野中，而不是簡單的激進的革命行動者。爲了保證教學的效果。上大制定了嚴格的學分制和學業考覈標準。學生以每周上課 1 小時或者實習 2 小時，歷時一個學期爲 1 學分，修滿 140 學分併經考試合格者方能畢業。上大的考試分臨時考、學期考及畢業考三種。各科目百分之六十爲及格，百分之四十以上准許複考。本校各班前三名畢業生，獎勵書籍。若學生對某一門課程有特別心得，見之著述者，經成績審查文員會審查合格可以發給榮譽證書。凡論文、辯論、演說、體育有優良成績者，給予相當獎品。這些榮譽、讚賞和獎勵都是爲了考試成績優秀者而設置的，而不是爲走上街頭的激進學生而設。〔註 15〕

上大的課程設置受到了學生們的歡迎，從學生的回憶中可以看的出來，學生對於教師的回憶主要是對其所授課程的讚賞和個人授課風格的肯定。如薛尚實的回憶社會學系的課程：

> 社會科學系的課程有：社會科學、社會進化史、馬克思主義、哲學、政治經濟學等，此外還要選修一門到兩門外文。
>
> 社會科學的講義：原是安體誠編的《社會科學講義》；施存統（施復亮）主講時，自編了一套講義，內容有社會科學史，從第一國際到第三國際等。
>
> 哲學：蕭樸主講辯證唯物論……
>
> 馬克思主義：按照《馬克思及其生平著作和學說》一書講解，此書後作序出版，改名爲《馬克思傳》……
>
> 政治經濟學的課本是德國博洽德著的《通俗資本論》譯本……
>
> 馬義和政治經濟學由李季主講，書由其編譯，上海書店印刷發行，系裏同學差不多人手一冊
>
> 社會進化史是蔡和森著的《社會進化史》爲課本，李俊主講……〔註 16〕

〔註 15〕 Wen-Hsin Yeh: “The Alienated Academy: Culture and Politics in Republican China, 1919～1937”, Harvard University Asia Center, 2000, p156.

〔註 16〕 薛尚實：《回憶上海大學》，上海《文史資料選輯》，1978 年第 2 輯。

上大的社會學系主要是學習馬列主義經典著作。〔註17〕如《社會哲學》和《社會科學概論》，主要內容就是階級鬥爭和馬列主義；《社會進化史》是恩格斯的社會進化理論。〔註18〕不止在課堂上，在課下學生閱讀的也多是此類著作。

> 我們上課的時間少，而在課外看參考書的時間多。當時在上大，自覺認眞讀書，提出問題，討論問題，成爲一種風氣。我在一九二六年，讀了李達著的《新社會學》、蔡和森著的《社會進化史》、漆樹芬著的《帝國主義鐵蹄下的中國》、熊得山的《科學社會主義》、安體誠的《社會科學十講》、《馬克思傳》、《通俗資本論》也讀了。還有許多小冊子。〔註19〕

李大釗教授的課程是「社會主義釋疑」和「歷史學」，「今天講社會主義課程似乎早了一些，必須先要你們瞭解當前我國所處的情況，那就是外有帝國主義瘋狂的侵略，內有封建軍閥連年混戰，我們國家處在危急存亡之秋，人民陷入水深火熱之中，在這樣情況下，非革命不能救國，非社會主義不能建國。」〔註20〕上大的特色之一就是教授上課的風格，生動活潑，關注社會現狀，直擊學生的內心。李大釗的學者風範和名望，吸引學生，講課時座無虛席；瞿秋白講課時引證豐富的中外古今故事，將理論和當下的實際鬥爭相結合。在馬克思紀念會上高唱《國際歌》，革命激情深深打動學生；惲代英和蕭楚女講課富有煽動性，分析問題生動詼諧，深受學生喜歡；張太雷講課論及中美大學生思想、志趣之不同，說上大雖爲弄堂大學，學生們卻思想新穎，立志爲革命作出貢獻，而美國哈佛大學較上大大幾百倍，但學生大都渾渾噩噩，毫無生氣，只想畢業後多賺幾個錢；課堂上張太雷也鼓勵學生熱烈討論，啓發同學積極爭辯；任弼時從莫斯科東方大學畢業後來到上大，時年20歲，教授俄語，以親身經歷向學生介紹蘇俄情況，頗受歡迎……〔註21〕薛尚實回憶教師的授課風格：

〔註17〕陽翰笙：《回憶上海大學》，王家貴、蔡錫瑤編著：《上海大學（1922～1927）》，上海社會科學院出版社，1986年，頁80。

〔註18〕錢偉長編：《上大講演錄（1922～1927）》，上海大學出版社，2009年。書中收錄的是1922～1927年不同人物在上大的演講，有的演講後來作爲講義出版了。

〔註19〕薛尚實：《回憶上海大學》，上海《文史資料選輯》，1978年第2輯。

〔註20〕劉昶：《上海大學社會學系早期的教授們》，社會，1999年02期。作者1927年在上大社會學系畢業。

〔註21〕張元隆：《上海大學與現代名人（1922～1927）》，上海大學出版社，2011年版，資料整理自附錄三：上海大學教壇擷趣，頁248～250。

蕭樸先生上課的風格：上課前在黑板寫（1）階級與非階級；（2）唯物與唯心；（3）功利與非功利。題目新鮮……講完一個問題還歸納一下重複講，回答學生的問題……認眞負責……講完三個問題後，又復述下上課的內容，指出一些參考書，……能針對學生所提問題兩相結合起來……

馬克思主義和政治經濟學兩門課主講者（李季）是剛從德國留學回來的，沒有實際工作經驗，而和同學們得思想情況聯繫不好，聽起來就不親切。

擔任別的課程的老師，也不是照書本死講，都還能照同門們的水平和要求來講授，否則同學們就不歡迎。〔註 22〕

上大的教授們可能沒有預料到的是，上大社會學系的教材不僅推動了馬克思主義在中國的傳播，在當時社會學頗受推崇的情況下，這些講義還成爲了大學考試科目的理想選擇，所以備受出版商的推崇。〔註 23〕教材印刷的收入也是教師收入的重要補給。如 1923 年，李大釗給胡適的信：「蔡和森君所著《俄國社會革命史》，「世界叢書」可否納入？和森很窮，專待以此糊口，務望吾兄玉成之。」但是可惜最終未出版。〔註 24〕施存統的《社會科學的研究》是當時頗受追捧的一部著作。《民國日報》上經常見到上大社會科學會編輯的《社會科學講義》的廣告。講義包括瞿秋白的《現代社會學》和《社會哲學概論》，施存統的《社會思想史》、《社會運動史》和《社會問題》，安體誠的《現代經濟學》等，1924 年由上海書店出版。另外還有一些著作和講演及發表於報刊的，如蔡和森的《社會進化史》，李大釗的《社會主義釋疑》，鄧中夏的《中國勞工問題》，惲代英的《中國政治經濟狀況》，蕭楚女的《中國農民問題》、《外交問題》，董亦湘的《唯物史觀》、《民族革命講演大綱》，楊賢江的《青年問題》等等。進步青年需要從這些書目中瞭解關於勞工、農

〔註 22〕薛尚實：《回憶上海大學》，上海《文史資料選輯》，1978 年第 2 輯。

〔註 23〕一份上海平凡書店的廣告書單上列有當時印刷的書目：社會科學大綱、社會問題大綱、社會主義大綱、唯物主義大綱、世界社會史綱、社會運動全史、社會思想全史、中國社會思想史、社會進化鐵則、社會主義的基礎、社會主義倫理學、社會主義社會學、社會主義中國史等等。這些多是上海大學社會學系的講義。引自 Wen-Hsin Yeh: "The Alienated Academy: Culture and Politics in Republican China, 1919～1937", Harvard University Asia Center, 2000, p158.

〔註 24〕李大釗給胡適的 2 封信，上海《書林》，1980 年第 3 期。

民、婦女、國家主義以及社會政治和社會主義等問題。講義通過印刷，其影響不局限在上大學校內，也逐漸傳播到上海及其它地區。李維漢 1924 年在湖南讀到瞿秋白等編的《社會科學講義》，「這個講義對馬克思主義的歷史唯物主義作了比較系統的介紹和闡述。正好這時湖南有個專門學校要我教社會學，我就用這份講義去講，很受學生們的歡迎。」〔註 25〕

共產主義思想剛傳入中國，當時眞正懂得馬克思主義的學者並不多。瞿秋白可謂是當時首先介紹馬克思主義的「領頭者和理論家」。但是，瞿秋白在《多餘的話》中提到，在當時他本人對於馬克思主義的理論卻並不是十分的瞭解：

> 馬克思主義的主要部分：唯物論的哲學，唯物史觀——階級鬥爭的理論，以及經濟政治學，我都沒有系統的研究過。《資本論》——我根本就沒有讀過，尤其對於經濟學我沒有興趣。我的一點馬克思主義常識，差不多都是從報章雜誌上的零星論文和列寧幾本小冊子上得來的。
>
> ……在一九二三年得中國，研究馬克思主義以至一般社會科學的人，還少的很。因此，僅僅因此，我擔任了上海大學社會學系教授之後，就逐漸的偷到所謂「馬克思主義的理論家」的虛名。其實，我對這些學問，的確只知道一些皮毛。當時我只是根據基本外國文的書籍轉譯一下，編了一些講義。現在看起來，是十分幼稚，錯誤百出的東西。
>
> ……還有一個更重要的「誤會」，就是用馬克思主義來研究中國的現代社會，部分的是研究中國歷史的發端——也不得不由我來開始嘗試。五四以後的五年中間，記得只有陳獨秀、戴季陶、李漢俊幾個人寫過幾篇關於這個問題的論文，可是都是無關重要的。我回國之後，因爲已經在黨內工作，雖然只是一知半解的馬克思主義知識，卻不由我開始這嘗試；分析中國資本主義關係的發展程度，分析中國社會階級分化的性質，階級鬥爭的形勢，階級鬥爭和反帝國主義的民族解放運動的關係等等。〔註 26〕

〔註 25〕李維漢：《懷念秋白》，《憶秋白》編輯小組編《憶秋白》，人民文學出版社，1981 年版，頁 240。

〔註 26〕瞿秋白：《多餘的話》，《餓鄉紀程、赤都心史、亂彈、多餘的話》，長沙：嶽麓書社，2000 年，頁 329。

從辦教育者的角度來看，理想和現實之間出現了巨大的偏差。瞿秋白原本從知識層次出發，培養學生在社會上的生存所需的理論和知識，可是諸多因素的影響下，這一美好的初衷並沒有實現。對社會政治的關心，伴隨著行動的狂熱。學生急切的用行動去認識課程教育中所接受到的內容，瞿秋白爲建立知識精英的學院而設立的標準因此被忽略了。〔註 27〕究其原因，他本人對社會主義理論的理解並不全面，故而也不能將其合理的運用到社會活動中去。他也無力去控制學生在獲得這樣的知識後會有怎樣激進的反應。「雖然他（瞿秋白）在當時寫了不少關於唯物論和馬克思主義的文章，但那些文章從沒有把馬克思主義的理論熔化於實際問題中，使它成爲符合於實際問題的理論根據或分析的方法，他當寫作的產量很多，但同志們都有一個共同的感覺：他很淵博，但從他的文章中，得不到一個中心觀念，也找不到他的思想線索和邏輯結論。同志們都以爲是由於自己的社會科學程度太差，不能領略其中要義的緣故，我當時也是這樣想，但後來才發現，他的文章沒有中心思想和邏輯的主要原因，是由於那些文章不是經過他的思想創作出來，而是從俄文中翻譯出來，東拼西湊前後顛倒而寫成的。」〔註 28〕陳碧蘭的回憶也證實了瞿秋白自己的說法，對於科學社會主義的理論，主要的來源只是俄文書本中的知識。在上大，不僅有馬克思主義，還有無政府主義，曾琦的國家主義等，就是對於馬克思主義的理解也是各有看法。這反映在上大就是教授之間也會有不同的政見。後來成爲托派的鄭超麟回憶他在上大代課的日子，「五卅以前，我在上大教書是代課性質。彭述之教「社會學」，一九二五年春季開學後，上課不到一個月就病倒了，他薦我去代教他的功課。所謂社會學，就是唯物史觀，也就是布哈林的歷史的唯物論。」「上大學生的政治知識則不是從學校學來的，至少不是從正式功課學來的，而是從課外的活動和研究學來的。除了李季以外，其它的共產黨員教員都是敷衍塞責。」〔註 29〕除了教授經濟學的李季先生編了一本《通俗資本論》作爲講義以外，其它共產黨員教師一概申明不編講義，因爲被安排其它工作。撇去黨派之前的分歧，鄭超麟所提

〔註 27〕Wen-Hsin Yeh: "The Alienated Academy: Culture and Politics in Republican China, 1919～1937", Harvard University Asia Center, 2000, p160.

〔註 28〕陳碧蘭：《我的回憶——一個中國革命者的回顧》，香港十月書屋，1994 年，頁 75。

〔註 29〕鄭超麟：《鄭超麟回憶錄：一九一九～一九三一》，北京：東方出版社，1996，頁 107。

到的「敷衍塞責」也從一個側面反映了當時教學環境的不穩定，教員本身對於理論就沒有做到了然於心，再加上當時的鬥爭環境，教員並沒有如預定計劃來安排教學。「上海大學……其它系上課比較正常，我們社會學系沒有正規的上課，主要是搞社會活動。有的參加工人運動，有的搞學術運動、婦女運動。」〔註 30〕

除此之外，當時動蕩的局勢也不利於一個學校課程的正常開展，更何況是一個「弄堂大學」。局勢的緊張，黨派之間的爭鬥也趨於公開化，1924 年 10 月，「黃仁慘案」之後，國共之間的分歧加大，在上大內鬥爭加劇，瞿秋白辭去了上大的公職。

除了教師之間的政治傾向不同之外，學生也各有不同的傾向。以社會學系、中文系和藝術系爲例：英國文學系的學生，參加的革命活動較少，他們多數的志願是學好外國語，將來進洋行多拿一些工資，生活過的舒適些；中國文學系的學生，多數人希望在文學方面有所成就，將來成名成家；……社會學系的絕大多數同學，都積極投入革命洪流之中。〔註 31〕據社會學系學生陽翰笙回憶：「我到了上大才知道，以前讀過的一些馬列主義的書都是一知半解、似懂非懂的，實際上就是不懂。到了上大，覺得一切都是新鮮的，許多道理和理論是聞所未聞的，所以就拼命學習、研究。」陽翰笙 20 世紀 20 年代在上海大學的一段理論學習和革命活動，成爲他人生旅途的重要篇章和自覺革命的起點。〔註 32〕在馬克思主義的傳入傳播階段，上大在其中發揮了及其重要的作用。不僅傳播理論知識，上大的教職員們還將之運用到中國革命中去。此時主要的傳播對象是上大的在讀學生和慕上大之名的人。但是因自身對理論瞭解也並非十分深入，導致在動員學生時，社會科學理論知識並沒有成爲一個理智的武器。隨革命形勢的發展而不斷的趨於激進，反而逐漸忽略了對學生理論知識的培養。

〔註 30〕丁郁：《我在博文女學、上海大學等校的經歷以及赴蘇前後的活動》，《黨史資料叢刊》，1984 年第 1 輯，總第 18 輯。

〔註 31〕黨伯弧：《大革命時期陝籍者在上海大學》，《西安文史資料》，1988 年第 4 期。

〔註 32〕張元隆：《上海大學與現代名人（1922～1927）》，上海大學出版社，2011 年，頁 103。

2、校內外的活動

（1）校內的學生組織及活動

在上大改組的初期，學生在校園內的活動主要是組織一些學生團體和同鄉會。

表 7：上海大學學生組織簡表

學生組合名稱	成立時間	組　織	宗　旨	參加人數	備　註
美術科畢業同學會	1923.5.25		繼續研究美術，增長上大精神	第一屆畢業生 34 人，後每屆畢業生均加入	
探美畫會	1923.10.8	甲乙兩部	研究繪畫，增進同學純潔的藝術思想和感情	十九人	
社會問題研究會	1923.11		研究社會疾病，促進社會健康	八十餘人	黨直接領導和組織的
湖波文藝研究會	1923.11.30	分編輯、出版兩部	研究文藝	二十七人	劉華、岳世昌等
青鳳文學會	1923.11	施蟄存、戴望舒等			
三民主義研究會	1923.11		徹底瞭解三民主義並促其實現	九十多人	
孤星社	1924.1		研究學術、討論問題，徹底瞭解人生，根本改進社會	六十七人	
英文學系二年級英文文學會	1924.3	英文系二年級全班同學	本同學互助精神，以研究英文，練習英語	三十一人	
春風文學社	1924.2	摒除一切形式，由各會員精神上契合而成	研究文學	七人	
平民教育委員會	1924.4			四十三人	
上大初中閱書報社	1924.4.6		增進新知識以助學業之進步	十八人	

學生組合名稱	成立時間	組　織	宗　旨	參加人數	備　註
春雷文學社	1924.11	蔣光慈、沈澤民等	抵制現代文學界靡靡之音的潮流，振興中國的文學界		《民國日報》覺悟副刊《春雷文學》專號
上海大學平民學校	1925.3.31	教職員和學生組織	普及教育，提高國民程度	四十一人	
上海大學附設英文義務學校	1925.3		上海爲中外交通之樞紐，英語之需要頗爲急切；故本校之設，專以啓迪應用英語爲宗旨	六人	
中山主義研究會	1925.11		爲了揭露戴季陶主義的反動性		《中山主義》周刊
演講練習會	1925.12	上大女同學會	女子要團結起來，謀自身之解放，應與男子同樣的起來革命，共負改造社會的責任		
心群文藝社	1926 年春				發行《新群》月刊

資料來源：黃美眞、石源華等編：《上海大學史料》，復旦大學出版社，1984 年，頁 99～104。

除了社會主義問題研究會由中共領導外，其它的學生團體都是學生自發組織而成的。其中較有影響的就是孤星社了。孤星社由上大學生安劍平及當時在上大聽課的嚴樸於 1924 年創辦，開展對馬列主義的研究和討論，並創辦了《孤星》旬刊，孫中山親題刊名，並寄望「應本此旨，廣爲宣傳」。因兩人都是無錫人，後來許多無錫在上大的青年學生參加了孤星社，如上大社會學系學生糜文浩、秦邦憲（即博古）等，後來這些青年學生還將孤星社擴大到無錫地區，並領導當地的農民運動。學生組織的創立在當時並不少見，是學生之間思想交流的場所。也有應對黨派之爭而成立的組織，如中山主義研究會，就是在國共之間爭鬥白熱化階段，爲反對國民黨右派戴季陶等人創辦的「孫文主義」學會而組織起來的。上大學生在校內組織的各種學生組織與學術團體，同學們按照各年級自己組織，由自己班級的同學主持。開會時大家隨便提問隨便談，不論是所學文化知識，抑或是從報紙上看來的政治消息。這創造了上大較為自由活潑的風氣。

上海大學先後建立了浙江、四川、湖北、湖南、廣東、安徽、陝西等同鄉會或同學會。同鄉會有幾種。一是上大範圍內的某一省的同學會，如上大浙江同學會。二是上大範圍外的某一省之某個地區的同學會，如上大旅滬泰州同鄉會，組織在上大，但參加人數不限上大學生。包括上海各個大學的屬於浙江泰州地區的學生；三是某一省的同鄉會，如上大浙江同鄉會，不限於學生，也不限於上大一校，包括所有浙江同鄉，範圍大得多，這種形式不多搞，不易組織，主要以前面兩種為主要形式。〔註 33〕參加同學會不要什麼手續，都是群眾性的組織。上海大學內的同鄉會中，浙江同鄉會的人數是最多的，而四川同鄉會則是影響最大的。

同鄉會也有辦一些刊物，比如上大陝西同鄉會 1925 年創《新群》半月刊。上大湖南同鄉會成立了湘社，1925 年創刊《湘鋒》雜誌。組織同鄉會的同學在這些刊物上發表文章，響應各種活動，宣傳主張等。而且會和各省的一些刊物合作溝通，發表對運動立場與主張。所以同鄉會及其刊物便利了上大的同學參加校外的活動。同鄉會組織是在黨領導下進行活動的，同學會主席的確定，是黨組織預先經過研究指定的。〔註 34〕並且派有中共的地下黨員參加，如浙江泰州同學會，主席張崇文就是黨指定的。同學會的活動，主要是宣傳活動。有時舉行會議，發表通電，也自己辦刊物，引發宣傳品，辦刊物宣傳品是大家捐獻的。這種刊物多半不持久，印數也不多，一二百份，不是出售，而是贈閱，範圍不限本市，也分寄到外埠，報導此活動情況，宣傳些活動。〔註 35〕

「同鄉會的活動主要是聯絡感情團結人，大家都是學生，在外面讀書，有什麼事情找同鄉會，大家非常熱心幫助，感情也非常好」。〔註 36〕作為來自外鄉的青年學生，在當時如果不參加一個組織就無法活動。在政治運動中，這些組織很少保持著狹隘的地方小圈子，而僅僅顯示出與本地學生之間的差異。

此外，學生在校園內設立了一些書報流通處。《新青年》、《嚮導》、《民國

〔註 33〕D10－1－58，訪戴介民談話記錄（1962.4.3），藏於上海檔案館。

〔註 34〕D10－1－58，訪戴介民談話記錄（1962.4.3），藏於上海檔案館。

〔註 35〕D10－1－58，訪戴介民談話記錄（1962.4.3），藏於上海檔案館。

〔註 36〕鍾復光同志的回憶，王家貴、蔡錫瑤編著：《上海大學（1922～1927）》，上海社會科學院出版社，1986 年，頁 107。

日報》等報刊，另有一些社會科學、新文學和自然科學一類的書籍供學生閱讀。這些刊物和書籍使得學生瞭解時事，對當時的社會政治、軍事情況有了瞭解。上大的這些舉措在當時的大學中是少見的。

（2）走出校門：參與校外的鬥爭

上大不同於其它學校，正如多數學生回憶，是「讀『活的書』」。前面也討論上大的各類同鄉會，參加者並不局限於上大的學生，還溝通了上大同外界的聯繫。上大學生的活動並不局限於校園內。尤其是社會學系的學生在社會上的活動非常的積極與活躍，走上街頭反抗，發表宣言、意見。走出校門的學生運動一個很大的特點，就是在政黨的領導下，去參與活動。特別是在中共的指導與組織下進行各種革命活動。

平民夜校和滬西工人俱樂部

五卅運動之前，上大學生的黨員團員就深入工人區域舉辦「平民學校」進行「紅色工會」運動，並在運動中吸收積極分子入團入黨。這也是中共工人運動的主要方法。

當時國共合作，所以中共的很多活動是在國民黨的名義下辦的。平民學校就是這樣。比如，國民黨上海執行部參與上寶平民教育促進會的活動，分別通過上海大學、復旦大學、同濟大學區分部，創辦了吳淞、楊樹浦、南方、明德、同濟、江灣、上大、閘北等平民學校。上大平民學校創辦於 1924 年 4 月，據 1924 年 5 月平校調查表：上海大學平校，周頌西主辦，學生數 364 人，爲當時最多的。〔註 37〕當時上海執行部特別成立「平民教育運動委員會」，委員有汪精衛、葉楚傖、于右任、何世禎、邵力子、惲代英、向警予和毛澤東。平民學校的學生則都是上大的學生。上大平民學校招收的是一般是附近失學的平民，實地給予相當的教育，主要的課程是識字和算學，對國語一科非常重視。平民學校發展中也存在問題：「過去平民校只是黨借作開會機關，很不好的」，但是對中共的工作很重要，「每校經費須五十元，由學聯出錢。現在學聯不出錢，經費上發生困難，但爲黨的工作關係，黨應出錢來辦。」〔註 38〕

〔註 37〕見楊之華主持的《上海平校聯席會議記錄》，13 年 9 月 6 日，毛筆原件，黨史會藏。轉引自呂芳上：《從學生運動要運動學生（從民國八年至十八年）》，中央研究院近代史研究所專刊（71）中央研究院近代史研究所，民國八十三年，頁 278。

〔註 38〕《中共中央、中共上海區委聯席會議記錄（一九二六年六月十七日）》，上海革命歷史文件彙集（上海區委會議記錄），中央檔案館，1989 年。

國共合作後，中共領導的工運中心由京漢鐵路、華北地區向上海轉移。鄧中夏 1924 年下半年離開上大，致力於工人運動。上大附中學生劉華以上海大學平民義務學校執行委員和教員的身份到滬西工人集中的地區小沙渡創辦工人夜校。1924 年秋「滬西工友俱樂部」成立，由項英和劉華負主要責任，教員有顧秀、江元清，他們都是上大的學生。滬西工友俱樂部以「聯絡感情，交換知識，互相扶助，共謀幸福」爲宗旨，辦有工人識字班、文化補習班及講演會等宣傳活動。教科書爲學校所發，主要進行階級教育。到 1924 年年底，有 19 個紗廠建立了俱樂部的秘密組織，會員將近 2000 人，並湧現了一批工人積極分子，在工人中「發展初步的黨的組織」，使滬西工友俱樂部成爲黨開展工人運動的重要基地之一，爲以後的日商紗廠二月大罷工、五卅運動奠定了初步的組織和思想基礎。中共從這個俱樂部開始打入產業工人群眾中。

參加全國學聯和上海學聯

當時上海開展了許多運動和成立了許多組織，中共把上大的學生調去擔任這些組織的骨幹和領導。比如五卅期間，任弼時是團中央的負責人，負責青年運動，他讓上海大學學生會推派李碩勳、何成湘和陽翰笙爲代表去參加全國學聯的工作，所以全國學聯領導全國學生運動，實質上也是全國的青年運動。上海學聯也是上海大學的學生佔領導地位。高爾柏、梅殿龍都是上海大學的學生，又是上海學聯的主要負責人。劉披雲、余澤鴻、韓光漢、俞季女四人是上海學聯的駐會委員，即專職幹部，身份都是上海大學的學生代表。

再如，1924 年到 1925 年社會主義青年團和中共的主要學運負責人有：

S.Y.〔註 39〕	1924 年 1～3 月	上海學運委會委員長	于鴻鈞
	1924 年 4～6 月	上海地委學生部主任	劉劍華
	1924 年 6 月	江浙皖區委學生部主任	張廷灝
	1924 年 10 月	江浙皖區委學生部主任	張秋人
C.Y.	1925 年 2 月	上海地委學生部主任	劉一清
C.P.	1925 年	上海區委學運會主任 （兼上海 C.Y.地委學運會書記）	余澤鴻
	1925 年 8 月	上海區委上海學聯會黨團書記	劉俊山
	1925 年 9 月	上海區委上海學聯會黨團書記	李碩勳

〔註 39〕S.Y.是社會主義青年團的簡稱，1925 年 1 月，社會主義青年團改名爲共產主義青年團，即簡稱爲 C.Y.。C.P 則是中共的簡稱。

1926年3月	上海區委上海學聯會黨團書記	余澤鴻
1926年11月	上海區委上海學聯會黨團書記	唐　鑒
1926年1～6月	中共全國學聯獨立支部書記	李碩勳

上述學運負責人都是上海大學的學生。

在上海革命工作需要幹部時，上海地委就從上海大學調人，包括教師和學生。在當時上海革命鬥爭中非常活躍，重要的革命組織都有上海大學的學生。如五卅期間上海二十萬工人被運動起來了，各行業紛紛成立工會，此時急需幹部，這時中共就從上海大學調學生去工作，去當幹部。

上大學生分佈在各社會團體活動的有〔註40〕：

上海市學生聯合會：劉一清（余澤鴻、劉峻山、高爾柏、林鈞、劉一清先後擔任）

全國學生聯合會：郭伯和、金澤鴻

上海特別市國民黨市黨部：楊之華

上海市總工會：汪壽華、劉劍華

上海市婦女聯合會：劉尊一、向警予（楊之華）

上海市夏令講學會：劉一清

上海非基督教同盟：張告蒙、高爾柏（張秋人、李春蕃也參加了）

上海市工商學聯合會：林鈞

上海市市民代表會主席團及執行委員會：林鈞、何洛、汪壽華

上海市濟難會上大工會：王弼

濟難會

1925年五卅運動後，犧牲、受傷和被捕的人日益增多，中共決定發起成立中國濟難會組織。「為了明確在革命的道路上革命同志互相支持，更名為互濟會，黨發動成立這一組織，參加公開發起的主要是工人領袖，文化界先進人士和上大師生。」〔註41〕如于右任、楊杏佛、惲代英、楊賢江等人，主要是中共和國民黨左派。孫仲宇是當時的發起人之一。首次負責互濟會工作的人是王弼同志，也是上大學生。互濟會在救濟革命戰士方面做了不少工作，特別是對獄中的難友們。

〔註40〕上大學生在各社團的分佈，館藏上海檔案館，D10－1－12。

〔註41〕孫仲宇的回憶——有關上海大學的一些資料，1962年。館藏上海檔案館，D10－1－60。孫仲宇是上大學生。

互濟會組織在發展過程中也是存在很大的問題。「濟會組織很大，但很空。過去錯誤在不注意技術，只有宣傳工作。可是表面上看有一千五百人，實抵五千人。……比較好點的算 C.Y.區委，但力量只限於學校，有幾校成績實在不壞。……但有時與工會衝突，因工人加入濟會後，不願加入工會。濟會上自名流，下至下層群眾及反動學校都有加入……總之，濟會如工作人多，很可作拉攏工作。」〔註 42〕互濟會亦是在中共的領導之下。

五四運動之後，中國的社會與政治文化，孕育出一『群眾崇拜』的特殊現象。中共從誕生開始便是以走「群眾路線」爲標榜，動員學生參與運動，便是爲了要學生爲群眾爲民眾謀福利。五卅運動中，上海大學爲什麼能起這麼大的作用，是因爲上海大學幹部多，在工人運動、學生運動、包括工商學聯合會都有上海大學學生參加工作。〔註 43〕上大學生參與的活動不只上述的幾個，另外還有積極參加國民會議促成會、非基督教運動等等。由上述幾例便可以看出，上海學生的主要活動都是在社會主義青年團和中共的領導之下，或者是在名爲國民黨實爲中共的領導下。在一系列群眾運動中，由於人才亟需，上大的學生被抽調直接作爲幹部去領導運動。爲何上大會出這麼多的學生幹部呢？客觀上只有上大的學生可以不去上課，到時候拿文憑，這在其它學校是不允許的。如南洋大學，復旦大學等學校課程壓的很緊，不上課就不行。〔註 44〕在這些活動中，中共是吸收了大量的學生入黨、入團，壯大了自身的力量。

〔註 42〕《上海區委主席團會議記錄——關於北伐、濟難會和工會工作（一九二六年七月二十七日）》，上海革命歷史文件彙集（上海區委會議記錄），中央檔案館，1989 年。

〔註 43〕陽翰笙：《回憶上海大學》，王家貴、蔡錫瑤編著：《上海大學（1922～1927）》，上海社會科學院出版社，1986 年。

〔註 44〕劉披雲同志的回憶，王家貴、蔡錫瑤編著：《上海大學（1922～1927）》，上海社會科學院出版社，1986 年，頁 91。劉披雲，又名劉榮簡。原來是南方大學的學生，1925 年和王力、劉傑等鬧學潮驅逐校長江亢虎，被學校開除。1925 年下半年轉入上海大學學習。他是在上海大學交費不上課，取得學生代表資格的一名學生。

四、校內的黨派爭鬥與學校的運行

1、校內黨派爭鬥

（1）上大內的黨團概況

1923 年 7 月，中共上海地方委員會兼執行委員會由鄧中夏擔任委員長，上海大學被編爲第一組，黨員十一人，占全市黨員數的四分之一。分別是：鄧中夏、瞿秋白、張太雷、施存統、許德良、王一知、黃讓之、彭習梅、賀昌、嚴信民、林蒸，由林蒸擔任組長。前五位是上大的教職員。在上大兼職或兼課的沈雁冰、楊賢江編在第二小組（商務印書館組），邵力子編在第三小組（西門組）。這個時期上海的黨員流動性較大。1923 年 11 月，上大小組共有十四人，特殊之處在於增加了劉華、張景增、龍康莊、薛卓漢、王逸常、徐夢秋、許乃昌等同學。1924 年 11 月，人數有二十三人，增加了楊之華、李碩勳、曾延生、郭伯和、高爾柏等，也都是上大的學生，並且主要是社會學系的學生。

一九二五年，中共四大後，上海大學支部建立，上大支部是全市學校系統唯一的一個黨支部（當時上海有支部 15 個）。黨支部是中共在上海大學的基層組織，支部以下按黨員人數分編成若干小組，組設組長。支部與組是單線聯繫，各組之間，不發生橫的聯繫。五卅前夕，中共上大支部有黨員二十五人。有惲代英、侯紹裘、施存統、郭伯和、韓覺民、許德良、高爾柏、陶准等。

五卅之後，上海地委改組爲上海區委（即江蘇區委），按區域劃分，建立閘北、南市、小沙渡、曹家渡、楊樹浦、浦東、引翔港等七個部委，上海大學支部被編入閘北部委領導。五卅之後各地的黨團員站不住腳的，都到上大來了。1925 年 8 月開學時，惲代英報告說：「各地要來的人很多，各地都集中到這裏怎麼辦？」〔註 1〕1926 年 3 月，上海區委決定，上大支部成立獨支，直屬上海區委，由羅亦農直接領導。此時上大支部有黨員六十一人，支部書記是高爾柏。此後上大獨支的人數不斷增加，1926 年 12 月，有一百三十人。一九二六年革命進入高潮，中共上海市委機關與上海大學青雲路校址比鄰，羅亦農經常到學校布置工作。

從上大支部的建立直到 1924 年底，黨員人數較少，直到 1925 年，特別是五卅運動之後，黨員數量逐漸增多。1925～1927 年上大輸送出來的黨員幹部和工人運動幹部是很多的。〔註 2〕

上大也有國民黨的組織。在中國國民黨上海執行部區黨部及區分部組織中，上海大學是屬於第一區第一區分部，成立於 1923 年 12 月 29 日。執行委員有邵力子、周頌西和馮子恭，總人數有 122 人，是所有區分部中人數最多的。〔註 3〕有關社會主義青年團，1920 年 8 月成立，到了 1924 年在上海的十一個團支部其中有五個是在學校，有七個支部是和國民黨的區分部設在相同的地方。如上海大學（第一支部）、中華職業校（第二支部）、商務印書館（第三支部）、南方大學（第四支部）、復旦大學（第五支部）、北軍站郵局（第六支部）、中華書局（第十支部）。〔註 4〕國共正式達成合作之後，共產黨和社會主義青年團的組織活動開始籍著國民黨區分部的管道進入了校園及其它機構中。在上海大學的國民黨組織中，黨員大部分是共產黨員跨黨的。大多是共產黨的會開過了，問題解決了，國民黨的會很少開。到了 1924 年秋，社會主義青年團已經控制了上海學聯，五卅時「整個學聯受『民校』（指國民黨）黨團的指揮，『民校』黨團受我們（指 C.P.中共、C.Y.共產主義青年團）黨團的支配。」〔註 5〕

〔註 1〕《訪問劉錫吾同志記錄》，未刊。轉引自黃美眞、張雲、石源華編：《上海大學史料》，復旦大學出版社，1984 年，頁 112。

〔註 2〕孫仲宇的回憶——有關上海大學的一些資料：（1962 年）。

〔註 3〕中國國民黨上海執行部區黨部及區分部組織概況表（1923.12～1924.6）。轉引自呂芳上：《從學生運動要運動學生（從民國八年至十八年）》，中央研究院近代史研究所專刊（71）中央研究院近代史研究所，民國八十三年，頁 267。

〔註 4〕S.Y.上海地方團支部表（1924）。呂芳上：《從學生運動要運動學生（從民國八年至十八年）》，中央研究院近代史研究所專刊（71）中央研究院近代史研究所，民國八十三年，頁 289。

〔註 5〕《團上海地委學生部關於學生運動情況的報告》，1925 年 10 月，載《歷史與檔案》，1986 年第 4 期，頁 12。呂書，頁 290。

（2）時勢與爭鬥：黨派間的合作與交惡

1924～1927 年間的國共關係，一直是民國史和中共黨史研究領域的一大熱點。而兩黨「黨內合作」形式又是其中極具爭議的焦點之一。幾乎從國民黨改組之日起，國共之間的爭端在很大程度上即是由「黨內合作」這一形式引發的。〔註 6〕上海大學的起落與第一次國共合作從醞釀到破裂的過程相始終，從一定意義上說，沒有國共合作就沒有上海大學。〔註 7〕國共兩黨關係一直處於動態變化之中。上大內的黨派之爭也明顯的反映出了國共之間關係的親疏爭鬥。兩黨合作的形式、內容和表述亦隨著兩黨力量對比的變化而有所調整和改換。這個時期國共關係演變的複雜情形，實際遠非過去人們認知中的「容共」或「聯共」等語詞所能簡單概括。這一部分試圖從上海大學內的黨派爭鬥來討論。

1923 年 1 月，共產國際執委提出了《關於中共與國民黨的關係問題的決議》，開始促成中共和國民黨之間的合作。此時上大正處於初建校時期，前面已經提過，于右任雖然於 1922 在 10 月上大成立時即是上大的校長，但是實際上並沒有立即接手學校的管理。直到 1923 年春才開始正式的考慮上大的管理問題。此時李大釗已經派鄧中夏來到上大，進行學校的改組工作。在國共合作的促成過程中，上海大學內部的派別鬥爭並不明顯。1924 年，國民黨一大，正式宣告了國共合作的形成。一方面中共同意了中共黨員以個人身份加入國民黨，但是內部卻產生了不同的意見。另一方面，國民黨雖然是通過了接納共產黨的決議，但是其內部也是沒有達成統一。隨著國共合作的形成，國民黨內部、共產黨內部以及國共之間的鬥爭反而不斷加深。共產黨、國民黨都把青年作爲爭取的對象，中共將上大作爲活動的基礎，國共合作促成了黃埔軍校，而國民黨又辦了國立廣州大學〔註 8〕，培養人才。在上大的校園內，黨派間爭鬥在國共合作促成之後反而尤爲明顯。

〔註 6〕王奇生：《從「容共」到「容國」——1924～1927 年國共黨際關係再考察》，《近代史研究》，2001 年第 4 期。

〔註 7〕上海大學張元隆教授 2011 年 12 月 27 日講座。

〔註 8〕國立廣州大學，1924 年 1 月底 2 月初，由國立高等師範廣東法科大學，廣東農業專門學校合併改爲「國立廣東大學」。1924 年 6 月，任命鄒魯爲校長，1926.8.17 易名爲國立中山大學。鄒魯回憶說：本校兩重使命：一是西南最高學府，一是本黨革命人才的大本營。鄒魯：《鄒魯回憶錄》，東方出版社，2010 年，頁 106。

宋桂煌〔註 9〕回憶：于右任既是國民黨的活動分子之一，所以一下來就把學校和國民黨的政治活動結合起來，他當時被視爲政治上比較開明，……他引入他的朋友張繼（張溥泉）和葉楚傖在校中佔據重要職務。前者爲董事長，後者爲董事兼中文系主任，因此，這時國民黨內部隱伏的左右派之爭，便反映到學校中來。正如前文所說，上海大學是引政治人物治校的典型。由政治人物而引入的政治勢力使得上大內的政治色彩頗爲濃厚。上海大學教師中既有共產黨員，也有國民黨員，還有無黨派人士，按其當時的政治態度而言，則可分爲左、中、右三部分。左派以共產黨人瞿秋白、鄧中夏以及國民黨左派邵力子、無黨派人士陳望道爲代表。中間派以無黨派人士居多，他們沒有明確的政治主張，對政治不感興趣，主要盡心於研究學問、傳授知識。右派以葉楚傖、何世禎、陳德徵等國民黨右派爲代表。謝持是國民黨中的右派，雖沒有在上大任職，但其支持何世禎，插手上大的活動。〔註 10〕上大的學生，來自各地，政治信仰也有很大的不同。有屬共產黨者，有屬國民黨左派者，有屬國民黨右派者，有屬張東蓀系統解放與改造派者，有屬曾琦等的國家主義醒獅派者，有屬無政府主義者。〔註 11〕不同學系之間學生的政治態度差別較大，社會學系的學生政治性強於其它系別。

建校初期，教師之間的政治派別之分併沒有成爲學校發展的阻礙。國共在試圖合作期間，擁有不同政治意見的教師都在爲上大的改組做出努力。1923 年 8 月，上大成立評議會爲學校最高會議，于右任爲主席，評議員有葉楚傖、陳德徵、鄧安石、瞿秋白、洪野、陳望道、周頌西、馮子恭、邵力子九人。評議員中左、中、右三派都有，並沒有區分。評議會第一次會議討論了重要決議：尅期組成校董會，擬請孫中山爲名譽校董，蔡孑民、汪精衛、李石曾、章太炎、張溥泉、馬寶山、張靜江、馬君武等二十餘人爲校董。1923 年評議會改爲「行政委員會」，爲學校最高議事機關。于右任（校長）爲委員長，鄧安石（校務長）爲秘書，何世禎（學務長兼英文系主任）、瞿秋白（社會學系主任）、洪野（美術科主任）及葉楚傖、邵力子、曾伯興、韓覺民（皆教職員）

〔註 9〕宋桂煌在如皋師範讀書，因爲參加了社會活動，爲學校當局所嫉恨，於 1924 年夏季被逐令退學。後來到上海大學。入中學部高三讀書。

〔註 10〕陽翰笙同志的回憶，王家貴、蔡錫瑤編著：《上海大學（1922～1927）》，上海社會科學院出版社，1986 年，頁 83。

〔註 11〕周啓新：《上海大學始末》，張騰霄主編：《中國共產黨幹部教育研究叢書》，中國人民大學出版社，1989 年，頁 408。

爲委員。〔註 12〕行政委員會討論學校的發展計劃以及校務情況。決議教師薪水標準、中學部與大學部之劃分關係、組織上大叢書審查會以及新校舍的建設經費募集等等。

上海大學所傳播的理論，也頗具兼容性，不僅有馬列主義原理，也有三民主義信仰。學校還另開設特別講座，邀請校外的「海內知名人士」如章太炎、李大釗等人來校演講。李大釗做過「演化與進步」的演講，號召學生們去創造「經濟的歷史觀」，還做過「社會主義釋疑」的演講。在學校的夏令講學會中，瞿秋白講「社會科學概論」，鄧中夏講「中國的勞工問題」，惲代英講「中國政治經濟狀況」，蕭楚女講「中國農民問題」。同時，何世楨也講過「全民政治」，戴季陶講「三民主義」，汪精衛講「中國革命史」，馬君武講「國民生計政策」。在這種背景下，學生們可以憑藉自己的分析，去選擇加入共產黨或者國民黨。〔註 13〕1923 年，戴季陶在上大開設三民主義課，講演《孫文主義之哲學基礎》，他否定共產主義思想對中國革命的指導作用，鼓吹三民主義作爲國民革命的唯一理論。「是日聽者甚眾，幾乎坐無隙地，自晨八時至午十二時，連續四小時。戴大肆宣揚孫中山哲學思想，繼承孔子二千年的『絕學』，爲三民主義披上封建聖人外衣。次日牆報欄貼滿論文，加以駁斥，大都爲瞿秋白、惲代英等撰寫，後彙訂成冊，題曰《反戴季陶的國民革命觀》，列入《嚮導》叢書。戴氏所講，後經增訂，由民智書局出版。」〔註 14〕上大提供的是一個宣傳理論的地方，此時黨派的鬥爭並沒有白熱化。

上海夏令講習會是上海學生聯合會組織的，以利用暑假休假研究各種學術爲宗旨。上海大學是主要的承辦者。上大教師占主講的占一半以上。講習會所涉及的題目有關於社會政治、唯物史觀、農民問題、法律、外交等，還有工業、農業、財政、衛生等方面的報告，所有這些特別講座和學術報告，有的宣傳馬列主義，有的宣傳唯心主義，有的學術性較強，有的聯繫當時社會實際。如蕭楚女講「外交問題」，歷數近年來中國外交上一件一件的事實，指出北洋軍閥政府在處理各個事件時，外交總是失敗，原因在於北京軍閥政府對外國侵略者「低首下心，唯命是聽」。他把日本滅亡中

〔註 12〕黃美眞、石源華、張雲編：《上海大學史料》，復旦大學出版社，1984 年，頁 48～49。

〔註 13〕西江月撰稿：《上海大學：不該遺忘的中共第一學府》，《新華航空》，2011 年第七期大專題。

〔註 14〕周啓新：《上海大學始末》，上海《文史資料選輯》，1981 年第 1 輯。

國的二十一條形象的比喻為:「好像把中國當作一個肥豬,二十一條就是一根一根的繩子,層層捆起,拿去自由宰殺一樣」。〔註 15〕在講習會之餘,還在上海大學成立了上海夏令會講習會社會問題研究會。〔註 16〕講習會中各講師的觀點並不一致,甚至互相對立,但對於學術瞭解不同思想觀點,擴大知識面,開闊思路,是有很大幫助的。〔註 17〕講學會的學員除了各校學生外,還有中小學教員,國民黨上海各區黨部和松江、青浦、南匯等鄰近上海的縣黨部也派人前來參加。上大的不少學生就是因為參加了夏令講學會而投考上大的。姜長林原是松江小學的校長,受侯紹裘的影響,慕上海大學的名氣,從松江到上海大學學習,參加夏令講學會,他認為辦夏令講學會的目的是宣傳革命理論,選擇發展對象,物色積極分子,做好發展組織的準備工作。〔註 18〕

隨著國民革命運動的不斷深入,教師隊伍中不同政治傾向、政治派別的矛盾和鬥爭也發展起來。當黃埔軍校有了左派的「青年軍人聯合會」與右派的「孫文主義學會」的對峙後,上海就馬上由右派童理璋、喻育之等人組建上海「孫文主義學會」,處處與左派牴牾。上海大學的師生也分為左右兩派,他們之間的鬥爭與校外的鬥爭互為因果、互相激勵,漸趨白熾化。兩派之間第一次交手在 1924 年 8 月間,《民國日報》的共產黨員主筆邵力子,在國民黨區黨部代表會議上,被右派喻育之等人毆打,到了 10 月間則愈演愈烈。後發生了天后宮的黃仁慘案。〔註 19〕黃仁案發生後,左派勢力開始反擊,《民國日報》解聘了葉楚傖,上海大學趕走了何世楨。何世楨把英文學系學生帶走,

〔註 15〕《民國日報》,「覺悟」副刊,1924 年 8 月 7 日。

〔註 16〕該會由同文書院的唐公憲主席,上海大學黃仁記錄,李春蕃、唐公憲、黃仁、劉一清、徐恒耀等五人為委員。

〔註 17〕張騰霄主編:《中國共產黨幹部教育研究資料叢書》(第二輯),中國人民大學出版社,1989 年,頁 154。

〔註 18〕姜長林在夏令講學會之後參加了中共。他認為夏令講學會使他的思想提高了很多。甘願放棄小學校長的職位和固定收入去松江初中工作。後來在國民黨江蘇省黨部工作,在五卅運動時自討腰包油印和散發宣傳資料。姜長林同志的回憶,王家貴、蔡錫瑤編著:《上海大學(1922～1927)》,上海社會科學院出版社,1986 年,頁 113。

〔註 19〕黃仁慘案:1924 年 10 月 10 日,上海各界在天后宮舉行「雙十節」國民大會,紀念辛亥革命勝利十三週年。上海大學派黃仁、郭伯和、何秉彝等六人作為代表參加活動。後黃仁被國民黨右派喻育之等收買的流氓打手打死,喻還請警察逮捕與會的另五位上大代表。這就是「黃仁慘案」。

另辦持志大學，但以瞿秋白也離開上海大學爲條件。瞿秋白離開了，不久鄧中夏也離開了。總務主任換了韓覺民，是共產黨員；英文學系主任換了周越然，中立分子；社會學系主任換了施存統。上大改組成一個眞正培養革命幹部的學府。〔註20〕

（3）中共有關上大社會學系主任之爭

當時中共內部亦有矛盾。上海大學學生說，瞿秋白去職，也是施存統在背後搗鬼的，因爲施存統想做主任。這一傳言暫不可考，但是中共內部有矛盾卻是不爭的事實。

在國共合作即將達成時，中共非常重視在上大的勢力，施存統提議：同志在上大的方針：同志在此中應作有系統的活動。〔註21〕中共也一直把上大當作發展自己勢力的地方，1926 年關於李漢俊擔任上大社會學系主任問題，就進行了大的爭論。一九二六年五月八日，上海區委各部委書記會議中提到，「他（注：李漢俊）來時要做社系主任，望道也有此意，陳望道還要學生開歡迎會，預備學生會否決，再使他開不成。李如當主任後，可說上大方面我們勢力將全失，惟無人可當主任等，很困難。預備再開會解決。」中共在上大學生中的力量主要是控制了上大學生會。一九二六年六月五日上海區委各部委書記會議，上大報告：「上大主任問題，中央回信不要包而不辦，對李漢俊要好。我們原來待他不壞，惟同學多不信仰他，因他演講多錯誤，且他各方面準備對我們進攻，又要連攻到中學部。再望道拼命攻擊季子，如中央要這樣辦，我們只好服從，但黨不見完善。」最後決定，如果反對侯紹裘任主任，季子不去。一九二六年六月十二日，決定：「社系主任決定季子，李漢俊任教授及學務主任，達到他二百元的目的，我們堅持主任的理由：1、如漢俊任主任，李季必難留住。2、各方面實權被他們拿去，我們不能做事。3、同學方面很難活動。4、同學不信仰漢俊，都要走掉。……望道很有進攻意思，如想統一中學部，不准獨立，因我們完全太紅。又經子淵（注：經亨頤〔註22〕）

〔註20〕宋桂煌：回憶上海大學，1961 年採訪記錄，檔案藏上海檔案館，卷宗號 D10－1－51。

〔註21〕上海地委兼區委會議記錄（一九二四年一月十三日），上海革命史資料，乙種。

〔註22〕經亨頤（1977～1938），字子淵，浙江上虞人。原浙江一師校長，浙江省教育會會長。1920 年，浙江省當局下令撤銷其職務，遭到師生反對，釀成轟動全國的「一師風潮」。風潮結束後，回鄉辦學校，1924 年，經亨頤加入國民黨，被選舉爲浙江省臨時黨部首任執委。1926 年，在國民黨「二大」上，爲七人

想到上大做代理校長，如于右任允許他，我們可以答應，起初我們很怕他，後來覺得不要緊，因我們有群眾。」中共中激進的一派一直想牢牢控制住在上大的勢力，不願對立派和國民黨的勢力進來。

中共在上大內的活動，也讓上大的生存環境變的險惡。時常「因開會多，又被注意。」上海公共租界工部局《警務處日報》1924年12月2日記載，「最近幾個月來，中國布爾什維克之活動有顯著之復活，……這些過激分子的總機關設在西摩路一三二號上海大學內，彼等在該處出版排外之報紙——《嚮導》，貯藏社會主義之書籍以供出售，如《中國青年》、《前鋒》。該大學之大部分教授均繫公開的共產黨人，彼等正逐漸引導學生走向該政治信仰。……本市代售《嚮導》（注：原文如此）周刊的除上海大學書店外，尚有河南路九十一號知識書店及民國路「人民路」之上海書店。」上海大學校內的活動一直在警務處的監視之下，也因「過激」的活動而被搜查。在上大被正式佔領前，曾被工部局警務處搜查過幾次。逼迫上大換新的校區上課。

（4）信仰與學習：黨團活動與學生

「上大內中確有政黨的組織，上大確然不曾像有些無頭腦的或反革命派的學校禁止學生加入政黨和開會；但是上大同人爲了要建國，自然不能不相信需要一個以建國爲職志的政黨，所以實在有不少的人加入了政黨，不過，政黨自政黨，學校自學校，不可並爲一說罷了。」〔註23〕中共並不避諱談中共在上大內的活動，中共以「建國」的黨自詡，也以此來吸引學生。學生的運動與中共的動員是分不開的，大多數學生是傾向於中共的。〔註24〕

依中共的階級劃分，中小知識青年即屬於小資產階級。廣大中小知識青年的作用，正是介於中共上層精英和底層民眾之間，充當兩者溝通的橋樑和革命的媒介。「若眞以爲學生是民族革命的中堅，可以領到全國民眾實行民族革命，

主席團成員之一。此後曾任國立廣州中山大學副校長、國立北京高等師範學校教授。

〔註23〕鄧中夏：《上大的使命》，《上海大學周刊》，第一期。轉引自王家貴、蔡錫瑤編著：《上海大學（1922～1927）》，上海社會科學院出版社，1986年，頁152。

〔註24〕五卅運動時，上海大學學生中國民黨員學生有三百名以上，占學生總數的四分之三弱。其中不具有共產黨員身份的占八分之五，約一百七十餘人。張濟順：《論上海政治運動中的學生群體（1925～1927）》，《上海研究論叢》，第四輯，上海社會科學院出版社，1989年，頁98。由此可知，當時上海大學學生總共約有四百多人。其中既有國民黨員身份又有共產黨員身份的學生約是一百三十人，單純是共產黨員身份的學生約一百人，總的共產黨員身份的學生就有二百三十人之多。

那便是對於學生的地位、勢力與任務，沒有明確的認識，不但要導學生於歧路，並且要導全國民眾的革命策略於錯誤，以阻礙民族革命的早日成功。」〔註25〕「我們在五卅運動中可以知道學生在革命的行程上，多半只有浪（散）漫的行動，而且在各人的地位上，不能一致對外」。〔註26〕這是學生自身的局限，學生爲此也付出了自己的代價。因爲學生，既不是一個階級，又不是一種職業，他們本身沒有一定的經濟基礎與地位，只不過是在青年時代求學的一個階段，過了求學時期就失去了學生的資格。但是學生又是重要的，因爲學生「與一般的被壓迫民眾——勞苦群眾結合在一起。」所以學生革命中的地位與任務，就是在於宣傳民眾、組織民眾，而自己處於附屬勞苦群眾的地位。

「示威遊行、罷課和到民眾中去，其優點在於觸發了民氣，但是其弱點也很明顯：無形中驅使學生走上街頭，走入政治舞臺，拋棄了求學時期應付的責任。結果往往把市街充當學校，把標語口號看成課本。他們認爲遊行是喚醒沉醉大眾的手段，他們把罷課視爲純潔的自我犧牲，他們的口號，視爲歷史要求的語言。」〔註27〕共產黨攻擊廣東大學爲「反革命的大本營」。時任廣東大學校長的鄒魯對中共在學生中的激進行爲頗爲不滿：

> 第一責備廣東大學不能培養革命人才。大學要培植甚麼人才？我今以革命黨的資格來說，確爲要養成建設的革命人才，如若不然，那麼只要辦「宣傳所」便夠了，何必要設許多學科的大學呢？若說「不能充滿緊張革命之空氣」，我敢斷言，「廣東大學確沒有充滿緊張共產主義之空氣；但中山大學的革命之空氣，都是充滿緊張了。」何以見呢？廣東各處的革命運動，沒有何處沒有廣大的學生在內，想誰也不能否認。
>
> 廣大所養成的中山主義的人才，完全被排斥不用。……若說非黨員，則大多數是黨員；若說不明黨義，則隨時隨地的有廣大學生拿著三民主義號召。難道三個月養成的甚麼講習員，盡數用完，便是眞黨員，眞明主義麼？不過是「共產」和「非共產」的分別罷了。……

〔註25〕光亮：中國學生在民族革命中的地位與任務，《上大五卅特刊》，第四期，轉引自王家貴、蔡錫瑤編著：《上海大學（1922～1927）》，上海社會科學院出版社，1986年，頁177～180。

〔註26〕小立：五卅運動的各方面，《上大五卅特刊》，第二期，轉引同上書，頁160。

〔註27〕呂芳上著：《從學生運動要運動學生（從民國八年至十八年）》，中央研究院近代史研究所專刊（71）中央研究院近代史研究所，民國八十三年，頁162。

若別立機關，到俄國以培養人才，則共產黨別有用意，與廣大肩起發揚光大孫先生主義無關。恐怕廣東大學愈肩起發揚廣東大學孫先生主義的責任，共產黨愈要別立機關及要俄國培養人才呢？〔註28〕

作爲國立廣東大學的校長，鄒魯認爲大學不同於「宣講所」，是要培育革命人才，而不是簡單的過激分子。和中共一樣的是，國民黨也認識到了學生在革命中的重要作用。但是鄒魯認爲三個月養成的「講習員」並不可算是眞正的明瞭黨義的黨員。

五卅運動之後，上海老閘捕房律師梅蘭說明案由稱：

余將證明學生——吾等稱之爲學生，然學童一字實較恰當——鼓動此次引起擾亂之學生或學童皆來自過激主義之大學——即西摩路之上海大學。余將向法庭提出證據使法庭知此案表面上爲排外與排日，而實際上則純爲過激主義。……余將就吾人對此大學所知之歷史向法庭提出。余將向法庭提出吾人前數日中，當上海大學在此擾亂期間被佔領時該大學所搜得之文件。文件之中法庭將見一寄自德國之信箚，蓋一完全過激主義之信箚也。無知之學童如一旦任其放肆，利用之爲過激主義之工具，其之用之佳，故無出其右者。此等學生皆無知而自大。彼等自以爲大人物，彼姦猾之過激派在此不幸之國家中激起擾亂所用之工具，誠無再較此爲佳者。〔註29〕

梅蘭律師的意圖是說明學生本來是「無知而自大的」，是被過激派所利用。五卅運動的緣起也是因爲上海大學內的過激派的過激刊物激起了學生的過激行爲。不論是當時的教授還是租界內的捕房都認爲學生是這次運動的直接行動者，但是他們的行爲與他們的身份是不符合的。作爲學生應該在學堂中學習知識。應該遏制過激主義對於學生的侵害。

對於學生救國運動，蔡元培提出三點意見：一，學生救國，一時因種種必要，或服務於某種機關，或爲群眾運動，雖無不可，但如何方法，使學生有充分休養，以備將來救國，此爲重大問題；二，在校學生，一方面是國民，

〔註28〕鄒魯：《鄒魯回憶錄》，東方出版社，2010年，頁125。

〔註29〕《會審公堂記錄摘要——一九二五年六月九日星期二元字七九一七號》，《東方雜誌五卅臨時增刊》，1925年七月。轉引自：黃美眞、石源華、張雲編：《上海大學史料》，復旦大學出版社，1986年，頁142～143。

一方面是學生，國民應當爲救國運動，學生應當讀書，兩種資格應當分開；三，學生應當愛國，但不應以學生或某種學生會名義去做。〔註 30〕學生的愛國意識和行爲是必須的，但是不可受到黨派和團體組織的引誘，作出不符合學生身份的事情。

總的說來，對於學生是否應該走出課堂，在當時已經沒有異議。學生應該愛國並且付諸行動。但是在「如何做」方面，意見分歧切實很大。20 世紀 20 年代，政黨的運動不可避免的進入校園，而上大卻又是中共和國民黨在內部爭鬥非常直接的一個學校。所以上大的學生運動的政治性不可避免，也無法脫離政黨和組織的引導。

2、經費來源的特殊性與上大的運行

20 世紀 20 年代，各個大學的財政狀況都成問題。北京幾所大學也因爲經費問題而發生了學潮。上海大學是由私立的東南高等師範專科學校改造而來，名義上是由國民黨和共產黨兩黨合作辦學，但是經費來源仍然是困難的。首先，國民黨雖說是一個有幾年鬥爭經驗的政黨，但是一直是處於鬆散的狀態，沒有形成完整的運作機構。而中國共產黨剛剛在蘇俄的指導下成立，黨員不過幾百人。更談不上有完整的經費來源。既有的對上大的論述中，很少提及經費的問題。上海大學的經費來源在一定程度上決定了學校的活動以及性質。上海大學的辦學經費從何而來？

在東南高等師範專科學校學潮時，中共中央考慮請國民黨出面辦學校比較有利，而且籌款也方便。後來的事實也證明，國民黨對上大在經費上的確支持較多。〔註 31〕東南高師改爲上海大學後，學校「已由於君允許，至所有經費，

〔註 30〕蔡元培在北大同學歡迎會之演說，廣州《民國日報》，民國 15 年 3 月 3 日。轉引自呂芳上著：《從學生運動要運動學生（從民國八年至十八年）》，中央研究院近代史研究所專刊（71）中央研究院近代史研究所，民國八十三年，頁 161。

〔註 31〕一九二四年一月，國民黨「第一次全國代表大會，曾議決每月補助『上大』一千元」爲辦校經費，雖然革命政府財政困難，未能按期支付，但于右任仍在國民軍方面募款維持。資料來源：《廣州國民政府關於上海大學被美軍佔據飭財政部撥款補助的令文》，1925 年 7 月，轉引自王家貴、蔡錫瑤編著：《上海大學 1922～1927》，上海社會科學出版社，1986 年，頁 3。主要是從許崇智處謀得款項。《邵元沖日記（1924～1936）》記載 1924 年 6 月 3 日，「八時半至右任寓，交汝爲（許崇智）助上海大學之捐款。」

除將原學膳宿費令舊職員繳出外，更由教員陳阜捐助民田一百畝，以充基本金」。〔註32〕這筆資金是學校的第一筆經費。1923年12月5日上大評議會通過，1924年3月31日行政委員會第一次修正的上海大學章程中詳細規定了上海大學學制和學費標準。上海大學設大學部和附設中學部。大學部各系定爲四年畢業，附設中學部分設高級中學班和初級中學班，皆定於三年畢業。大學設專門部，隨時增設社會所需之各種專科（如美術、英數、新聞等）。程度與舊制高等專門學校相等。其修業年限。由行政委員會於設科時酌定之。學費標準如下：

學費：大學部每學期四十元

專門部每學期四十元

高級中學每學期三十二元

初級中學每學期二十二元

特別生（如各班遇有餘額而招收的學生，酌量免試）選修一班全部功課者，繳費與該班正式生同；擇選者每一學分繳費二元，但至少需選十學分。

膳費：寄全膳者每學期三十元，半膳者每學期十五元。

宿費：寄宿者每學期十五元

體育費：每學期一元（但實際上上大根本沒有相關的體育設施）

書報費：每學期一元

雜費：寄宿生每學期二元，通學生一元

講義及用品費，臨時酌定宣佈之。

規章中還特別規定，各項費用一經繳納，概不退還，而且本校新舊學生都需要繳清各項費用，方可領取聽課證。上大的收費標準是按照當時的私立大學的學費標準制定的。

除了學費、住宿費等明確規定外，上大還有一些收費標準也詳細列出。比如，學生轉系或專科每人需繳納轉系或轉科費十元，而且必須從第一學年開始讀起。若學生未經請假而不參加考試，還須繳納補考費五元方才准許補考。〔註33〕學校剛成立時有學生160名，1923年學生總數312人，1924年2月時，學生人數接近400人。1925年10月，附設中學部學生新舊學生總人數才98人。依賴學生的學費是不可能支撐學校的運行的。

〔註32〕申報，上海，1922年10月20日。

〔註33〕黃美眞、石源華、張雲編：《上海大學史料》，復旦大學出版社，頁63～66。

上海大學以國民黨主辦的名義而存在，國民黨一大後，明確上大爲國民黨黨立學校，經費由國民黨中央補助，在社會上仍以私立名義出現。1923年2月，孫中山自上海抵達廣州重建大元帥府，親自批准每月撥款萬元資助上大。〔註34〕1923年8月特設校董事會。提出五項校董資格決定，「甲：全國國民所敬仰足爲學生之模範者，乙：教育界上富有聲譽者，丙：出資助成學校經費及校舍者，丁：與宋君遯初有密切關係者，戊：於本校發展事項有勞績者，並推定孫中山爲名譽校董。蔡孑民（蔡元培）、汪精衛、李石曾、章太炎、張浦泉、馬素、張靜江、馬君武等二十於人爲校董。」〔註35〕

1924年5月，上大行政委員會第五次會議決定校舍募捐額爲一百二十萬元，並接洽海內外得力人士爲募捐人。1924年12月，上海大學學生會成立不久（10月成立），召開大會，通過決議案，促學校行政委員會從速組織募捐委員會，早日建築新校舍，並力爭退回庚子賠款作本校經費。

上海大學的運作過程中，經費問題一直是一個很嚴重的問題。據擔任過上海大學總務長的許德良回憶，他是「1924年進上海大學搞總務工作，在中學部兼上點英文課，工作很忙，租房子、訂合同、付房租、應付巡捕捐、採購物品、聘請律師等等。學校被搜查，邵力子被控告，五卅被捕學生開庭等，學校請了律師。學生開釋，接他們回校，雜七雜八的許多事，都是由我負責。而學校又沒有經費，這件事很麻煩，常常爲了債務問題與債主口角。」

「記得當時學校每月房租是三百元，後來校舍不敷應用，我們又把學校北邊的中國式房子和對面新造的時應里的一部分房子一併租下來。因爲是國共合作，當時學校經費是從廣州彙來的，但經費還是有困難，有時房租交不出。那是上海房地產公司的老闆主要靠外國人牌頭，例如時應里的房東本來是中國人，卻去加入了荷蘭籍，我們欠了他的房租，他就要打官司，仗洋人的勢力來欺壓我們。我先是向他軟求，說房租一時付不出，但我們是教育機關，大家都通情達理，總不會少你的。對方不肯通融，要我們立刻付清，逼得我無路可走，只能對他說：『你去告狀好了，你也是中國人，不過入了外國籍，大不了封閉學校，換個地方我們還照樣辦下去！』對方見情況如此，也

〔註34〕屈新儒著：《關西儒魂：于右任別傳》，人民文學出版社，2002年。

〔註35〕申報，上海，1923年8月13日。

只好答應延期付款。〔註 36〕所以他感歎到「在上大搞總務工作也練出了一種本領——就是欠債」。〔註 37〕

隨著國內政治局勢的變化，更因爲國共兩黨在蘇俄的影響下開始逐漸走上合作之路。作爲國共兩黨合辦的上海大學，也受到影響。蘇俄不僅僅在政治上促進國共兩黨的合作，而且給予了極大的經濟支持。「蘇聯無產階級的經驗，金錢和軍火，以及中國共產黨員的努力，才在「國民黨」這箇舊而空的招牌下製造了一個新黨，一個模擬俄國布爾塞維克組織的黨。」〔註 38〕中共 1924 年有關報告，國民黨地方黨部月費數千元，包括設在廣州、上海及香港的國民黨報紙雜誌和上海大學等，鮑羅廷每月亦分別提供數百元至數千元不等。故據陳獨秀在一次會議上說，僅 1924 年蘇聯即向國民黨提供了 200 萬元的經費援助。〔註 39〕國民黨處提供的經費的具體數目不可知，據推斷並不是很充裕，而且並不穩定。〔註 40〕而中共方面在經費方面是否可以給予補充呢？

在初創時期，中國共產黨在各個方面都是受到蘇俄的影響的。中共規模小，本身發展也存在很大問題。據《上海革命史資料》，「同志積欠月費」現象很嚴重。王奇生有關中共在上海的文章就提到：上海黨組織發展中存在許多的問題，如黨費繳不齊，入黨條件數次變更，組織不夠規範，工人運動中較大的經費維持等。所以中共也無力資助上大。

1925 年 5 月 8 日，上海大學支部提案，提到上大得金佛朗案之款五十五萬元的問題。「學校事業固能用國家之款，但我們是用自己之款，領款並不是不反對金佛朗案，用不著去感謝法領之態度」，中共決定領受此款。〔註 41〕

〔註 36〕許德良：五卅運動與上海大學，《文史資料選輯》，1978 年第二輯。

〔註 37〕許德良同志的回憶，王家貴、蔡錫瑤編著：《上海大學：1922～1927》，上海社會科學出版社，1986 年，頁 116。

〔註 38〕鄭超麟著：《鄭超麟回憶錄：一九一九～一九三一》，北京：東方出版社，1996，頁 68。

〔註 39〕楊奎松著：《中間地帶的革命——國際大背景下看中共的成功之道》，山西人民出版社，2010 年版，頁 67 注釋中提及到有關蘇聯援助國民黨經費問題。

〔註 40〕令文中稱：上海大學爲于右任所辦，全校教職員及學生多能接受本黨主義。去年（1924 年）本黨第一次全國代表大會，曾議決每月補助一千元，因國民黨經費支拙，停寄已久。《廣州國民政府關於上海大學被英軍佔領飭財政部撥款補助的令文》（一九二五年九月七日），轉引自王家貴、蔡錫瑤編著：《上海大學：1922～1927》，上海社會科學出版社，1986 年，頁 265。

〔註 41〕「金佛朗案」是指 1922 年法國因爲一戰後法郎暴跌，要求中國政府償還庚子賠款改用「金佛朗」（一種本不存在的金質貨幣）計算，爲了索取更多的賠款。

1925 年 6 月，上海大學被萬國商團解散之後，原來的西摩路校區不能使用。後尋找到宋園爲該校新基地，募捐建築新校舍（數額約爲十二萬元）。決議由教師和學生組成募捐委員會，全體學生負責募捐，每人至少二十元。校長于右任也答允於一個月內捐出兩萬元，並赴各地募集鉅款匯滬。此時上大的教職員也決定將六、七月的薪酬扣減，以維持學校，由教職員自己認定一成至十成均可。有多人自認減扣十成。並且在報刊上刊登啓事，募集建築校舍費用。〔註 42〕上大去廣州募集基金解決建築校舍的經費。邵力子、于右任向廣州的國民政府籌得了 2 萬元。〔註 43〕「當時黨和國民黨搞統一戰線，廣州成了中國革命的策源地。……當時兩廣各界積極支持，華僑也捐了款，使上海大學能夠完成在江灣建築校舍的計劃。」〔註 44〕

上大自成立開始招生後，房租、圖書、器具、印刷等費用，越來越多。而來到上大求學的青年又多爲貧寒子弟，大多是免費欠費的。教職員有不少是盡義務或半盡義務的。學校的經費是入不敷出的，一直由于右任、邵力子兩位校長維持著。1927 年到江灣新校舍後，除募捐外，尚欠三萬五千元左右。這筆款是經同學金耀光介紹，向一個商人以低利率借貸的。當時校委會陳望道、周由廑代表於、邵兩校長出據。1932 年，該商人向上海法院控訴陳、周兩人，要求追還欠款。於、邵出面，於委託程嘉詠（當時在僞監察院工作），邵委託同學劉宇光爲代表，向蘇州高二分院上訴，程和陳、周一起到蘇州出庭。結果判決要求陳、周先向僞教育部清算後，再辦理欠款，從此拖延未辦了。〔註 45〕

上大是沒有在北洋政府登記的私立大學，經費來源主要靠學生學費及由校董事會募集捐款維持。〔註 46〕經費困難是阻礙上大發展的重要原因。國共

中國段祺瑞政府秘密接受「金佛朗案」。此處提到的上大領受的金佛朗案相關款項的來源及具體情況筆者一直未找到準確的資料。但從此事例可以看出上大經費來源的多樣性及經費的緊張。

〔註 42〕《本校募集建築校舍經費啓》，《上大五卅特刊》第 4 期，1925.7.7。

〔註 43〕《廣州國民政府關於上海大學被英軍佔領飭財政部撥款補助的令文》（一九二五年九月七日），轉引自王家貴、蔡錫瑤編著：《上海大學：1922～1927》，上海社會科學出版社，1986 年，頁 265。

〔註 44〕孫仲宇的回憶——有關上海大學的一些資料：（1962 年），D10－1－60，館藏上海檔案館。

〔註 45〕《上海大學史料》，頁 170。當時上大已不復存在，事實上已經無債權人，故而最終這筆借款因無人償還而不了了之。

〔註 46〕汪令吾：《國共合作創辦的上海大學》，上海市政協文史資料委員會編：《上海文史資料存稿彙編（9）》（教科文衛），上海古籍出版社，2001 年，頁 222。

合作時期，共產國際的支持、廣州革命政府的補給等等，經費來源的多樣性我們也可得知當時上大維持的艱難。

五、走出校園

上大存在僅五年，從 1924 年始有學生畢業。〔註 1〕顯然上大並沒有按照正常的學制來規範畢業。這個暫且不論，上大的畢業生的職業選擇是什麼呢？上大的畢業生，在中共在安排下，一方面就在上海範圍內工作，一方面調到全國各地去工作，去各省、市負責一些工作，還有一部分送到蘇聯去繼續培養。如 1926 年夏，上大應屆畢業生多數前往廣州，有的入國民黨中央部設立的由何魯主持的學術院，有的入黃埔軍校高級政治班，或隨軍工作，共達數百人。其它同學多散赴各地，或任聯絡宣傳，或投筆從戎，或組織黨部，或舉辦民團。其它同學還有少數被選送至莫斯科中山大學學習。當時在莫斯科有兩所學校主要招收來自中國的青年學生。一個是莫斯科中山大學（1925.10～1927），1925 年 3 月孫中山去世後，蘇共決定對中國革命投入了更大的資本，除槍炮支持外，創辦一所學校，以孫中山為旗幟，招徠大批中國先進青年。其目的在於用馬克思主義理論培養中國共產主義群眾運動的幹部，培養中國革命的布爾什維克幹部，並成為今後聯接中蘇關係的紐帶。1925 年 10 月，鮑羅廷在國民黨中央政治會議第 66 次會議上正式宣佈在莫斯科建立孫中山勞動大學，幫助中國國民革命培養幹部，建議國民黨選派學生去莫斯科中大學習，這個提議很快獲得一致通過，並成立了由譚延闓、古應芬、汪精衛組成的招生委員會。在蘇聯顧問鮑羅廷的參與下，國共雙方挑選了 310 名學生前往莫斯科中山大學學習，其中中共黨員、共青團員佔了學員總數的

〔註 1〕上海大學畢業生名冊：美術系（十二、十三、十四年度第二學期畢業生），共 46 人；中國文學系（十二～十五年度第二學期畢業生），共 174 人；英國文學系（十二～十五年度第二學期畢業生），共 55 人；上海大學社會學系（十三～十五年度第二學期畢業生），共 308 人。館藏上海市檔案館，D10－1－31。

80%以上。其中有大量的上海大學的學生，都是由中共組織選派去學習的。

另一個是莫斯科東方勞動者共產主義大學（1921.10～1938），這是二十年代初俄共（布）創辦的一所專門培養革命幹部的政治大學。該校的主要任務是爲蘇聯東部地區培養民族幹部和爲東方各國培養革命工作幹部。1925 年秋，莫斯科中山大學創辦，東方大學的部分教員和中國學生轉到中山大學。1930 年中山大學停辦之後，東方大學重新開設中國班。

除了送出去留學外，爲了適應新的形勢，發展中共的力量，上海大學黨支部根據上級黨的指示，會提前放假，發動全體黨員，分赴各地開展黨的發展工作。1924 年下夏，中共上海地執委兼區執委從上海大學派安徽壽縣鳳臺籍學生中共黨員胡允恭、吳雲、黃天伯等六人，利用暑假回家鄉，在壽縣東南鄉小甸集附近的曹小郢子開辦了淮上中學補習社，並在社內發展黨員，遂建立了中共淮上中學補習社支部。1925 年，中共上海大學黨組織派中共黨員王紹虞（化名劉靜清）回原籍安徽六安，開展工作，王在六安城區先後發展黨員 10 多名，建立中共六安特別支部，直屬中共中央領導。〔註 2〕張崇文（臨海人）和戴邦定被派往臨海，建立了特委，還擔任了國民黨臨海縣黨部的工作。借成立木匠、水泥、裁縫、理髮等行業工會的機會，發展中共黨員，建立共產黨支部。從此離開上大，走向社會。〔註 3〕還有不少人到楊樹浦、小沙渡等工廠密集區專事工人運動，「中共下層幹部中上海大學學生所佔的成分，正如北伐軍下層幹部中黃埔軍官學校學生占的成分一般。」〔註 4〕上海大學的學生是學生運動中的骨幹，他們「與工人、農民運動相結合」的方針，甘願「處於附屬勞動群眾的地位」，〔註 5〕而且他們在選擇自己的職業時，大都選擇了從事工農運動的職業革命家的角色。

〔註 2〕周良文：《1924 年～1927 年中共在高校中黨的建設》，學術論壇，2006 年第 2 期。

〔註 3〕張崇文同志的回憶。王家貴、蔡錫瑤編著：《上海大學：1922～1927》，上海社會科學院出版社，1986 年，頁 119。

〔註 4〕鄭超麟：《鄭超麟回憶錄（一九一九～一九三一）》，北京：東方出版社，1996，頁 108。

〔註 5〕毛澤東在一九三九年發表《五四運動》一文，認爲五四運動後區別學生群體的政治傾向的界限：「革命的或不革命或反革命的知識分子的最後的分界，僅僅在於看其是否願意並且實行和工農民眾相結合」。一直以來對於學生的政治運動都遵循著這一評判標準。但是學生的這種把「革命」作爲職業選擇，張濟順教授認爲這是中國知識分子固有的社會本位論和民本思想的復歸，是以犧牲學生個體價值爲代價的。

蔣介石發動「四一二」清黨之後，1927 年 6 月 4 日，上海大學被白崇禧的部隊佔領。1927 年 6 月，上大及附屬中學同學會在漢口召開聯席會議，決定：凡本校學生可依廣東中山大學轉學辦法，暑假後編入武昌大學，隨班上課。〔註 6〕在上大的新校址上建立的是無政府主義與國民黨合作的中心機構：中國勞動大學。

〔註 6〕《民國日報》，漢口，1927 年 6 月 10 日。

結　語

將上大的發展分為兩個階段來論述的的話，1922 年 10 月至 1924 年底，可看作學校的改組、發展時期。這一時期，上大由鄧中夏、瞿秋白等人著手管理，從學制、課程設置以及考試規章等方面入手，意欲將上大建成「南方新文化運動的中心」。上大內部黨派之間的爭鬥並不明顯，中共此時也是在以國民黨的身份活動。上大的管理者將知識的傳授作為重點，一大批社會名流的彙聚吸引了更多的求學學生。他們所帶來的新鮮的社會主義的理論和知識，符合學生對動蕩秩序不滿，尋求理論解釋的需求。上大的社會學系受歡迎也源於此。上大似乎有蓬勃發展之勢。1924 年底到 1927 年上大被佔領可以看作第二階段。國共合作的達成，中共內部以及中共與國民黨之間的矛盾反而激烈起來。北伐戰爭、五卅運動使得上海地區革命形勢更為迫急。中共巧妙得利用了五卅運動所掀起的工人運動和學生運動新的高潮。上大學生的熱情也被激發出來。過激的行動不可避免引起了租界警務處的注意和干涉。蔣介石的清黨，中共力量強大的上大被佔領了。上大的許多教職員和學生成為通緝的對象。上大自此不復從在，無法復校了。

這所「貌不驚人」的私立大學，凝聚了一大批名師賢達的同舟共濟，吸引了數以千記的渴求理想之路的青年學子，最終也造就了一批職業革命家和後來的傑出人才。上海大學是以「紅色學府」而被記憶的，意為有效的動員起來學生參加社會政治運動，從而培養了大量中共幹部的學校。中共何以動員上大的多數學生？總得來說，一當時國民黨以運動青年為重要任務，而中共在重心當時是在工人運動方面。國共合作達成之後，中共黨員以個人身份加入國民黨，在外以國民黨的名義活動，也綜合了國民黨的力量去吸引學生，所以中共在學生中的影響力逐漸提升。二上海大學中許多教師的身份是中共黨員，這些有學識有經驗有激情的教師成爲「青年導師」。他們帶領著學生去工廠、去車間，走上社會，認識眞實的社會狀況，他們個人的行動感染著學生。三局勢的推動。社會學系課程知識的灌輸，學生逐漸走向激進。固然瞿秋白的初衷是想爲求職，並非是讓學生積極走上街頭。不可否認，中共是上大校園中最重要的一股政治勢力。

通過本文的研究，筆者認爲上大享譽後世的不僅僅因爲是一所培養中共幹部學校，更重要的是從一個大學本身來說，他承載了教職員作爲「青年導師」影響青年的理想，承載了一千多名外地青年學子的爲己爲國爲社會的理想。研究中國革命史和中共黨史的學者多關注的是上大在中共歷史上的重要地位，而筆者則更關注在革命的時代，革命成爲社會各方面的變革之法時，上海大學作爲一個教育機構，工作和學習於其中的教師和學生他們的理想和努力。從前文論述可以看出，彙聚在上大的教職工有意將上大改組成一個爲學生提供理論知識的大學，一爲他們以後的就業，一爲讓他們關注國家，關注社會和國民。作爲「青年導師」的這一批人用他們豐富的學識和革命經歷引導著青年學生。學生從外省來到上海，他們多數是不被家鄉歡迎的激進分子，還有從外校轉來的被開除的學生，他們選擇了上大，學習和掌握各類知識，創辦文學和社會研究團體，發行刊物，交流學習心得。他們不畏犧牲的走上街頭，參加各類運動，更有何秉彝、劉華這樣爲運動而獻出生命的學生。

學生是弱勢的，在學校裏學習才使他們逐漸有了鬥爭的力量。適時，中共的極力宣傳和組織，國共合作的推動，對於共產主義思想的接受，中共的理論領導者都並非完全理解，只是照搬蘇俄的理論來對應中國社會，青年學生更沒有理智的甄選和分辨能力。他們通過激進的走上街頭的抗議活動去理解書上的理論知識，而走上街頭之後，他們必然要放棄學習。上大的學生，尤其是社會學系的學生，多數是沒有正常學習之後畢業的，流動性非常大。而上大經費來源的艱巨也導致學校一直輾轉於弄堂中，並沒有一個安定的環境。不論從上大的管理者、經費的供給者還是內部的黨派來看，上大內部的環境是越來越複雜，因爲過多政治人物的引入而越易受黨派鬥爭的影響。選擇上大並沒有爲多數人提供一個謀得好職位的機會，更多的人離開上大後成爲了職業革命家。工人可以在運動結束後回到工廠或是重新謀得生存的機會，而學生多選擇的是繼續革命。20 世紀 20 年代動蕩混亂的局勢下，學生甘願成爲依附於工農的革命引導者，卻沒有自己的力量。王新衡也許能代表另一種上海大學學生，他從上海大學去了莫斯科中山大學，與蔣經國同學，回國後成爲中統特務，赴臺灣後成爲亞洲水泥公司的董事長。〔註1〕

借鑒裴宜理在《上海罷工：中國工人政治研究》〔註2〕一書中所說：「不同的工人有不同的政治」，上海大學內的政治傾向不同的教職員和學生，在革命的大潮之下，他們的人生選擇也不同。留在檔案和資料中的名錄，多是爲革命獻身，或是以革命爲職業，成爲革命家，以生命踐行革命的人。大多數學生是被「隱身」的，因爲檔案的原因，去搜集完整的在上大就讀的學生的資料以及走出學校之後的歸路是一個需要繼續深入的問題。

五四運動把「新學生」的形象塑立起來，但是因爲成功太迅速，而學生本身基礎太弱，救國的責任心卻很重，各種新思潮湧來，學生的思想也經歷著一個新舊交替的階段。隨著政治運動的興起，學生在大時代的呼喚下，逐步投身並加重政治的活動與興趣。求學的興味與決心自然減退，中共與國民黨都重視對青年學生的吸引，帶著思想學說侵入學界，從此「學校成爲黨部，學生變做工具，讀書求學遂成爲反革命」，造成中國教育的悲運。〔註3〕我們不能忘卻的是悲哀的時勢教育下的犧牲品，那些成爲「職業革命家」的青年學生他們的命運給我們的現代啟示。

〔註1〕西江月撰稿：《上海大學：不該遺忘的中共第一學府》，《新華航空》，2011年第七期大專題。

〔註2〕裴宜理著：《上海罷工：中國工人政治研究》，劉平譯，江蘇人民出版社，2001年版。

〔註3〕《今日之學風》，《晨報》社論，民國17年4月9日。轉引自呂芳上著：《從學生運動要運動學生（從民國八年至十八年）》，中央研究院近代史研究所專刊（71）中央研究院近代史研究所，民國八十三年，頁247。

參考文獻

一、檔案資料

1. 革命歷史資料，D10－1－1－73，上海檔案館

二、報刊資料

1.《民國日報》（1922～1927 年）
2.《申報》
3.《嚮導》

三、資料選輯和文件彙編

1. 縣志資料：《閘北區志》、《寶山區志》。
2.《文史資料選輯》，第 35 輯，1978 年第 2 輯。
3. 上海《文史資料選輯》，1978 年第 2 輯，1981 年第 1 輯。
4. 中國人民政治協商會陝西省西安市委員會文史資料委員會編：《西安文史資料》，中國人民政治協商會陝西省西安市委員會，1983 年第 4 輯。
5. 黃美真、石源華、張雲編，《上海大學史料》，上海：復旦大學出版社，1984 年版。
6. 王家貴、蔡錫瑤編著：《上海大學：1922～1927》，上海：上海社會科學院出版社，1986 年版。
7. 張騰霄主編：《中國共產黨幹部教育研究資料叢書 第二輯》，北京：中國人民大學出版社，1989 年版。

8. 上海革命歷史文件彙集（中共上海區委文件）1925～1927 年，中央檔案館、上海市檔案館，1986 年 4 月。
9. 上海革命歷史文件彙集(上海區委會議記錄)1923 年 7 月～1926 年 3 月，中央檔案館、上海市檔案館，1989 年 10 月。
10. 共青團上海市委青年運動史研究室編著：《上海學生運動大事記：1919～1949 年 9 月》，上海：學林出版社，1985 年。
11. 中央檔案館編：《中共中央文件選集》(1921～1925)，北京：中共中央黨校出版社，1982 年版。
12. 中共上海市黨史研究室編：《上海教師運動史（1919～1949)》，中共黨史出版社，2007 年版版。
13. 多賀秋五郎編：《近代中國教育史資料 民國編》(中)，文海出版社有限公司。
14. 中國第二歷史檔案館編:《中華民國史檔案資料彙編》第三輯教育，南京：江蘇古籍出版社，1991 年版。
15. 中共中央黨史研究室第一研究部譯：《聯共（布)、共產國際與中國國民運動（1920～1925)》，北京：北京圖書館出版社，1997 年版。
16. 中共中央黨史研究室第一研究部編：《共產國際、聯共（布）與中國革命文獻資料選輯（1917～1925)》，北京：北京圖書館出版社，1997 年版。
17. 李文海主編：《民國時期社會調查叢編．文教事業卷》，福州：福建教育出版社，2005 年版。
18. 上海青運史研究會：《上海青運史研究》，上海：共青團上海市委青運史研究室，1987 年版。
19.《上海青運史資料》編輯部編：《上海青運史資料》，上海：共青團上海市委青運史研究室，1986 年版。
20. 20 世紀上海文史資料文庫（8)，教育科技，上海：上海書店出版社，1999 年版。
21. 上海市政協文史資料委員會編：《上海文史資料存稿彙編（9)》(教科文衛)，上海：上海古籍出版社，2001 年版。
22. 中國共產黨江蘇省組織史資料（1922 年春～1987 年 10 月)，中共江蘇省委組織部、中共江蘇省黨史工作委員會、江蘇省檔案館，南京：南京出版社，1993 年版。
23. 中共上海市委黨史研究室：《1921～1933：中共中央在上海》，中共黨史出版社，2006 年版。
24. 錢偉長編：《上大講演錄（1922～1927)》，上海：上海大學出版社，2009 年版。

四、論著、回憶錄

1. Wen-Hsin Yeh: "The Alienated Academy: Culture and Politics in Republican China, 1919～1937", Harvard University Asia Center, 2000.
2. Wasserstrom, Jeffrey N. Student protests in twentieth-century China: the view from Shanghai, Stanford, Calif: Stanford University Press. c1991.
3. 呂芳上：《從學生運動要運動學生（從民國八年至十八年）》，臺北：中央研究院近代史研究所，1995 年版。
4. 王奇生：《革命與反革命：社會文化視野下的民國政治》，北京：社科文獻出版社，2010 年版。
5. 王奇生：《黨員、黨權與黨爭：1924～1949 年中國國民黨的組織形態》，上海：上海書店出版社，2003 年版。
6. 斯民：《上海大學，革命的搖籃》，北京：作家出版社，2005 年版。
7. 張元隆：《上海大學與現代名人（1922～1927）》，上海：上海大學出版社，2011 年版。
8. 楊奎松：《國民黨的「聯共」與「反共」》，北京：社會科學文獻出版社，2008 年版。
9. （美）杜贊奇：《文化、權利與國家：1900～1942 年的華北農村》，王福明譯，南京：江蘇人民出版社，2008 年版。
10. （美）顧德曼：《家鄉、城市和國家——上海的地緣網絡與認同，1853～1937》，宋鑽友譯，周育民校，上海古籍出版社，2004 年版。
11. （美）費約翰：《喚醒中國——國民革命中的政治、文化與階級》，李恭忠譯，上海：三聯書店，2004 年版。
12. （美）裴宜理：《上海罷工》，劉平譯，南京：江蘇人民出版社，2001 年版。
13. 施扣柱：《青春飛揚：近代上海學生的學生生活》，上海：上海辭書出版社，2009 年版。
14. 陳映芳：《「青年」與中國的社會變遷》，北京：社會科學文獻出版社，2007 年版。
15. 羅志田：《近代讀書人的思想世界與治學取向》，北京：北京大學出版社，2009 年版。
16. 羅志田：《激變時代的文化與政治：從新文化運動到北伐》，北京：北京大學出版社，2006 年版。
17. 羅志田：《亂世潛流：民族主義與民國政治》，上海：上海古籍出版社，2001 年。
18. 羅志田：《變動時代的文化履跡》，上海：復旦大學出版社，2010 年版。

19. 鄭杭生：《中國社會學史新編》，高等教育出版社，2000 年版。
20. 閻明：《一門學科與一個時代：社會學在中國》，北京：清華大學出版社，2004 年版。
21. 何炳棣：《讀史閱世六十年》，桂林：廣西師大出版社，2005 年版。
22. 屈新儒：《關西儒魂：于右任別傳》，人民文學出版社，2002 年版。
23. 瞿秋白：《瞿秋白文集》政治理論編，第二卷，北京：人民出版社，1988 年版。
24. 瞿秋白：《多餘的話》，《餓鄉紀程、赤都心史、亂彈、多餘的話》，長沙：嶽麓書社，2000 年版。
25. 《憶秋白》編輯小組編：《憶秋白》，北京：人民文學出版社，1981 年版。
26. 李季《我的生平》，上海亞東書局，民國 21 年 1 月初版。
27. 鄒魯：《鄒魯回憶錄》，東方出版社，2010 年版。
28. 鄭超麟：《鄭超麟回憶錄：一九一九～一九三一》，北京：東方出版社，1996 版。
29. 丁玲：《丁玲自述》，大象出版社，2006 年版。
30. 王周生著：《丁玲——飛蛾撲火》，上海教育出版社，2004 年版。
31. 陳碧蘭：《我的回憶——一個中國革命者的回顧》，香港十月書屋，1994 年版。
32. 曹聚仁：《曹聚仁雜文集》，上海：三聯書店，1994 年。
33. 沈建中（採訪）、施蟄存：《世紀老人的話——施蟄存卷》，遼寧教育出版社，2003 年版。

五、論文

1. 羅志田：《近代中國社會權勢的轉移——知識分子的邊緣化與邊緣知識分子的興起》，開放時代，1999 第 4 期。
2. 羅志田：《近代讀書人的思想世界與治學取向》，《士變：20 世紀上半葉中國讀書人的革命情懷》，北京大學出版社，2009 年。
3. 羅志田：《從新文化運動到北伐的文化與政治》，社會科學研究，2006 年第 4 期。
4. 羅志田：《轉折：1924～1926 年間北洋體系的崩潰與南方新勢力的興起》，近代史研究，2011 年第 4 期。
5. （韓）鄭文祥：《1920 年代上海的大學與學生文化》，史林，2004 年第 4 期。
6. （韓）鄭文祥：《論五卅運動前後上海學生運動的統一和分化》，學術月刊，2000 年第 3 期。

7. 周良文：《1924 年～1927 年中共在高校中黨的建設》，學術論壇，2006 年第 2 期。
8. 茅盾：文學與政治的交錯——回憶錄（六），新文學史料，1980 年第 1 期。
9. 楊天宏：《學生亞文化與北洋時期學運》，歷史研究，2011 第 4 期。
10. 張濟順：《論上海政治運動中的學生團體（1925～1927）》，上海研究論叢，1989 年。
11. 孫傑：《鄧中夏和二十年代初的上海大學——紀念鄧中夏同志逝世五十五週年》，上海大學學報（社科版），1988 年 2 期。
12. 盛祖繩：《二十年代初創時期的上海大學》，上海大學學報（社科版），1988 年第 2 期。
13. 王偉、史嘉秀：《二十年代的上海大學》，上海高教研究，1985 年第二期。
14. 王家貴、蔡錫瑤：《二十年代初期的上海大學社會學系》，社會，1982 年 03 期。
15. 王關興：《瞿秋白與上海大學》，上海大學學報（社科版），2001 年第 2 期。
16. 趙守仁、陳豔軍：《于右任與上海大學》，遼寧師範大學學報（社科版），1997 年第 2 期。
17. 劉昶：《上海大學社會學系早期的教授們》，社會，1999 年 02 期。
18. 胡允恭：《創辦上海大學和傳播馬克思主義——蔡和森同志革命鬥爭的一件大事》，回憶蔡和森，人民出版社 1980 年第三版。

附　錄

附錄一：上海大學大事記

一九二二年

10 月 23 日　東南高等專科師範學校發生學潮，學生自治會決議改校名爲上海大學。于右任應允擔任上海大學校長，並到校就職。

一九二三年

3 月 5 日　添設中學部，主任爲陳德徵。

3 月 7 日　上大開學。

3 月 24 日　上大學生參與上海五萬餘人反對二十一條、收回旅順、大連的示威遊行。

4 月　聘請鄧中夏爲總務長（校務長）兼歷史系教授。

7 月 1 日　美術科圖音、圖工兩班學生三十四人畢業，並行畢業典禮。

8 月 2 日　瞿秋白在《民國日報》「覺悟」副刊上發表「現代中國所當有的上海大學」。

8 月 8 日　全體教職員決議組織上大評議會，處理全校重大事務。于右任爲主席，葉楚傖、陳德徵、鄧中夏、瞿秋白、洪野、周頌西、馮子恭、陳望道、邵力子等九人爲評議員。

8 月 12 日　評議會第一次會議，議決組織校董會和設立校舍建築委員會

10 月 9 日《民國日報》刊載上海大學在 10 月 5 日反對曹錕賄選的通電。

10月23日　舉行建校週年紀念大會，鄧中夏演說，並邀請汪精衛、張繼演講。演出學生自編之新劇「女神」、「曹錕盜國」等節目。

11月7日　社會問題研究會成立。

11月9日　青鳳研究會成立。

11月30日　湖波文藝研究會成立。

11月　三民主義研究會成立。

12月5日　評議會通過《上海大學章程》。

12月下旬　根據《上海大學章程》規定，該評議會爲行政委員會，是學校最高議事機關。校長于右任爲委員長，校務長鄧中夏爲秘書，學務長兼英文系主任何世楨、社會學系主任瞿秋白、美術科主任洪野及教職員代表葉楚傖、邵力子、曾伯興、韓覺民爲委員。

一九二四年

1月　國民黨第一次全國代表大會決議，每月補助上海大學一千元爲辦學經費。孤星社成立，于右任爲名譽社長。

2月19日　由青雲路遷至公共租界西摩路新校舍，並租時應里、甄慶里、敦裕里民房爲師生宿舍。

3月9日　瞿秋白、葉楚傖、邵力子、鄧中夏等學校負責人參加上海各公團追到列寧大會，瞿秋白報告列寧史略。

3月10日　教師卜世畸、學生程永言等出席上寶平民教育促進會會議，決定上大承辦平民夜校一所。

3月12日　校舍建築委員會議決校舍建築計劃及募捐方法，組織「校舍建築費保管委員會」，請汪精衛、張繼、張靜江、王震等人爲委員，由陳望道、楊荃駿、鄧中夏三人編輯《上海大學一覽》。

3月31日　行政委員會會議，審查《上海大學一覽》；擴充圖書館。陳望道爲籌備員；決定校舍募捐額爲一百二十萬元；決定校刊宗旨以學術研究爲主，本校新聞爲輔。

4月1日　召集籌辦平民教育大會，推選卜世畸、程永言爲上大平民義務學校執行委員，即日招生。

4月7日　全體女生爲支持直隸女二師風潮，發表致保定女二師學生電、致直隸教育廳和致各界通告。

4 月 10 日　校長于右任赴粵，由邵力子代理校長。

4 月 14 日　上大平民學校開學。

4 月 16 日　上大書報流通處設立，代售社會科學、新文學、自然科學方面的書籍和刊物。

5 月 4 日　校刊《上海大學周刊》第一期出版。

5 月 7 日　全體師生開會歡送張繼赴南洋募款。

5 月 27 日　《上海大學一覽》印行出版。

7月6日　上大發起合組織由上海學聯舉辦的上海夏令講學會在上海大學舉行開學典禮。

7 月 7 日～8 月 31 日　爲期 8 個星期的夏令講學會。

7 月 21 日　上海夏令講學會社會問題研究會在上海大學開成立大會，到會一百餘人。

8 月 2 日　上海非基督教同盟成立，上大張秋人、李春蕃、高爾柏與同文書院唐公憲、徐恒耀任執行委員。李春蕃、高爾柏負責編輯《非基督教特刊》。

8 月 4 日　于右任、邵力子、鄧中夏、惲代英、施存統等參加全國學聯第六屆年會。

10 月 10 日　上海各界在天后宮舉行國民大會，上大學生洪野鶴、郭伯和、林鈞、王秋心、黃仁、劉稻薪、黃培垣、何秉彝等參加。國民黨右派喻育之、童理璋等把持大會，收買流氓，毆打主張反對帝國主義和軍閥的進步學生，發生黃仁慘案。

10 月 11 日　上海大學學生會向全國各階層發出「上海大學學生橫被帝國主義與軍閥走狗摧殘的通電」。

10 月 13 日　上海大學學生會成立，楊之華、王秋心、劉一清、王環心、郭伯和、劉劍華、李春蕃等七人爲執行委員，林鈞、歐陽繼修、竇勳伯三人爲候補委員。

10 月 21 日　上海大學、上海大學學生會、上大教職員援助被難學生會、上大四川同學會及全國學總、上海反帝大同盟、非基同盟、滬西工友俱樂部、楊樹浦工人進德會、國民黨第一、二、五、九區黨部等三十五團體，在上海大學開會籌備追悼黃仁烈士。

10 月 27 日　黃仁烈士追悼會在上大舉行，由陳望道主持。

11 月 15 日　上大學生會參加全市各團體聯合會議，被選爲籌備歡迎孫中山抵滬的五團體之一。

11 月 17 日　上大與各團體、學生等二千餘人，到碼頭歡迎孫中山先生抵滬。在去孫中山先生住宅途中遭到法國巡捕房阻撓，校旗被繳。

11 月 26 日　上大浙江同鄉會發出代電，反對江浙戰爭。

12 月 9 日　英工部局搜查上海大學與瞿秋白等住所；並控告邵力子出售「含有仇洋詞句」之書報等。

12 月 14 日　上海國民促進會成立。邵力子任成立大會主席，邵力子、惲代英、韓覺民、林鈞等被選爲委員和候補委員。

12 月 21 日　上海女界國民會議促進會成立，選舉委員十七人，張琴球、鍾復光被選爲委員。

12 月 25 日　上大學生會聯絡南洋大學、大夏大學、同文書院等七校學生會召集各校代表會議，公決否認上屆學聯，並討論對時局的主張。上大學生余澤鴻、劉峻山、高爾柏、林鈞、劉一清等先後擔任上海學聯的負責人。

一九二五年

1 月 3 日　孟超、於達同學爲上海國民會議促成會所派，赴山東諸城各地宣傳國民會議。

1 月 9 日　上大四川同學會發表通電，抗議日輪「德陽丸」販賣僞幣、凶毆我國工人並致落水身死事件。

1 月 31 日　上海召開國民會議促成會第三次代表大會，推選惲代英、劉一清爲出席全國代表大會的代表。

2 月 3 日　校務長劉含初辭職，校務長改爲總務主任，代理校長邵力子聘請北大理學士韓覺民擔任。英國文學系新聘復旦大學文學士周越然擔任主任。

2 月 5 日　楊之華、鍾復光等出席上海女界國民會議促成會代表大會。

2 月　滬西日商內外棉紗廠工人罷工，上大黨組織接中共上海地委通知，鄧中夏率領劉華等參加罷工委員會的工作。劉華被選爲日商內外棉紗廠工會委員長。

3 月 14 日　孫中山 3 月 12 日逝世，惲代英在校演講「孫中山逝世與中國」。

3 月 15 日　國民黨上海執行部上大分部致電國民黨中央委員會，請求將上海大學改名爲中山大學，並請中央派專員來校講授中山主義。

3 月 17 日　楊之華主持國民黨上海女黨員追到孫中山大會，到會者數十人，葉楚傖、惲代英演講。

3 月 28 日　上大千餘人舉行追悼孫中山先生大會。

3 月 30 日　上大平民學校召開追悼孫中山先生大會。

3 月 31 日　上大湖北同鄉會成立，主任韓覺民。

4 月 3 日　學校行政委員會改組：代理校長邵力子；總務主任韓覺民，學務及中國文學系主任陳望道，英國文學系主任周越然，社會學系主任施存統以及沈雁冰、惲代英、劉大白、朱復。

4 月 7 日　上大廣東同學會成立。

4 月 10 日　上大安徽同學會。

4 月 12 日　師生參加公共體育場舉行的孫中山追悼會。

5 月 1 日　上大平民學校舉行紀念五一大會。

5 月 2 日　上大女同學會開成立大會。

5 月 9 日　上大平民學校舉行國恥紀念會。

5 月 16 日　顧正紅被殺，上大師生參加中共上海地委組織的「日人殘殺同胞雪恥會」，抗議日本帝國主義殺害顧正紅。

5 月 21 日　陶同傑、高伯定、劉峻山等同學參加潭子灣三百多罷工工人會議。

5 月 24 日　師生參加內外棉紗廠工會在潭子灣舉行顧正紅追悼大會。上大平民學校隊伍經過戈登路、普陀路巡捕房時，帶隊的趙震寰、朱義權、韓步先、江錦維四人被捕。

5 月 30 日　中共通過上海學聯發動各校學生到租界遊行。上海大學組織三十八個演講隊到南京路演講。在南京路，上大瞿景白、方山等一百數十名同學被老閘捕房拘捕；下午英帝國主義開槍屠殺，學生何秉彝當場犧牲，受傷同學十多人。

5 月 31 日　爲抗議五卅慘案，上大學生罷課並通電全國，同時在南京路演講，六十餘學生被捕。下午，上大學生和大批學生冒雨到總商會集合，推動商人罷市。上海總工會成立，劉華被選爲副委員長。

5 月　邵力子受到迫害，離開上大去廣州黃埔軍校任職。

6 月 3 日　學生會發表《何秉彝烈士略傳》，上大四川同學會散發《爲烈士何秉彝君慘遭英人槍殺泣告全國同胞》。全體學生參加上海七十餘校與各團體召開的「六三」紀念萬人大會。

6 月 4 日　萬國商團及巡捕，武裝搜查並佔領上海大學，學生會向全國通電。上海工商學聯合會成立，上海總工會李立三和林鈞、郭伯和被選爲工商學聯總務委員，歐陽繼修任文書。

6 月 5 日　于右任校長自河南抵滬，爲五卅事件和上大被佔領發表談話。上大在勤業女子師範學校設臨時辦事處，決議由陳望道、施存統起草，發表宣言向外人干涉。

6 月 6 日　上大全體被難師生借西門少年宣講團開全體大會，于右任主持會議並發表談話，會議決定成立上海大學臨時委員會。

6 月 7 日　全體教職員學生發表宣言，抗議帝國主義迫害上海大學並決定出版《上大五卅特刊》。根據全國學生總會決定，上大部分同學到青浦、松江及外省宣傳。

6 月 8 日　上大租西門方斜路新東安里 18 號爲臨時校舍。

6 月 11 日　上大師生二百餘人參加全市二十萬人的市民大會，會議通過了工商學聯六月七日提出的向帝國主義交涉的十七項條件，並通過決議，抵制英、日貨，實行經濟絕交。

6 月 14 日　新校舍募捐委員會成立，上大向上海學聯提議，反對總商會修正之十三條。

6 月 15 日　《上大五卅特刊》第一期出版。

6 月 25 日　上大學生會爲廣州「六二三」沙基慘案致電廣東革命政府。

6 月 26 日　全國學生第七屆代表大會在滬召開，上海大學、南洋大學、大同大學三校學生代表出席，惲代英任黨團書記。

6 月 29 日　全國學總選舉執行委員，高爾柏被選任編輯部主任。劉稻薪任新聞部主任，李碩勳任交際部主任。

6 月 30 日　上大全體師生參加二十萬民眾追悼五卅死難烈士大會，林鈞任總指揮。

7 月 12 日　上大開行政會議，討論上學期決算、本學期預算，規定開課時間，整理圖書館，組織圖書委員會，議決學校徽章形式。

7 月 14 日　上大學生會派代表參加由學聯組織的學生軍。

7 月 15 日　上大學生會發表通電，反對媚外報紙。

7 月 31 日　上大通告：接收因參加五卅反帝愛國運動而退學的教會學校學生。

8月21日　上大學生劉峻山由中共上海區委指定任上海學聯黨團書記。

8月28日　上大學生鍾復光由中共上海區委指定任婦女委員會書記；韓陽初任黨團秘密工作技術書記；李碩勳、劉峻山、朱義權爲區委組織的「九七」運動委員會委員。

8月　中國共產主義青年團臨時地點設在上海大學。

9月7日　上大師生參加全市各界「九七」國恥紀念大會，會後遊行。

9月10日　上大於青雲路師壽坊臨時校舍開學。

9月20日　上大師生參加中國濟難會籌備會，惲代英、楊賢江、李碩勳、劉一清、陳望道、韓覺民、林鈞、吳開先等被選爲正式委員。

10月10日　上大學生會召開紀念雙十節大會。

10月23日　上大舉行建校三週年紀念大會，出版《上海大學三週年紀念特刊》。

10月　上大學生李碩勳由中共上海區委決定，擔任全國學總單團書記。

11月5日　上大學生會派代表參加上海學聯會議，籌建學生軍。

11月19日　上大中山主義研究會開成立大會，通過章程，推選高爾柏等爲執行委員。

11月29日　劉華被捕，並於12月17日被秘密殺害。

12月6日　上大學生參加青雲路廣場市民反對段祺瑞政府大會。

12月16日　上大大學部和附中非基督教同盟與復旦大學、文治大學、大夏大學等校非基督教同盟發起組織上海非基督教大同盟。

12月20日　上海非基督教大同盟成立，選出上大、上大附中、南洋大學等九校爲正式委員。

12月25日　上大五百多名學生參加上海非基大同盟組織的全市大演講。

一九二六年

1月12日　上大教師沈雁冰、周建人、周予同、李季、周越然，蔣光慈、鄭振鐸、豐子愷等與郭沫若、丁曉先等社會知名人士，爲劉華遭秘密槍決一事發表「人權保障宣言」，譴責軍閥當局暴行。

1月23日　上海總工會、學聯、婦聯等一百三十餘團體，聯名發表擁護人權保障宣言。

3月19日　爲援助北京「三一八」慘案，上大及上大附中學生罷課。

3 月 21 日　上大教職員會議，選舉韓覺民、陳望道、周越然、侯紹裘、施存統、朱復、楊賢江、劉大白、李季爲行政委員會委員。

3 月 25 日　上大、上大附中學生與二十餘校同學三千餘人集會遊行，抗議「三一八」慘案。

5 月 18 日　爲紀念五卅運動一週年，中共上海區委組織「五卅行動委員會」，由羅亦農任主任，上大學生韓光漢、林鈞、余澤鴻、楊之華爲委員。

5 月 30 日　全體學生參加南京公共體育場舉行的五卅週年紀念大會。下午胡啓儈同學在福州路一帶演說，被捕房拘捕。

7 月 28 日　上大建築募捐委員會發表啓事：校舍建築即日動工，要求盡快捐款。

7 月 29 日　學生會發表宣言，反對日本發起、操縱的亞細亞民族大會。

8 月 20 日～28 日　小沙渡內外棉紗廠舉行罷工，上大學生赴內外棉紗廠參加反日活動。上大非基同盟代表到小沙渡慰問罷工工人。上大學生爲罷工作演講，俞昌准、徐世義被捕，後獲釋。

9 月 9 日　報載上大學務處添設註冊課，自本學期起實行學分制，學生受課不及三分之一，一概不准參與大考。

9 月　郭伯和任中共閘北部委書記，李碩勳任南市部委書記，劉一清、蘇愛吾、鍾夢俠等任部委委員。

10 月 6 日　在國民黨上海特別市黨部任職的朱義權、林鈞、黃正廠、秦邦憲等上大同學，被淞滬警察廳逮捕，被誣以「爲赤化張目」的罪名，同時被捕者共三十二人。經法巡捕房審訊後釋放。

11 月 9 日　上大學生爲北伐軍攻克九江，積極開展反對孫傳芳的宣傳活動。11 日，張傳薪、徐和雲、張楠、任作浦、陳炳炎等十一人，因宣傳演講被捕。

11 月 16 日　上大四川同學會致函督辦公署，請求啓封上海學聯並釋放被捕之工人學生。

11 月 28 日　上大學生參加工行是哪個學各界舉行的市民大會，反對奉魯軍南下，要求上海實行自治，大會決議恢復上海工商學聯合會，以籌備組織市民政府。

12 月 3 日　林鈞代表學界出席工商學各界六團體會議，討論恢復工商學聯合會，並改名爲上海特別市市民公會，以實現上海自治爲宗旨。

12 月 6 日　上海工商學聯合會正式恢復，改名爲上海特別市市民工會。林鈞、劉榮簡當選爲委員。同日，中共上海區委決定組織上海特別市市民公會黨團，由林鈞任黨團書記。

12 月 12 日　林鈞主持全市各團體代表大會，號召群眾起來驅逐軍閥和官僚，建立自治政府。

12 月 15 日　上大非基同盟改組，張昔蒙、劉曉浦、池盼秋、丁顯、陳錚、吳緓、彭進修當選爲正式委員，李俊花、王溢候補。

一九二七年

1 月 2 日　上大學生會何洛、劉榮簡（劉披雲），上大附中覃澤漢參加上海學聯第六次代表大會。大會決議援助非基運動中被捕的上大等校同學。

1 月 6 日　上大組織寒假讀書會，參加者一百三十多人。

2 月 19 日　上大學生會參加上海工人第二次武裝起義的演講隊。

2 月 23 日　當局搜查上大，在校學生五十餘人被捕。

3 月 12 日　上大師生侯紹裘、林鈞、劉榮簡、王亞璋等，與中共上海區委書記羅亦農、上海總工會委員長汪壽華及各界代表三十一人，被選爲籌備組織上海市民政府的臨時執行委員。林鈞、汪壽華等負責起草組織法。

3 月 14 日　林鈞主持臨時執行委員會議，並被推選爲常務委員，擔任秘書。

3 月 21 日　上大學生一百多人組織慰勞隊，並直接參加上海工人第三次武裝起義。

3 月 22 日　侯紹裘、林鈞、何洛和羅亦農、汪壽華等十九人，被選爲工人武裝起義勝利後誕生的上海市民政府委員。林鈞任秘書長。

3 月 23 日　陳望道、劉大白、馮三昧、鍾伯庸、李春緯及學生等慰勞北伐軍。

3 月 24 日　上大與景賢女校在青雲路集會歡迎北伐軍。

3 月 25 日　上大學生參加上海學聯召開的追悼死難烈士大會。同日，上大行政委員會發佈通告，江灣新校舍已經全部落成，定於 4 月 1 日上課。

3 月 27 日　林鈞、朱義權主持五萬人參加的市民大會，要求收回租界。上大師生參加大會。同日，上大發表宣言，抗議英美製造南京慘案。

3 月 28 日　中共上海區委決定，林鈞爲上海市政府黨團成員；龍大道爲上海總工會常務委員會委員，負責經濟鬥爭部。

4 月 12 日　蔣介石發動四一二政變，上海大學同學參加青雲路廣場五萬餘人集會。

4 月 13 日　上大學生會代表參加上海學聯執委會議，決議全市罷課，援助工人糾察隊。

4 月 14 日　上海學聯被取締。

4 月 15 日　上大學生會發表加入反英大同盟宣言，並爲抗議英兵搜查大夏大學發表通電。

4 月 18 日　上大在江灣新校舍召開行政委員會，陳望道、謝六逸、李春鵬、金耀光、馮三昧、劉大白、周由廑等參加，陳望道爲臨時主席。

4 月 19 日　南京國民黨中央發出通緝令，其中在上大工作和學習過的有於樹德、惲代英、鄧中夏、李碩勳、蔡和森、彭述之、侯紹裘、李漢俊、沈雁冰、瞿秋白、施存統、張太雷、林鈞、何洛、潘楓涂、高爾柏、朱義權、劉榮簡、楊賢江、楊之華、余澤鴻、蕭楚女、黃胤、王亞璋、張秋人、劉一清、龍大道、高語罕等。

4 月 25 日　淞滬警備司令部楊虎、陳群在各報發佈命令，懸賞一千元逮捕共產黨人及工人運動領袖。其中有上大師生：林鈞、余澤鴻、吳庶吾、朱義權、龍大道等。

6 月 3 日　上大被國民黨軍警查封。

6 月 4 日　被捕學生獲釋。上海大學校舍被白崇禧的部隊佔領，不久改爲國立勞動大學。

6 月 10 日　上大及附屬中學同學會在漢口召開聯席會議，決定：凡本校學生可依廣東中山大學轉學辦法，暑假後編入武昌大學，隨班上課。

一九三六年

9 月 28 日　上海大學校友會成立，由林鈞、吳開先組織，組織學生登記。

資料來源：主要參考王家貴、蔡錫瑤編著《上海大學（1922～1927）》、（上海社會科學出版社 1986 年）、《民國日報》（1922～1927）、黃美真、張雲編《上海大學史料》（復旦大學出版社 1984 年版）。

附錄二：

	人　物	籍　貫	主要活動	來上大時間
商務印書館來上大兼職的教員	茅盾			
	董亦湘		1924 年 7 月上大夏令講學會上主講唯物史觀和人生哲學	1924 秋至 1925 上半年在上大社會學系任教
	周建人		教授生物哲學，夏令講習會主講進化論	1923 年，在上大一學期，社會學系
	胡愈之		夏令講習會主講世界語	
	楊賢江		夏令講習會主講教育問題和青年問題；教授倫理學	上大社會學系
江蘇籍師生	瞿秋白	江蘇常州		
	張太雷	江蘇常州		
	董亦湘	江蘇武進		
	葉楚傖	江蘇吳縣	夏令講習會主講中國外交史	1922 年～1924 年上大教務長
	侯紹裘	江蘇松江		1925 年初上大中學部主任
	糜文浩	江蘇無錫	「中國孤星社」發起人，《孤星》旬刊的理事編輯，	1923 年秋考入上大社會學系，後入莫斯科東方大學
	顧作霖	江蘇嘉定	中共上海區委職工運動委員會委員，參加三次武裝起義	1925 年 8 月五卅運動後入上大附中
	林鈞	江蘇川沙	國民會議運動，上海工人第三次武裝起義	1924 年由小學教師進入上大社會學系
	高爾柏	江蘇青浦	成立非基督教同盟，編輯《非基督教特刊》等	1924 年秋轉入上大社會學系，兼任上大附中教員和訓育主任
	匡亞明	江蘇丹陽	引翔港地區共青團委書記和工人夜校校長	1926 年暑假前從江蘇一師轉到上大中文系
浙江籍師生	邵力子	浙江紹興		副校長、代理校長
	陳望道	浙江義烏		主持中文系及後期校務
	施存統	浙江金華	社會思想史、社會運動史、社會問題	社會學系主任

	人　物	籍　貫	主要活動	來上大時間
浙江籍師生	周越然	浙江吳興	超然黨派之外，講授西洋文學名著和英國文學翻譯	1925 年進上大英國文學系主任
	劉大白	浙江紹興	講授中國文學史和文字學	1924 年初進入上大中文系
	張秋人	浙江諸暨	教授英語。1924 年中共上海地方兼區執行委員會等	1923 年 5 月進入上大英文系
	俞平伯	浙江德清		1923 年秋任教於上大中文系
	茅盾	浙江桐鄉	中外文學	
	周建人	浙江紹興	生物學	
	楊賢江	浙江餘姚	教育學和青年問題	
	楊之華	浙江蕭山		
	賀威聖	浙江象山	象山進步青年團體「樂群學會」	1924 年上大社會學系
	張崇德	浙江臨海	浙江同鄉會委員長，參加上海工人三次武裝起義	1924 年上大英國文學系
	張崇文	浙江臨海	杭州學聯宣傳部長；兄弟兩人都進入了莫斯科中山大學	1926 年進入上大社會學系
	施蟄存	浙江杭州	第一部短篇小說集《江干集》自費刊印	1923 年入上大中文系，1926 年轉到震旦大學
	戴望舒	浙江杭州		1923 年秋入上大中文系，1925 年轉入震旦大學
	孔另境	浙江桐鄉		1925 年畢業於上海大學中文系
	譚其驤	浙江嘉興	參加了第三次武裝起義	1926 年進上大社會學系
四川籍師生	蕭樸生	四川德陽	教授辯證法唯物論；中國濟難會全國總會黨團書記	1925 年秋進入上大社會學系任教
	郭沫若	四川樂山	「文藝之社會的革命」	1925 年 5 月到上大演講
	黃仁	四川富順	天后宮紀念辛亥革命大會上犧牲，「黃仁慘案」引起反響	1924 年上大社會學系

	人　物	籍　貫	主要活動	來上大時間
四川籍師生	郭伯和	四川南溪	組織平民世界學社，出版《平民世界》半月刊	1923 年考入上大社會學系
	楊達	四川彭州	滬西工人俱樂部和平民夜校活動	1925 年 1 月轉入上大社會學系
	李碩勳	四川高縣	略	1923 年底入上大社會學系學習
	趙君陶	四川重慶	李碩勳之妻	1925 年進入上大社會學系學習
	余澤鴻	四川長寧	上海學生聯合會主席，任《血潮》和《上海學生》編輯	1923 年秋考入上大社會學系
	吳詳寶		上大附中學生	
	楊尚昆	四川潼南		1925 年到上大，1926 年去莫斯科中山大學
	李伯釗		楊尚昆之妻	
	何秉彝	四川彭縣	上大學生會執行委員，上海學生聯合會秘書	1924 年由大同大學轉入上大社會學系
	劉華	四川宜賓	滬西工人俱樂部和平民夜校活動	1923 年入上大中學部半工半讀
	陽翰笙	四川高縣		1924 年考入上大社會學系
湖南籍師生	鄧中夏	湖南宜章		上大的總務長
	蔡和森	湖南湘鄉	講授社會進化史	
	任弼時	湖南湘陰	留學於莫斯科東方大學；團中央組織部長、代理書記	1924 年夏到上大社會學系教授俄文
	田漢	湖南長沙		1924 年到上大中文系任教
	李季	湖南平江	留學於莫斯科東方大學；主講社會主義史	1925 年五卅後到上大社會學系任教
	彭述之	湖南邵陽	留學於莫斯科東方大學；主編《嚮導》和《新青年》	1924 年兼任上大社會學系
	王一知	湖南芷江		1923 年夏到上大學習
	丁玲	湖南醴陵		1923 年進入上大中文系學習

	人　物	籍　貫	主要活動	來上大時間
安徽籍師生	蔣光慈	安徽金寨	留學於莫斯科東方大學；組織春雷文學社	上大社會學系教授
	洪野	安徽歙縣		上大美術科主任
	何世禎	安徽望江	夏令講習會《全民政治》；另創私立持志大學	上大學務長兼英國文學系主任、校行政委員會委員
	朱湘	安徽太湖	加入了文學研究會	1925 年初任上大英國文學教授
	高語罕	安徽壽縣	講授西方革命史	1925 年初上大社會學系教授
	王稼祥	安徽涇縣		遭教會學校除名後入上大附中並任附中學生會主席
	張治中	安徽巢縣		1922～1923 年在上大選修瞿秋白的俄語
	王步文	安徽岳西	安徽省學生會聯合會副會長	1924 年進入上大社會學系學習
	薛卓漢	安徽壽縣	1923 年 11 月與劉華、龍大道加入中共；廣州農講所學習	1923 年入上大社會學系
	曹淵	安徽壽縣	和薛一樣都是在蕪湖學習	1923 年入上大聽課，後進入黃埔軍校受訓
	俞昌准	安徽南陵	1926 年入黨後回家開展革命活動	1925 年入上大附中
	黃讓之	安徽天長	與同學去工廠區辦工人補習學校；1926 年去廣州參加北伐	1923 年入上大中國文學系
	三兄弟	安徽鳳臺	吳雲、吳霆（社會學系）、吳震（英國文學系）	吳云以黃埔軍校政治教員身份組織皖籍青年去黃埔軍校
			吳震後進入黃埔軍校學習；吳霆以上大學生會名義去領導奉天學聯，開展學生運動。	
陝西籍師生	于右任	陝西涇陽		
	楊基駿	陝西戶縣	陝西一師校長	1924 年春到上大擔任中學部主任
	吳建寅	陝西涇陽	曾任高雷道署財政科長	1922年11月如上大任會計員

	人　物	籍　貫	主要活動	來上大時間
陝西籍師生	余寄文	陝西長安	畢業於日本振武學校東洋大學	1924 年春任上大圖書管理員
	李端峰	陝西三原	曾任民治學校庶務長	1924 年春任上大會計處助理員
	何挺穎	陝西南鄭		1925 年五卅後到上大社會學系學習
	何尚志	陝西耀州	在工人夜校和平民夜校上課；創辦《新群》半月刊	1923 年秋考入上大社會學系
	武止戈	陝西渭南	參與組織共進社	1924 年初黨組織選送到上大社會學系學習，後去東方和中山大學
	鄒遵	陝西富平	1924 年底被團中央指派回西安發展團員	1924 年考入上大社會學系，後去中山和東方大學留學
	張仲實	陝西隴縣		1926 年入上大社會學系求學，後去東方大學學習

資料來源：張元隆《上海大學與現代名人（1922～1927）》，上海大學出版社，2011 年版，第五章各地師生。